1 MILHÃO DE MOTIVOS
PARA CA$AR

GEMMA TOWNLEY

1 MILHÃO DE MOTIVOS PARA CA$AR

Tradução de
Alice França

EDITORA RECORD
RIO DE JANEIRO • SÃO PAULO
2015

CIP-BRASIL. CATALOGAÇÃO NA PUBLICAÇÃO
SINDICATO NACIONAL DOS EDITORES DE LIVROS, RJ

T671m

Townley, Gemma
Um milhão de motivos para casar / Gemma Townley; tradução de Alice França. – 1. ed. – Rio de Janeiro: Record, 2015.

Tradução de: The importance of being married
ISBN 978-85-01-40048-2

1. Ficção inglesa. I. França, Alice. II. Título.

15-20810

CDD: 823
CDU: 821.111-3

TÍTULO ORIGINAL:
The Importance of Being Married

Texto revisado segundo o novo Acordo Ortográfico da Língua Portuguesa.

Editoração eletrônica: Abreu's System

Direitos exclusivos de publicação em língua portuguesa somente para o Brasil adquiridos pela
EDITORA RECORD LTDA.
Rua Argentina, 171 – Rio de Janeiro, RJ – 20921-380 – Tel.: 2585-2000,
que se reserva a propriedade literária desta tradução.

Impresso no Brasil

ISBN 978-85-01-40048-2

PARA ATTICUS: O BEBÊ MAIS BONZINHO DO MUNDO

Agradecimentos

Meus agradecimentos, como sempre, a minha agente, Dorie Simmonds, e a minha editora, Laura Ford, pelo infinito entusiasmo e pela enorme paciência, quando prazos tiveram que ser adaptados por conta da gravidez e da chegada do bebê. Quero agradecer a Genevieve Pegg, Juliet Ewers, Kate Mills e a todo mundo da Orion. Obrigada também a Val Haskins por seus comentários, a Mark pelas várias xícaras de chá, a Oscar Wilde pela inspiração, e a Atty por dormir três vezes ao dia quando eu precisava muito disso...

Nota da Autora

QUANDO EU ERA (INFELIZMENTE MUITO) mais jovem, costumava brincar com minhas amigas de um jogo chamado *O que você faria?*, em que formulávamos perguntas umas às outras, desde a mais banal, como: "O que você faria se dormisse e acordasse no fim do semestre, durante o período das provas e não tivesse estudado nada?"; à mais interessante, como: "O que você faria se descobrisse que é adotada e sua verdadeira mãe é a rainha?" Havia também algumas totalmente horrendas, como: "O que você faria se estivesse trocando de roupa para participar da aula de educação física e o Sr... (um professor) entrasse no vestiário e a visse?"

Era um jogo bem interessante, no qual não era permitido dar respostas óbvias e simples, do tipo "eu ficaria reprovada; eu daria uma ótima princesa; eu iria ignorar e fingir que aquilo nunca tinha acontecido". Nós tínhamos que entrar em detalhes, responder, de forma específica e sincera, como reagiríamos diante daquelas situações.

E a verdade é que eu nunca parei realmente de jogá-lo. E esse é o grande barato de se escrever um livro, pois você pode perguntar tantos *O que você faria* quanto quiser e responder da maneira que desejar. Foi assim que surgiu a inspiração para criar a aventura de Jessica Wild. E se você herdasse uma fortuna? E se tivesse que convencer alguém a se casar com você só para poder pôr a mão no dinheiro? E se esse alguém fosse seu chefe, e lindo, e você não fizesse o tipo dele?

Quando comecei a pensar neste livro, tinha acabado de reler *A importância de ser prudente* e fiquei surpresa com quanto ele me fez rir. A genialidade e a tolice se combinam para criar uma peça que se mantém sempre atual, maravilhosamente espirituosa e superdivertida. Então, outra pergunta do tipo *O que você faria* me ocorreu. E se eu pegasse emprestado só um pouquinho da trama de Oscar Wilde? E se eu criasse uma heroína que fosse alguém sem grandes pretensões, o tipo de garota que foi, e espera sempre ser, coadjuvante na história de outra pessoa, e a colocasse em uma situação absurda, onde nada é simples, e a fizesse lidar com isso? Como seria?

A resposta a todas essas perguntas resultou em *Um milhão de motivos para casar*. Espero que vocês gostem.

Capítulo 1

PROJETO: CASAMENTO

O produto: Jessica Wild

Quer dizer que agora eu me tornei um produto?

Bem, foi você quem disse que tínhamos que transformar isso em um plano de negócios, lembra?

Tudo bem. Eu sou um produto. Que seja...

Missão: reformular o produto para torná-lo irresistível ao público-alvo, impelindo-o a declarar o seu amor eterno e fazer um pedido de casamento.

Prazo: 50 dias.

Público-alvo: Anthony Milton (chefe do produto em questão, um cara lindo e um dos profissionais mais badalados do mundo da propaganda).

Objetivos da nova marca:

1. Tornar-se atraente para Anthony Milton.
2. Tão atraente que ele chame o produto para sair.
3. E em seguida peça o produto em casamento.
4. Ah, e tudo isso tem que acontecer em 50 dias. Inclusive o casamento.
5. *Este é o projeto mais absurdo em que já trabalhei.*

   E o mais lucrativo. Lembre-se, estamos falando de 4 milhões de libras. Não é uma quantia que deva ser menosprezada.

Não estou menosprezando. Só estou planejando o que vou fazer se algo der errado.
Nada vai dar errado.
É fácil falar. Afinal, não é você que tem que fazer isso.

Características principais do produto (pontos positivos): *Hmm...* Cinturinha fina. Pernas bonitas. Às vezes séria demais. E com certeza horrível quando o assunto é homem.
Ah, obrigada.
De nada.

Dificuldade quanto à reformulação da marca/problemas a serem resolvidos:

1. Até agora o público-alvo não mostrou nenhum interesse pelo produto.
2. *Nem o produto mostrou o menor interesse pelo público-alvo.*

Anthony Milton? Aquele gato? Fala sério, você tem que estar pelo menos um pouquinho interessada.
Nem um pouquinho. Ele não faz o meu tipo.
Você tem um tipo? Você nunca sai com ninguém. Como é que você pode ter um tipo?
Posso não ter um tipo definido, mas sei identificar quem não faz o meu tipo.
Bem, isso quer dizer homens em geral...
Essa é uma péssima ideia. Talvez seja melhor pensar em outra coisa...
Ah, não. Você concordou em fazer isso. Não pode voltar atrás agora.
Posso, sim.
Não pode, não. De qualquer maneira, você não tem escolha. Já verificamos todas as alternativas possíveis e vimos que elas não são válidas.
Obrigada pelo lembrete.

Estratégias:

- *Será que eu poderia delegar essa tarefa a alguém? Contratar uma top model para se casar com Anthony, por exemplo?*
- Mas isso acaba com o propósito da coisa, não é? Olha, não é tão difícil assim. Você só precisa de um corte de cabelo. Roupas novas. Aprender a sorrir da maneira certa. E um pouco de treino na arte da sedução.
- *Eu gosto das minhas roupas. E do meu sorriso. E não estou interessada na arte da sedução.*
- Mas vai estar quando eu tiver terminado com você.
- *Você vai terminar comigo? Isso é uma promessa?*

Helen, minha amiga que divide o apartamento comigo, franziu a testa.

— Por que tenho a impressão de que você não está levando isso a sério?

— Não faço a menor ideia — respondi, inocente. — Porque eu estou, sim. Aliás, estou até pensando em ir à biblioteca e fazer uma pesquisa sobre casamentos nos últimos 2 mil anos. Sabe como é, para pegar umas dicas importantes.

Helen revirou os olhos em sinal de irritação.

— Qual é, Jess? Não estou brincando. Afinal, vamos fazer isso ou não?

Eu dei um suspiro.

— Olha, acho que não levamos em conta todos os aspectos da coisa. Eu poderia muito bem ligar para o advogado. Abrir o jogo com ele. Pedir desculpas e esquecer essa ideia ridícula.

— É isso o que você quer fazer? Tem certeza? — perguntou Helen.

Corei e neguei com um gesto de cabeça. Eu não iria telefonar para o advogado e admitir a verdade, de jeito nenhum. Seria terrível, humilhante demais. Não era sequer uma opção.

Helen deu de ombros.

— Então me diga exatamente o que você tem a perder, Jess. Falando sério.

— Minha dignidade — respondi na mesma hora. — Minha independência. Minhas...

— Dívidas? — sugeriu Helen. — Sua vida social inexistente? Ah, Jess, qual foi a última vez que você saiu com alguém?

— Eu não quero sair com ninguém. Encontros são supervalorizados. Assim como casamento e namoros.

— Como você sabe? Você nunca namora. E de qualquer maneira não se trata disso, e sim de uma proposta de negócios.

Mordi o lábio.

— Anthony não vai saber que é uma proposta de negócios. Você está dizendo que vai fazer com que ele se apaixone por mim, mas isso nunca vai acontecer. É pura perda de tempo.

Helen semicerrou os olhos e me encarou.

— Você não está assustada, está?

— Não! — respondi na defensiva. — Claro que não. Só acho que é uma ideia maluca.

— Não acredito — disse Helen, balançando a cabeça. — Você está assustada. Jessica Wild, a Srta. "Odeio Casamentos", está com medo de ser rejeitada. Admita.

— Não estou com medo de ser rejeitada — falei, revirando os olhos, irritada. — Apenas sei que Anthony nunca vai se entusiasmar por... nesse projeto. Muito menos se apaixonar por mim. E, para falar a verdade, nem quero que isso aconteça. Tenho coisas melhores a fazer do que ficar correndo atrás de um mulherengo qualquer.

— Coisas melhores a fazer do que herdar 4 milhões de libras? Não seja boba. De qualquer maneira, acho que seria bom para você ter um namorado.

— Eu sei que você acha isso. Mas não importa. Ao contrário das suas convicções, eu não acredito que os homens sejam a resposta para tudo. Eu não quero um namorado. Não preciso de um para me sentir completa. Estou muito bem sozinha. — As palavras saíram como um mantra, de tanto que as dizia. E eu acreditava nelas também. Casamento era bom para jovens bonitinhas que se sentiam felizes em depender de um homem, mas não para mim. Eu sabia muito bem disso.

— Sozinha e falida, você quer dizer. Então, tudo bem, você está feliz sozinha. Mas, se esse plano der certo, você não vai ganhar apenas um marido lindo; você vai ganhar 4 milhões de libras. Fala sério! Vale a pena tentar, certo?

Dei de ombros. Ela tinha me pegado com essa. Quatro milhões era muita grana. Dava para mudar de vida.

— Mas eu teria que casar — argumentei.

— Você pode se divorciar.

Franzi o cenho. A bem da verdade, eu não acreditava em casamentos, mas a ideia do divórcio também não me agradava. Dava a impressão de fracasso, de uma escolha errada. Talvez Anthony e eu pudéssemos nos separar, me peguei pensando, mas logo fiquei irritada comigo mesma. Eu já estava começando a cair na conversa de Helen. Não iria me separar nem me divorciar, porque não ia sequer me casar. Eu podia até estar entretendo Helen com toda essa história, mas o Projeto Casamento nunca iria dar certo.

— Divórcio. Que maravilha. Tudo o que sempre sonhei.

Helen se irritou.

— Esqueça o divórcio. Concentre-se no casamento. Ele resolveria tudo. Você tem que, no mínimo, tentar.

Eu a encarei. Era uma ideia maluca. Mais que isso. Mas talvez ela tivesse razão; talvez eu devesse tentar, nem que fosse para não pensar mais nesse assunto; para não ficar pensando depois: "E se eu tivesse feito"?

— Vamos lá — disse Helen, tentando me persuadir. — Você sabe que é a coisa certa a fazer. Por Grace. Pela casa.

Inclinei a cabeça para trás e dei um suspiro. A casa. Ah, meu Deus. Como fui me meter nessa confusão?

— Então, você topa? — perguntou Helen. — Vai arriscar?

Eu percebi que ela não iria desistir, o que por si só era uma boa razão para ir em frente.

Cruzei os braços e olhei para ela atentamente.

— Vou tentar — respondi sem acreditar no que estava dizendo. — Mas não vou fazer nada contra minha vontade. E continuo achando que não vai dar certo.

— Bem, se não vai dar certo, você não terá nada com que se preocupar, certo? — disse Helen.

Suspirei.

— Você acha isso engraçado, não é? — eu disse em tom de censura. — Você acha que é só um jogo.

— E é um jogo. — Helen sorriu. — É como um daqueles *game shows* da TV. E o prêmio é enorme. Fala sério, Jess. Relaxa.

Olhei bem para ela e franzi o cenho. Eu não queria relaxar. O que eu queria era me livrar de tudo aquilo. Mas eu sabia que não ia conseguir. Então, em vez disso, dei de ombros. Eu sabia reconhecer quando era derrotada.

— É isso aí! — Helen bateu palmas. — Bem, então, vamos cortar esse cabelo — disse ela, entregando-me o casaco. — Antes que você mude de ideia novamente.

Capítulo 2

ACHO MELHOR EXPLICAR O PROJETO Casamento. E os 4 milhões de libras. E o advogado, também. Quer dizer, você com certeza deve ter algumas perguntas. Apenas prometa não julgar antes de conhecer a história toda. E, mesmo depois de conhecer, eu agradeceria se você pegasse leve.

Tudo começou há muito tempo, como nos belos contos de fadas. Não tão antigamente a ponto de se conviver com duendes, mas tempo suficiente para as coisas terem saído de controle. Dois anos, dois meses e seis dias, para ser exata.

Na verdade, tudo começou quando minha avó morreu. Bem, não exatamente no dia em que ela morreu, mas quando decidiu morar em uma casa de repouso, porque ela vivia dizendo que ninguém — referindo-se a mim — seria capaz de cuidar dela tão bem quanto ela própria cuidava. Vovó e eu não nos dávamos muito bem. Fui deixada sob seus cuidados aos 2 anos, quando minha mãe morreu em um acidente de carro. Eu não tive pai — pelo menos minha avó não sabia quem ele era e, na época, eu não conhecia a palavra "papai" —, o que fez com que ela se visse forçada a se responsabilizar por mim, de forma involuntária. E ela sempre dizia que, na sua idade, preferia não ter que criar outra criança. Então, quando me tornei adulta, fiz o possível para demonstrar gratidão, cuidar dela, visitá-la regularmente e verificar que não lhe faltasse nada. Mas toda vez que eu a visitava, ela achava um novo motivo para me criticar — meu cabelo, meu emprego, meus amigos, meu carro... É claro que eu já estava acostumada, afinal, cresci com ela me provocando, mas quando mencionou a ideia da casa de repouso, tenho que confessar que fui totalmente a favor, na hora.

A mudança pareceu ser positiva para ela também. Passou a ter outras pessoas para criticar e novas coisas para se queixar. O pessoal da clínica a odiava; os outros moradores tinham medo dela; e a aversão que nutria por eles fazia com que, durante minhas visitas, tivéssemos um assunto para conversar que não girasse apenas em torno dos meus defeitos, o que era algo novo e incrivelmente bem-vindo.

Mas não é aí que tem início a história. Tudo começou quando Grace Hampton, a vizinha de quarto da casa de repouso, calhou de passar pelo quarto da minha avó um dia que eu estava visitando, e espiou lá dentro. Eu estava contando a vovó sobre meu novo emprego na Milton Advertising, e explicava que trabalhava para Anthony Milton, o queridinho do mundo publicitário. Grace entrou e nos ofereceu chá, o que achei estranho, pois minha avó só falava coisas negativas sobre a vizinha intratável que lia romances "estúpidos" e via televisão demais (vovó preferia ler livros grandes e complexos, que lhe deixavam com dor de cabeça). Grace pareceu ignorar o espanto de vovó e seu tom de descaso, quando voltou alguns minutos depois com três xícaras de chá e sentou no sofá, ao meu lado. Então me perguntou tudo sobre meu novo emprego. Para falar a verdade, para uma velhinha boazinha, ela era bem cara de pau. E, antes que eu me desse conta, ela estava sempre presente quando eu visitava vovó, sorrindo e perguntando sobre minha vida, como se estivesse de fato interessada.

Alguns meses depois, vovó morreu, e tudo mudou. De repente, me vi completamente sozinha. Nós duas não nos dávamos muito bem, mas ela era minha única família. E, então, ela havia partido. Eu ia sentir falta dela. Ia sentir falta das visitas à clínica Sunnymead, ainda que nessas visitas minha avó passasse todo o tempo criticando tudo o que eu fazia. Ela exercera uma enorme influência na minha vida; a maior, e agora... Bem, agora eu estava livre e não sabia o que fazer.

Isso foi o que eu pensei, mas acabei percebendo que não precisava ter me preocupado, pois logo descobri o que ia fazer: resolver detalhes do enterro e pagar pelo serviço. Na verdade, essa não era a única coisa que eu tinha que pagar. Vovó se esquecera de mencionar que tinha problemas cardíacos; e também que havia ficado sem dinheiro e devia milhares de libras à clínica Sunnymead pelo tratamento. Grace estava presente quando me puseram a par do quanto ela devia, quando colocaram a conta de vovó na minha frente, com delicadeza. Fiz o possível para não desmaiar quando segurei o papel com força e meus olhos reviraram diante dos números. Vinte e cinco mil libras, no total. Naquele momento, Grace apoiou a mão sobre a minha e disse:

— Sabe, Jess, estava pensando se você me faria um favor.

Para falar a verdade, eu não estava nem um pouco a fim de fazer favor a ninguém. Minha vida estava passando rapidamente diante de meus olhos, uma vida de dívidas, de aperto. Mas eu não falei nada; apenas me limitei a sorrir e disse:

— Claro.

Então, ela prosseguiu:

— Queria saber se você me deixaria assumir as despesas do enterro de sua avó. Eu ficaria muito feliz.

Claro que não aceitei, mas ela tinha o costume de não se conformar quando recebia um "não". Eu sabia que, no fundo, aquilo era apenas gentileza, mas Grace era inflexível quando contrariada. A cerimônia do enterro foi bonita — bem mais do que se tivesse sido deixada por minha conta. Vovó podia ser uma presbiteriana convicta, mas Grace conseguiu transformar a igreja, tão severa, em um belo lugar; e tornou o evento uma grande celebração à vida da minha avó. Grace apareceu usando um terninho em um tom claro de cor-de-rosa, sorriu para mim e disse que ninguém deveria usar roupa preta em enterros. Segurou minha mão durante todo o tempo, e me deu um lenço quando, para minha surpresa, comecei a chorar.

— Sua avó amava você — sussurrou ela, quando o corpo de vovó foi baixado na sepultura. — Quando você não estava, ela não parava de falar a seu respeito. Tinha muito orgulho de você. — Eu não sabia se Grace dizia a verdade ou não, mas foi bom ouvir aquilo.

Óbvio que me ofereci para pagar o que ela havia me emprestado. Mas ela sempre recusava. Dizia que dinheiro não era tudo, o que importava mesmo eram as pessoas, a companhia, as risadas e o amor. E então ela disse que, se eu não estivesse muito ocupada, adoraria que eu a visitasse de vez em quando. Respondi que é claro que tinha um tempinho, e que gostaria de visitá-la. Por isso, alguns dias depois do enterro da minha avó, voltei à clínica Sunnymead. E na semana seguinte também. Sabe, Grace não era como vovó, e visitá-la não parecia uma obrigação em absoluto; era mais como dar um pulo na casa de uma amiga. De repente, me vi contando as horas para passar pelos corredores da Sunnymead, para sentar ao lado de Grace, enquanto assistíamos à televisão, líamos revistas e discutíamos os seus livros favoritos. Ela me contava da sua infância — sobre a Granja Sudbury, a propriedade onde ela havia crescido, que estava na sua família havia várias gerações. Era uma enorme casa no campo, que parecia se espalhar em todas as direções, cheia de passagens estreitas e cercada por um imenso jardim, onde ela e os irmãos costumavam brincar no verão.

Eu escutava tudo com atenção, imaginando como deveria ser viver em um lugar como aquele, cercada por irmãos, cachorros e amigos; com árvores para subir e muitos esconderijos para escolher. A casa da minha avó era pequena e entulhada mesmo sem meu avô, que a deixou uma semana depois que passei a morar com eles. Ele tinha um caso — algo que vovó me contou no enterro dele, quando disse, com ar vitorioso, que ele só tinha conseguido sobreviver um ano longe dela, como se vovô fosse o causador do próprio câncer —, mas que foi a minha chegada que o fez ir embora. Os poucos brinquedos que eu tinha não podiam sair do meu quarto, não podiam atravancar o espacinho do qual vovó dispunha. Não era uma casa para crianças, ela me dizia, deixando bem claro que eu era uma intrusa. Tampouco era um local onde se permitiriam risadas, gritaria, brincadeiras ou música alta. Parecia ser um lugar de reflexão, para se ficar em silêncio. Vovó costumava dizer que a solidão era algo a ser valorizado. Ela também dizia que não se pode confiar em amigos e que os homens invariavelmente nos decepcionariam, mas que sempre se podia contar com as próprias habilidades. Se uma pessoa fosse feliz sozinha, sua vida seria satisfatória. E vovó acrescentava que satisfatório representava uma situação ideal. Satisfatório era o máximo que se poderia almejar.

Grace, por outro lado, não era a favor da solidão; nem um pouco. Ela adorava pessoas, barulho e fofoca. E eu passei a amá-la. Toda vez que a visitava, eu ia embora me sentindo um pouco mais feliz, um pouco mais confiante. Ela sempre parecia interessada no que eu tinha a dizer, lembrava-se de coisas que eu havia dito na visita anterior, e nunca me fazia sentir incompetente ou um fracasso; na verdade, me fazia acreditar que tudo era possível. Era uma daquelas pessoas que acreditavam que as coisas dariam certo — ao contrário de vovó, que achava que tudo acabaria mal. E, se ela estava obcecada pela minha vida amorosa (ou a falta dela), não era nada de mais. Pelo menos, era assim que eu pensava.

O objeto no qual Grace estava fixada aparecia, em geral, no meio da minha visita, quando ela me perguntava se havia alguém especial na minha vida. Eu sorria meio confusa e, para evitar contrariá-la ao admitir que a última coisa de que precisava era um homem tomando meu tempo, eu mudava o rumo da conversa. Não que eu não gostasse de homens, mas não queria me envolver. Apenas não queria um namorado. Não tinha tempo para isso. Romances, na minha opinião, eram uma droga perigosa que transformava mulheres sensatas e independentes em adolescentes melosas e apaixonadas, e isso nunca iria acontecer comigo. Não se eu pudesse evitar. Eu não tinha o menor interesse em ficar obcecada por um homem que acabaria me deixando, como fez o meu avô e como o meu pai também deve ter feito. O fato de muito raramente me chamarem para sair — ou de mostrarem qualquer interesse por mim — era, na verdade, bastante conveniente.

Mas Grace não desistia. Para ela, a única coisa que realmente importava era "encontrar a pessoa certa". Toda vez que eu aparecia, ela segurava a minha mão e me perguntava se aquele chefe lindo já tinha me chamado para sair (seus livros preferidos eram aqueles em que a secretária tirava os óculos e soltava os cabelos, antes de ser arrebatada pelo chefe, que a tomaria nos braços e declararia amor eterno), e eu achava uma bobagem, porque isso nunca iria acontecer. Eu estava muito bem sozinha. Mais do que bem. Era como eu gostava da minha vida.

Então, isso acabou me levando a um beco sem saída. Quando Grace me perguntava sobre minha vida amorosa, eu falava de um projeto no trabalho. Quando me perguntava se meu chefe ainda era solteiro, eu falava sobre a cafeteira na qual Helen e eu tínhamos gastado uma fortuna, na tentativa de economizar e não precisar mais comprar cafés *latte* (aliás, não tente fazer isso — essas máquinas são caras e nós ainda compramos café pronto todos os dias). Um dia, consegui passar quase duas horas falando sobre uma campanha em que eu estava trabalhando, e, no fim, ela me encarou com aqueles olhos brilhantes e perguntou:

— Então, Jess, como vai a caçada ao marido? Aquele rapaz de ouro do mundo publicitário já reparou em você?

Continuei achando que ela acabaria cansando, que desistiria e reconheceria que estava dando soco em ponta de faca, mas isso não acontecia de jeito nenhum. Em vez disso, ela apenas ficou mais inquisitiva, perguntando sobre cada homem solteiro com quem eu trabalhava, analisando-os como possíveis maridos.

Então, um dia, após passar meses me esquivando, mudando de assunto, fazendo cara de espanto e ignorando suas perguntas, fiz algo de que não me orgulho: inventei um namorado.

Tudo bem, eu sei o quanto isso parece horrível. Inventar namorados é algo que se faz quando se tem 13 anos. Mas você tem que acreditar quando digo que não tinha escolha. Ou, se realmente tinha escolha, não era algo evidente para mim naquele momento.

Certo, eu sei que outras pessoas provavelmente teriam pensado em algo diferente. Mas outras pessoas provavelmente também teriam um namorado, então não conta.

Mas, voltando à história... Era um dia realmente quente e ensolarado, e eu cheguei à casa de repouso Sunnymead um pouco mais cedo que o habitual. Havia médicos no quarto, portanto esperei do lado de fora porque médicos me deixam um pouco assustada com aquelas sondas e suas expressões sérias. Então, lá estava eu, do lado de fora, no corredor, quando ouvi um deles dizer:

— Infelizmente, Grace, as coisas não estão boas. A situação está piorando.

E eu não sabia o que estava piorando nem que coisas não estavam indo bem. Mas, quando os médicos usam palavras assim, os detalhes não são tão importantes, não é? Eu estremeci. De repente, fiquei sem fôlego e apavorada, não queria que nada acontecesse a Grace. Não conseguiria suportar. E logo os médicos saíram, e me esforcei para me acalmar e abrir um grande sorriso, pois sabia que ela iria precisar ser animada depois de receber notícias como aquelas. Ela pareceu feliz em me ver e desejei que aquela expressão alegre permanecesse no seu rosto e não fosse substituída por medo, desânimo ou qualquer outra coisa negativa.

A primeira coisa que ela disse foi:

— Então, Jess, como vai? Alguma novidade? Algum homem bonito chamou você para sair?

Eu estava a ponto de dizer *não, claro que não,* quando vi o discreto vislumbre de esperança em seus olhos e, de repente, percebi que não poderia desapontá-la novamente. Não naquele momento.

Então, em vez disso, falei:

— Na verdade, me chamaram para sair, sim! Até marcamos um encontro!

Você precisava ter visto a expressão no rosto dela. Iluminou-se como um farol: seus olhos brilhavam, seus lábios sorriam, e, mesmo me sentindo culpada, eu não conseguia deixar de me sentir satisfeita comigo mesma por fazê-la tão feliz.

— Quem é o rapaz? — perguntou ela. Na mesma hora comecei a quebrar a cabeça em busca de um nome, qualquer nome, mas nunca fui muito boa sob pressão e não consegui pensar em nada, portanto me limitei a sorrir, constrangida, quando Grace deu um sorriso malicioso e perguntou: — Por acaso é o seu chefe bonitão? Anthony? Ah, diga que é Anthony Milton, por favor!

Pensando agora, teria sido muito fácil responder "não". Depois, ao me lembrar dessa cena, percebi que poderia ter dito um milhão de coisas, e qualquer uma delas teria sido muito melhor do que minha resposta. Mas me apavorei. Eu acabara de inventar um namorado e não tinha imaginação para inventar mais nada.

— Anthony Milton? — me peguei dizendo. — Hmm... Exatamente. É com ele que vou sair.

A essa altura, eu provavelmente devo mencionar que sair com Anthony Milton era mais ou menos como sair com o príncipe William. Ou Justin Timberlake. Ou James Bond. Anthony Milton era o proprietário e principal diretor da Milton Advertising. Ele era alto, loiro, bonito, bem-sucedido e adorado por todos. Não se passava uma semana sem que fosse fotografado na *Advertising Weekly*, nem um ano sem que fosse indicado para algum prêmio, principalmente porque a sua presença em uma cerimônia dessas assegurava que todos os profissionais do ramo fizessem questão de participar. Também não se passava um dia sem que recebesse a atenção de todas as mulheres, em um raio de sete quilômetros.

Foi ele quem conduziu a minha entrevista de emprego na Milton Advertising — ele e Max, seu assistente, que disparava as perguntas, enquanto Anthony sorria com charme e explicava a importância da agência, fazendo com que eu perdesse minha linha de raciocínio várias vezes. Então, quando me levantei para sair, olhei para Max e ele sorriu, e, de repente, atravessei uma parede de vidro. Quando digo *atravessei,* quero dizer literalmente. Dei de cara no vidro, fiquei com a cabeça dolorida, enfim, tudo o que tinha direito. Por sorte, Anthony viu o lado engraçado da situação e, apesar de tudo, me deu o emprego. Helen, de maneira muito prestativa, argumentou que ele ficou com medo de que eu processasse a agência por comprometer a segurança com a instalação daquelas portas de vidro, além de danos físicos e morais em decorrência da pancada.

É óbvio que os detalhes da minha entrevista se espalharam pelo escritório, e, quando comecei de fato a trabalhar na Milton, eu era conhecida como "a garota que atravessava paredes". Mas isso não me incomodava — após passar vários anos trabalhando em processamento de dados (vovó sempre dizia que eu tinha sorte de ter um emprego, e que era muito egoísmo da minha parte ficar me queixando quando algumas pessoas nunca tiveram metade das oportunidades que tive na vida), eu finalmente tinha um emprego que me dava alguma perspectiva, que poderia me garantir um salário decente. Anthony tinha me dado uma chance, e eu iria agarrá-la com unhas e dentes, mesmo sendo alvo de brincadeiras.

Mas mudei de assunto. A verdade é que Anthony não era apenas muita areia para o meu caminhão. Ele estava em outro patamar, mesmo se eu estivesse interessada; o que naturalmente não era o caso.

— Anthony Milton! — exclamou ela, animada. — Eu sabia! No instante em que você me contou que bateu com a cara no vidro.

Portanto, foi assim que tudo começou. Apenas um encontro inventado, apenas uma historinha para animar Grace. Eu nunca pensei que aquilo se transformaria numa bola de neve. Nunca pensei que iria adiante. Mas, de alguma forma, foi o que acabou acontecendo. De alguma maneira, as coisas acabaram saindo de controle, pouco a pouco, somando-se, até virar um caminho sem volta.

Não que houvesse qualquer possibilidade de voltar atrás. Quer dizer, eu não poderia ir à clínica na semana seguinte e dizer que o encontro tinha sido cancelado. Isso a deixaria triste, ou faria sua saúde piorar, e eu seria a responsável. Então, em vez disso, eu falei sobre o encontro. Na realidade, falei do encontro da minha amiga Helen com o diretor de uma gravadora, usando o meu nome e o de Anthony no lugar dos verdadeiros. Só que, na minha história, o encontro não terminava com uma transa no escritório dele, mas com um beijo casto na porta de casa. Na minha versão, Anthony se mostrou um cara respeitoso, interessante e o mais importante: louco por mim. Sei que parece bobagem, sei que é humilhante admitir isso, principalmente porque eu desdenhava de mulheres que ficavam o tempo todo obcecadas em arranjar namorado, mas eu gostava de contar aquelas coisas a Grace. Livre dos constrangimentos do mundo real, aquele foi o melhor encontro que eu já tive. Tão bom que eu não aguentaria se ele não tivesse telefonado depois. Portanto, telefonou. Dois dias depois, na verdade — exatamente como o diretor da gravadora. Só que, enquanto Helen ignorou as várias mensagens desesperadas do cara, eu aceitei um segundo encontro. No sentido figurado.

Se eu tinha alguma dúvida na ocasião, consegui ignorá-la, convencendo-me de que tudo não passava de uma brincadeirinha inofensiva. Somente umas histórias bobas para alimentar o desejo de Grace por romance. E, para ser franca, eu também estava curtindo aquilo. É claro que sabia que era ridículo; meu lado racional e sensato sabia que aquilo não era mais realista do que *Branca de Neve e os sete anões* ou *Cinderela*. Mas esse é o problema dos contos de fadas — eles acalentam o coração, são reconfortantes e tem finais felizes, e mesmo você sabendo que a vida não é assim, é agradável fingir que aquilo é real, só um pouquinho.

Grace, por sua vez, não poderia ficar mais empolgada. Vivia dizendo que tinha uma boa sensação quanto a esse namoro. Tão boa que ela mal podia esperar pelas minhas visitas para ouvir o capítulo seguinte da história. De acordo com ela, isso dava forças para ela seguir em frente.

Dar forças para seguir em frente. Como eu poderia desmentir tudo?

Toda vez que a visitava, eu me armava de coragem, determinada a contar a verdade, a admitir que tudo não passava de invenção. Mas, quando eu entrava no quarto dela, seus olhos se iluminavam e ela dizia: "Como estão as coisas? Vai, me conta tudo." Aí eu acabava desistindo e dizia a mim mesma que a verdade poderia esperar, que aquele não era o momento apropriado para confessar e que a realidade não era importante desde que minhas histórias a fizessem feliz.

E, quando eu disse a Grace que eu e meu namorado íamos viajar juntos (na verdade, eu ia fazer o curso de uma semana "Melhore o seu perfil profissional e garanta a promoção que você merece"), ela olhou para mim, com os olhos brilhantes e disse:

— Você sabe o que ele está planejando, não é? — Franzi o cenho e respondi que não sabia. Então, ela sorriu e acrescentou: — Ele vai pedir você em casamento.

É claro que fiquei paralisada por um momento. É claro que, na mesma hora, percebi que talvez as coisas estivessem um pouco fora de controle. A ideia de casar, mesmo no mundo imaginário dos contos de fadas, me fazia suar frio. Mas eu nunca tinha visto Grace tão empolgada. Ela estava quase tremendo de ansiedade.

Eu me espantei e disse:

— Ah, duvido.

— Pois eu não duvido — retrucou ela com ar melancólico. E depois suspirou, enxugou uma lágrima e pegou a minha mão. — Jess, quero que você me prometa uma coisa.

— Sério? O quê?

— Quero que me prometa que, se uma pessoa lhe oferecer tudo o que tem, você vai aceitar — pediu ela.

— O quê? — perguntei, espantada. — Como assim? Não quero o que Anthony tem.

Grace deu um sorriso triste.

— Jess, eu sei que você é forte e muito independente. Mas não desaponte alguém que quer ajudar só porque acha que não precisa. Todos nós precisamos de ajuda, todos nós precisamos de amor, todos nós precisamos... Apenas prometa para mim, está bem?

Mesmo sem entender muito bem o motivo daquele pedido, eu respondi:

— Está bem, claro.

— Não — disse ela, fazendo um gesto negativo de cabeça. — Isso é sério, Jess. Quero que você prometa.

— Prometer?

— Exatamente — confirmou ela. — Prometa que não vai se negar a aceitar. Que não vai rejeitar logo de cara.

— Rejeitar o quê? — perguntei, confusa. — Não sei o que você quer que eu prometa.

— Você vai saber — disse Grace, com um sorriso. — Vai saber.

— Certo — respondi mais calma, lembrando que não fazia diferença, pois o que eu estava prometendo era relacionado a algo que não existia. — Eu prometo.

— Ótimo. E vamos ver o que vai acontecer na sua viagem, ok?

Ele me pediu em casamento. É claro. Grace estava tão empolgada que pegou emprestado o celular de uma enfermeira e me mandou mensagens, enquanto eu estava viajando, para saber "como iam as coisas". Se eu tivesse voltado e dito que o tal pedido de casamento não havia se concretizado, acho que ela ficaria de coração partido. E, afinal de contas, um noivo imaginário não era tão diferente de um namorado imaginário. Ele tinha feito o pedido na praia. Sei que o cenário é um clichê total, mas não consegui pensar em mais nada. Ele já tinha até o anel — uma joia perfeita, bela e delicada, com um diamante de corte quadrado (comprei um anel falso. É claro que providenciar o meu próprio anel de noivado de mentira foi uma situação bastante deprimente, mas comprei on-line, portanto não tive que pensar muito a respeito nem enfrentar um vendedor ao vivo. E Grace o achou a coisa mais linda que já tinha visto na vida). A lua estava cheia e brilhava, e ele tinha sugerido um passeio depois de um jantar maravilhoso. Havia começado enaltecendo a própria sorte por ter me conhecido. Eu, obviamente, tinha dito que eu era a sortuda. Então, ele se ajoelhou e pediu que eu fosse sua esposa, e me limitei a aceitar o pedido com um gesto afirmativo de cabeça, porque não conseguia falar, estava com a voz embargada. Na realidade, tirei a história de uma revista qualquer que eu tinha lido no dentista. E realmente, a certa altura, cheguei a me perguntar se estava indo longe demais, se Grace acreditaria em tanta bobagem, mas ela acreditou. E até começou a chorar. Ela disse que a posição de pessoa mais feliz do mundo não era exclusivamente minha. Disse que tinha torcido e rezado por esse momento desde o dia que me conheceu, que eu merecia tudo aquilo e muito mais e que ela desejava a mim — quer dizer, a mim e ao meu noivo — muitas felicidades, tanto quanto ela teve na vida. E claro que me senti constrangida. Claro que o meu estômago ficou embrulhado. Mas continuei dizendo a mim mesma que estava fazendo a coisa certa, mesmo que, às vezes, parecesse o contrário.

Havíamos nos casado em segredo. Essa parecia a solução mais fácil. Grace ficou chateada, é claro — ela queria ir ao casamento. Mas mudou de opinião quando lhe contei que tinha sido ideia de Anthony renunciar a um casamento pomposo para doar o dinheiro a instituições de caridade, em vez de gastar uma fortuna em uma festa, e que a cerimônia no cartório tinha sido exatamente como queríamos: íntima, simples e discreta.

Na semana seguinte, entrei na internet e comprei uma aliança (de prata, 25 libras), e toda semana, quando ia visitar Grace, eu a colocava no dedo junto ao anel de noivado e inventava histórias sobre a minha vida de casada com meu Príncipe Encantado.

E agora ela estava morta. Tudo havia acabado.

Capítulo 3

FOI O ADVOGADO DE GRACE que me avisou de sua morte. Ele apareceu de repente para me dar a notícia. Aconteceu em um domingo que não pude ir visitá-la por causa de um trabalho. Ele disse que ela havia morrido de manhã, e que, de toda forma, eu não teria chegado lá a tempo, mas isso não me ajudou muito.

Naquele dia, eu tinha chegado em casa às seis da noite e encontrei Helen na sala, assistindo à *Topa ou não topa*. Quando enfiei a cabeça na porta da sala, ela fez um sinal para que eu fizesse silêncio.

— Não topa! — gritou ela para a tela da TV. — *Não topa!*

Helen e eu nos conhecemos no primeiro ano da faculdade, nossos quartos eram vizinhos. Nunca tive uma grande amiga na minha vida; dizia a mim mesma que não tinha tempo para amizades, mas a verdade é que minha avó acabava com qualquer chance que eu poderia ter de fazer amizades com outras garotas, desde muito cedo, ao me proibir de assistir à televisão, ao comprar roupas fora de moda para mim, e ao me impor um toque de recolher rigoroso às oito da noite. Tudo isso fazia com que eu fosse motivo de constrangimento para qualquer pessoa corajosa que tentasse ser minha amiga por qualquer período de tempo. Ela vivia dizendo que tinha cometido um erro com minha mãe ao lhe dar muita liberdade, permitindo que ela ficasse obcecada por roupas, maquiagem, rapazes e programas de televisão, e não iria fazer o mesmo comigo. Quando entrei na faculdade, vi essa atitude como algo positivo: me deixava com mais tempo para estudar, mais tempo para me concentrar em tirar notas boas.

Mas logo descobri que Helen não era como as outras pessoas. Nem como eu. Aliás, ela era o meu oposto em quase tudo — linda, rica, impulsiva e sociável —, mas, por alguma razão estranha, não rejeitou minha amizade, nem se aproximou de mim apenas para se afastar algumas semanas depois. Em vez disso, ela passou a ir ao meu quarto com frequência para me contar, animada, sobre sua mais recente conquista amorosa, ou aflita por conta de algum trabalho que estava, como sempre, várias semanas atrasado. Ela achava engraçado quando eu dizia que nunca tinha ouvido falar de nenhuma das bandas que ela gostava; ela me fez passar um fim de semana inteiro assistindo aos episódios de *Friends*, quando lhe contei que nunca tinha visto a série; e não parecia se incomodar, quando eu saía, de fininho, mais cedo das festas para estudar. Nós éramos uma dupla bastante desigual, mas, apesar das minhas tentativas de mostrar a ela o quanto eu era inconveniente como amiga, continuamos unidas, anos depois. Não só unidas, mas passamos a morar juntas.

Helen trabalhava como pesquisadora para programas de televisão, ou seja, ela se dedicava de maneira intensa para um programa durante várias semanas, depois tinha algumas semanas de "descanso", antes de conseguir um novo contrato. Nos últimos tempos, esse período de "descanso" parecia estar se estendendo mais do que o de costume, portanto sua única fonte de renda era o aluguel que eu lhe pagava (o apartamento tinha sido "um presente" de seu pai. Eu teria ficado com inveja, mas ela me convidou para morar lá e me cobrava muito menos do que eu pagaria em qualquer outro lugar. Então, em vez disso, apenas fiquei imensamente agradecida), que nem de longe cobria as suas despesas. Mas, se eu me preocupava com ela, isso não parecia perturbá-la muito. Pelo contrário, enquanto descansava, ela considerava seu dever assistir ao máximo de televisão possível, para que, quando enfim fosse procurar um emprego, estivesse a par de todos os programas nos quais poderia trabalhar.

No programa, o competidor disse: "Topo", e Helen jogou os braços para cima em sinal de desespero.

— Idiota! — gritou ela e desligou a televisão. — Não dá para aguentar — irritou-se, balançando a cabeça. — Não suporto essas pessoas. E aí, tudo bem?

Não tive chance de responder. Naquele momento a campainha tocou, e eu me levantei para ver quem era.

— Jessica Milton? — A voz de um homem perguntou no interfone, e eu estremeci.

— Quem é? — perguntei, desconfiada. Eu não costumava receber muitas visitas. Principalmente de homens. Muito menos num domingo à noite. E certamente jamais de alguém que me chamasse de "Jessica Milton".

— É o Dr. Taylor. Sou o advogado de Grace Hampton. Infelizmente tenho más notícias. Será que eu poderia falar com a senhora?

— Grace Hampton? — perguntei, curiosa e, em seguida, aflita. Ela descobriu a história de Anthony, pensei assustada. Que era tudo mentira. Então me irritei comigo mesma. Ela dificilmente enviaria seu advogado até aqui, mesmo se tivesse descoberto tudo. — Hmm, pode subir.

Quando ele chegou, estavam passando os créditos do programa *Topa ou não topa*, e Helen saiu da sala, dizendo que ia preparar o jantar. Sorri agradecida e convidei o Dr. Taylor a entrar.

— Desculpe — eu disse rapidamente. — Por favor, sente-se.

O sofá e a cadeira estavam cobertos de revistas de Helen e dos meus projetos de trabalho, então logo abri um espaço para ele, e, sem demora, me sentei.

— Então, há algo errado com Grace? — perguntei, insegura.

O Dr. Taylor lançou-me um olhar triste.

— Sinto informar que a Sra. Hampton... faleceu.

Precisei de quase um minuto para absorver a informação.

— Faleceu? — Respirei fundo e arregalei os olhos.

— Ontem à noite. Enquanto dormia. Sinto muito.

Eu o encarei boquiaberta, tensa.

— Acho que o senhor está enganado — falei rapidamente. — Grace está bem. Estive com ela na semana passada.

Ele me lançou um olhar compreensivo.

— Sinto muito — repetiu.

— Sente muito? — Minha voz falhou quando tentei falar. — Bem, o senhor deve sentir mesmo, porque isso não é verdade. — Dei as costas para ele como uma adolescente abusada. As pessoas estavam sempre morrendo à minha volta: minha mãe, minha avó, meu avô (embora não o tivesse conhecido, fui ao enterro, portanto acho que ele conta), e eu não iria permitir que Grace morresse também. Eu simplesmente não iria permitir.

Ele fez que sim com a cabeça com um ar triste.

— Infelizmente é verdade. Creio que a situação piorou de repente.

— Piorou? — repeti, sem acreditar. — Ela está morta e o senhor está dizendo que a *situação piorou*! — Lamentei ter usado a palavra *morta* assim que ela saiu da minha boca; era como se usá-la tornasse a situação real. Podia sentir lágrimas surgindo nos meus olhos, lágrimas de indignação, de raiva, de tristeza. E de culpa. Eu não me senti assim quando minha avó morreu. Recebi a notícia com uma atitude de resignação, mantive a voz baixa e sóbria porque é assim que se age nessas situações. Não senti que o meu mundo desabava; não quis voltar o tempo para fazer com que tudo aquilo não tivesse acontecido.

— Quer que pegue um copo d'água? — ofereceu o Dr. Taylor, ao que recusei.

— Não quero água. Quero Grace. — Então, corri até o telefone e disquei o número da Sunnymead. — Sim. Grace Hampton, por favor. Eu gostaria de falar com Grace Hampton.

— Grace Hampton? — A voz do outro lado da linha era hesitante, preparando-se para dar as notícias.

— Sim, Grace Hampton — respondi, impaciente. — Quero falar com ela, por favor.

Houve uma pausa.

— Eu... Sinto informar que Grace...

Desliguei o telefone antes que a recepcionista pudesse terminar, antes que ela pudesse repetir o que Dr. Taylor já tinha dito. Grace estava morta. Eu não ia vê-la novamente. Nunca mais. Aos poucos, voltei à cadeira, me sentei nela, puxei as pernas e as abracei contra o peito.

— Eu sei que vocês eram muito próximas. Sinto muito ser o portador dessa notícia — prosseguiu o Dr. Taylor.

— Sim, éramos próximas. — De repente, fiquei furiosa com esse homem que se atrevia a entrar no meu apartamento em um domingo à noite para falar que não haveria mais conversas com Grace, com chás e biscoitinhos. Não haveria mais idas à Sunnymead. E não haveria mais caso de amor imaginário. De agora em diante, era somente eu. — Muito próximas. — Senti lágrimas brotarem nos olhos e enxuguei-as, distraída. — Eu devia ter estado lá — eu me ouvi dizer, vendo que a raiva estava sendo substituída pela tristeza, pela sensação de vazio. — Eu devia ter percebido.

— Sinto muito. — O advogado parecia não saber o que dizer. Levantei os olhos para ele e percebi o quanto estava sendo mal-educada. Não era culpa dele. Nada daquilo era culpa dele.

— Não, eu é que sinto muito — consegui dizer. — É que... bem, é um choque muito grande.

— De fato — disse o Dr. Taylor de maneira sensata.

Uma imagem de Grace na cama surgiu na minha mente, exatamente como vovó tinha ficado quando morreu, com a pele quase translúcida, seu espírito se esvaindo. Eu a vi sendo levada do quarto, suas coisas sendo empacotadas, outra pessoa tomando o seu lugar, como se ela nunca tivesse existido. Num ímpeto, expulsei aqueles pensamentos da cabeça.

— O senhor... já sabe quando vai ser o enterro? O senhor precisa de ajuda? Eu sei quais eram as flores que ela gostava, se isso ajuda alguma coisa. E ela adorava o hino "I Vow to Thee, My Country", se o senhor estiver na dúvida quanto à música... — Não consegui terminar a frase, tentando manter a voz firme.

— Obrigado, Sra. Milton. Quer dizer, Jessica. É muita gentileza sua. Na verdade, a Sra. Hampton tinha... ideias bem específicas sobre o funeral dela. Deixou tudo por escrito, o que não me permite ter muita liberdade.

Consegui dar um sorriso pesaroso diante daquele comentário, ao imaginar Grace detalhando suas exigências como se fosse uma lista de compras. Ela tinha um jeito maravilhoso de persuadir as pessoas a fazerem exatamente o que ela queria, sem, no entanto, parecer se impor: as enfermeiras traziam-lhe não somente saquinhos de chá, mas os da marca Twinings English Breakfast, e eu levava não apenas maçãs, mas as do tipo Cox; e só da estação.

— Certo — eu disse, concordando com a cabeça, sem saber o que deveria dizer ou fazer. Eu queria ficar sozinha. Queria me sentir zangada e triste sem ninguém por perto. — Bem, obrigada por vir até aqui me dar a notícia. E, por favor, não deixe de me avisar onde e quando será o enterro. E se precisar de algo mais...

Esperei que ele se levantasse, mas em vez disso ele deu um sorriso esquisito.

— Para falar a verdade, há algo mais — declarou ele, pigarreando. — Há a questão do testamento da Sra. Hampton.

— Testamento? Ah, sim. — Sentei-me novamente e suspirei. Eu sabia tudo sobre testamentos. O da minha avó tinha sido lido dois dias depois que ela morreu. Eu não esperava nada. Eu sabia que ela tinha vendido a casa para pagar a conta da Sunnymead. O que eu não imaginava é que testamento funcionasse de modo positivo e negativo; ou seja, em vez de herdar algum dinheiro, eu herdara todas as dívidas da minha avó.

— Sra. Milton — disse o Dr. Taylor com expressão séria, entregando-me uma pasta. — A senhora é a principal beneficiária do testamento de Grace, e vai herdar seus bens. Posso passar os detalhes agora, se a senhora quiser, ou a senhora pode ir ao meu escritório qualquer dia da próxima semana para darmos entrada na papelada, imediatamente.

Coloquei a pasta de lado.

— Claro. Quer dizer, vou cuidar disso depois, se for possível. Quando estiver... em condições de... o senhor sabe.

— A senhora não está interessada em conhecer a relação dos bens?

Levantei os olhos.

— Bens. Sim, lógico. O senhor se refere aos seus pertences pessoais? — Funguei, tentando me manter concentrada. Ela não tinha muita coisa no quarto, exceto alguns quadros, alguns livros. Entretanto, seria bom guardar algo como lembrança.

— É, acho que sim — respondeu o Dr. Taylor meio indeciso. — Mas a casa é que é a maior parte da herança.

— A casa? — perguntei, atônita.

O Dr. Taylor sorriu como se eu fosse uma criança.

— A casa esteve na família por várias gerações. Eu sei que Grace queria muito que ela fosse sua — disse ele, entregando-me a foto de uma casa de pedra, caindo aos pedaços. Eu digo casa, mas, na verdade, era uma enorme mansão, no centro de um terreno. E de repente eu sabia o que era; pude ver Grace, ainda menina, correndo pelos corredores com seus irmãos e saindo jardim afora.

— A Granja Sudbury? — perguntei, perplexa. — Ela me deixou a Granja Sudbury?

— A senhora conhece a casa? Ah, que bom — comentou o advogado, fazendo que sim com a cabeça. — Além da casa, há alguns investimentos bastante significativos, e também vários quadros, joias, e assim por diante. Obviamente a senhora está se perguntando sobre o imposto de transmissão, mas eu tenho a satisfação de lhe informar que Grace também se encarregou disso, deixando um crédito de um milhão de libras que deve ser mais do que suficiente para cobrir todos os impostos.

Fiquei atordoada, então sorri.

— Ah, o senhor está brincando. Por um momento, o senhor quase me pegou. Um milhão de libras para os impostos. Essa é boa. Essa é realmente boa.

O Dr. Taylor não sorriu. Em vez disso, pigarreou meio sem graça.

— Os encargos são reduzidos por conta de várias escrituras de emissão — explicou ele. — Sem elas, creio que a conta seria ainda mais alta.

— Mais alta? — repeti como uma idiota. A minha pele começava a coçar e eu me sentia um tanto quente.

— Grace pensou muito em você — afirmou o advogado. Ele sorria de forma benevolente, como se estivesse falando com uma criança. — Como ela não tinha... nenhum parente próximo, acho que considerava a senhora como... família.

— Eu também. Mas deve haver algum engano. Ela não me deixaria a casa. De jeito nenhum.

— Ah, mas deixou — disse o Dr. Taylor sorrindo. — Você realmente sabe quem era Grace Hampton, não sabe?

Olhei para ele, impaciente.

— É claro que eu sabia quem ela era. Eu a visitei durante quase dois anos.

Ele pareceu aliviado.

— Em relação à propriedade — disse com uma expressão séria, tirando alguns papéis da pasta e entregando-me uma fotografia —, há um casal que atualmente trabalha em tempo integral e mora em uma das casas. Creio que ficariam felizes em continuar lá, se você quiser. Também há uma equipe de jardineiros, um cozinheiro e duas pessoas encarregadas da limpeza, que trabalham quando são requisitadas.

Observei a foto. A casa era ainda mais incrível do que Grace havia descrito, com heras crescendo pelos muros e hectares de terra ao redor, com jardins secretos, alpendres e lugares para se esconder, onde uma pessoa nunca seria encontrada. Quando eu morava com minha avó, na casa geminada em Ipswich, eu costumava imaginar que minha mãe não tinha de fato morrido; que ela ainda estivesse viva em algum lugar, morando em uma casa caindo aos pedaços, como a da foto (só que com cerca de um quarto do tamanho), e que um dia ela apareceria e me levaria para a casa dela. Isso nunca aconteceu. E eu sabia que era apenas um sonho. Mas essa casa da foto era completamente real. E era minha.

— É... bem grande — eu disse, hesitante.

— É, suponho que seja — comentou o Dr. Taylor, concordando com a cabeça. — Bem, eu tenho todas as informações aqui, assim como os detalhes da mobília. Tudo vai permanecer na casa, portanto a senhora pode tomar posse quando quiser, e também dos bens pessoais da Lady Hampton.

— Lady... Lady Hampton? — perguntei com a voz aguda.

— A senhora não sabia?

Neguei, balançando a cabeça. Talvez eu não a conhecesse tão bem quanto pensava.

— Então a senhora não sabia que a herança, no total, é de cerca de 4 milhões de libras?

— Quatro milhões? — perguntei, abismada. Era como se o mundo estivesse se comprimindo ao meu redor.

O Dr. Taylor começou a abrir a pasta, mas ergui a mão para que ele me ouvisse.

— Desculpa — falei, com a voz bem acima do tom normal. — Será que podemos voltar um pouquinho? Achei que o senhor se referia a alguns livros ou algo desse tipo que Grace teria deixado para mim. Eu não sabia... Digo, uma propriedade? Eu... E ela era uma lady? Ela nunca comentou. E não quero o dinheiro dela. Isso não é... Quero dizer...

— Grace achava muito importante que a pessoa que assumisse a propriedade fosse alguém em quem ela confiasse — disse o advogado, em tom gentil. — Alguém que cuidasse da casa, provavelmente até formasse uma família ali. Alguém para quem ela pudesse deixar as suas posses, também — continuou ele. — Grace era muito... reservada. Sei que quando ela a conheceu, um grande peso foi tirado dos ombros dela, porque ela sabia que a senhora seria uma herdeira boa e digna de confiança. E que a propriedade seria preservada. Sei que essa certeza a fez muito feliz. Muito feliz mesmo.

— Mas... mas... — eu disse, gaguejando. — Não existe outra pessoa? Algum membro da família? Alguém além de mim?

O advogado fez que sim com a cabeça.

— Na verdade, a Sra. Hampton tinha um filho. Aliás, tem um filho. Mas eles não se falavam. Ela... o deserdou há muito tempo. Ele saiu de casa quando tinha 18 anos.

Meus olhos se arregalaram.

— Ela tinha um filho? Ela nunca mencionou isso.

— Ela já não achava que tinha um filho — disse o Dr. Taylor, franzindo o cenho. — Eles... pai e filho discutiram, creio eu. Ele saiu de casa quando tinha 18 anos. Acredito que não mantiveram contato desde então.

— Mas será que ele não vai querer o dinheiro? A casa?

O Dr. Taylor negou.

— Pelo que sei, ele viajou para o exterior. Posso assegurar à senhora que ele não tem nenhum direito no testamento. — Ele estava olhando para a minha direita, como se não conseguisse me olhar diretamente nos olhos.

— Certo — concordei, sentindo a cabeça girar. Grace nunca disse que tinha um filho. Como também nunca tinha mencionado 4 milhão de libras. Nem a casa.

— Sra. Milton, a senhora está prestes a se tornar uma mulher muito rica — disse o advogado. — E com a riqueza vem a responsabilidade. Há muita coisa para apreender, portanto sugiro que a senhora pegue esta pasta, provavelmente discuta os detalhes com seu marido, e tente chegar a um acordo sobre o que gostaria de fazer.

— Gostaria de fazer? — perguntei com a voz rouca. Eu estava com dificuldade de assimilar a informação que acabara de ouvir. Eu seria rica. Muito rica, o que significava ficar livre das dívidas. Não precisaria mais verificar, ansiosa, o meu saldo no banco no fim de cada mês, quando me aproximava do limite do cartão. Eu nunca me imaginei rica. Nunca sonhei com isso. E não conseguia acreditar que Grace realmente quisesse deixar tudo para mim.

— Se a senhora deseja morar na casa ou... ou se desfazer dela.

— Vender? — perguntei, descrente.

O advogado deu de ombros.

— Vender a propriedade que Grace deixou especificamente para mim, para que eu pudesse cuidar dela? — falei.

O Dr. Taylor sorriu.

— Fico feliz que a senhora veja as coisas da mesma maneira que ela. Grace sempre se orgulhou de ser boa em julgar o caráter de uma pessoa. De qualquer forma, deixarei estes papéis, se a senhora não se incomodar, e talvez possa ir ao meu escritório para discutir a transmissão dos bens, digamos, na próxima semana?

Concordei em silêncio, ainda com a cabeça girando.

— Por que ela estava na Sunnymead? — perguntei. — Quer dizer, se ela era rica, não poderia dispor de uma equipe de médicos e enfermeiras em casa ou algo assim?

O advogado pareceu pensativo por um momento.

— Ela era solitária — disse ele, finalmente. — Grace sempre gostou de estar cercada por pessoas. E depois que o marido morreu, ela quis deixar a propriedade. Disse que a casa parecia vazia demais e muito cheia de recordações.

— E ela realmente deixou tudo para mim?

— Ela dizia que você era a filha que ela nunca teve. Ou a neta. Sei que era muito importante para ela que você fosse sua herdeira, especialmente em relação à casa. Ela dizia que, caso isso não acontecesse, a propriedade ficaria para o governo e seria demolida por alguma construtora. Ou transformada em um centro de conferências horrível.

Ele sorriu novamente, dessa vez com sarcasmo, e eu retribuí o sorriso. Aquilo era exatamente o tipo de coisa que Grace diria.

— Como eu estava dizendo — prosseguiu —, imagino que a senhora prefira ir ao meu escritório para resolver a papelada. E então terei a oportunidade de esclarecer os detalhes da propriedade e acertos financeiros.

— Papelada — eu disse, acenando vagamente com a cabeça.

— Nada complicado demais. Só preciso da sua identidade, assinaturas, esse tipo de coisa — disse ele, sorrindo. — Há uma cláusula bastante estranha, mas importante no testamento, que diz que a herança deve ser pleiteada dentro de cinquenta dias ou será anulada.

— Anulada? — perguntei, espantada.

O Dr. Taylor fez que sim com a cabeça.

— É uma peculiaridade dos Hamptons. Todos os testamentos da família têm a mesma cláusula, que foi introduzida para evitar disputas entre os familiares. Se alguém contestar um testamento além do limite de cinquenta dias, a herança inteira é perdida. É um mecanismo bastante eficaz.

— Cinquenta dias — repeti com enorme esforço. — Parece... razoável.

— É muita coisa para assimilar, não é? — perguntou o Dr. Taylor de forma amável. Eu assenti com a cabeça e engoli em seco ao mesmo tempo, e lancei-lhe um sorriso para que ele não pensasse que estava sendo grosseira.

— Eu mal consigo acreditar — admiti involuntariamente. Aquilo parecia uma experiência extrassensorial.

— Bem, mas deveria. Sra. Milton, a senhora está prestes a se tornar uma mulher muito rica.

Então, o Dr. Taylor levantou-se e estendeu a mão.

— Vou aguardar notícias suas. Obrigado pela atenção. Entrarei em contato em breve para informar-lhe sobre o enterro. Será em Londres. Kensington. Algum dia da semana que vem. Talvez a senhora queira levar seu marido.

— Meu marido? — Eu olhei para ele, surpresa, e então lembrei. — Ah, sim, meu marido, claro. Bem, quer dizer, se ele tiver tempo. Ele é muito ocupado, sabe?

O Dr. Taylor assentiu e apertei a sua mão, usando toda a minha resolução para me manter calma, para não gritar, para agir como se herdar 4 milhões de libras fosse algo natural. Por dentro, entretanto, eu estava gritando. Gritando e dançando em total confusão mental. Eu estava a ponto de me tornar rica. Rica além dos meus sonhos mais loucos. Não dava para acreditar que Grace nunca tivesse dito nada, nunca sequer tivesse dado ao menos uma pista.

Então, de repente me lembrei de uma coisa. Algo que fez o meu estômago embrulhar.

— Hmm, o testamento — eu disse, tentando manter um tom de voz normal. — Grace deixou tudo para Jessica Milton, não é? Quero dizer, para mim. No meu nome de casada?

— Os papéis citam a Sra. Jessica Milton, exatamente.

Acenei com a cabeça, conseguindo de alguma forma manter um sorriso fixo e na mesma hora precisando me sentar.

— É que... — Fiz uma pausa, a cabeça a mil. — Bem, na verdade, eu não mudei o meu nome. Portanto, continuo sendo Jessica Wild. Oficialmente, pelo menos. E... e isso tem algum problema?

— Não tem problema nenhum — garantiu o Dr. Taylor, para o meu alívio. — Só vou precisar de algum documento de identidade com seu nome de solteira, passaporte ou certidão de nascimento, e depois você tem que me fornecer uma cópia da certidão de casamento para que eu possa providenciar a papelada.

— Certidão de casamento?

— Exatamente. A qualquer hora na próxima semana, Sra. Milton. Basta me telefonar e minha secretária pode marcar um horário. Mais uma vez, desculpe incomodar você e a sua... — Ele olhou vagamente em direção à cozinha. — Sua cozinheira? — sugeriu.

Assenti com um gesto de cabeça.

— Bem, desculpe incomodá-la em um domingo à noite, mas achei que a senhora deveria ser informada. Por favor, mande meus cumprimentos a seu marido, que é mais do que bem-vindo no meu escritório. Obrigado novamente. Não precisa se incomodar em me levar até a porta. Ah, haveria algum modo de entrar em contato com a senhora? Um número de telefone?

Olhei para ele inexpressivamente.

— Sim. É... zero dois zero, sete meia zero... — Então fiquei confusa. — Zero dois zero, sete meia, zero três. Não, quatro. Sete meia zero quatro... — hesitei, sorrindo sem graça. Não conseguia sequer lembrar do meu próprio número de telefone. Mal conseguia lembrar do meu próprio nome. Suando de nervoso, peguei minha bolsa e tirei um cartão. — Aqui. O meu número é esse.

— Obrigado. — Ele pegou o cartão, levantou-se, e partiu; um segundo depois, Helen apareceu na porta da sala.

— E aí? — perguntou. — O que aquele homem queria?

Sorri, nervosa, e estremeci.

— Nada — respondi finalmente. — Ele... Ele apenas veio me informar que Grace morreu.

— Grace? Ah, que pena! Ah, Jess, sinto muito — disse Helen, apressando-se em me abraçar. — Puxa, que notícia triste.

— Triste? — comentei, num sussurro. — Triste não é nem o começo da história.

Capítulo 4

PROJETO: CASAMENTO DIA 1

Pendências:

1. Entrar em pânico

Acordei no meio da noite e me sentei na cama. Estava completamente apavorada. Eu tinha sonhado com Grace — embora o sonho fosse mais uma lembrança, na verdade. No sonho, eu estava no quarto dela e assistíamos a um filme brega, não lembro qual, e Grace se virava para mim e dizia que eu devia cortar o cabelo como a mocinha do filme; acho que era a Drew Barrymore. Eu me irritava, pois achava que tinha coisas muito mais importantes a fazer do que pensar em cortes de cabelo. Em seguida, Grace me dava uma escova e pedia que eu escovasse o seu cabelo. Enquanto o desembaraçava, ela sorria e dizia que seu marido costumava fazer aquilo, e que um de seus momentos favoritos era quando ela se recostava nos braços dele e ele deslizava a escova suavemente por sua cabeça. Então ela disse que esperava que, um dia, eu encontrasse alguém que também escovasse o meu cabelo. Não sei por que, mas percebi uma pequena lágrima surgindo no meu olho, o que era ridículo, eu sei, mas quando a sequei, outra veio em seu lugar. Enxuguei as lágrimas à medida que surgiam, repreendendo a mim mesma por ser tão patética. Na vida real, quero dizer. Quando de fato essa cena aconteceu. No sonho, não tive tempo para secar as lágrimas ou me repreender de maneira severa, pois a porta se abriu de repente, e o Dr. Taylor entrou, apontou o dedo na minha direção, olhou para Grace e falou: "É ela. É ela que anda mentindo para você." Então, eu pulava da cama e Grace olhava para mim, perplexa, e começava a chorar, compulsivamente, falando baixinho que eu a tinha desapontado, que eu era uma grande decepção. De repente, ela não era mais Grace; era a minha avó, e não sussurrava; gritava, berrava, dizendo que eu era uma inútil, que lamentava o dia que botou os olhos em mim, que quanto mais cedo eu aprendesse a me virar, melhor, pois ela estava farta, cansada de cuidar de mim.

Foi aí que eu acordei, vi que o lençol estava encharcado de suor, e fiquei encarando a parede à minha frente. Respirei fundo, bebi um pouco de água, voltei para a cama e fiquei pensando. Não queria voltar a dormir, não queria voltar aos pesadelos que me esperavam. E foi quando eu percebi — o pesadelo não estava na minha cabeça; estava aqui, no mundo real, e por minha culpa. Quatro milhões de libras era mais do que eu já tinha sonhado na vida. Era uma quantia incrível, tentadora. Mas eu não poderia receber esse dinheiro. Qualquer coisa que eu fizesse seria errado.

Bem, eu queria admitir a verdade. Era a coisa certa a fazer — assumir o meu erro, dizer ao Dr. Taylor que eu não era quem Grace pensava. Mas e se isso me impedisse de receber o dinheiro? A bela casa iria para o governo, para as mãos de alguma construtora, ou algo assim, e eu provavelmente seria presa por falsidade ideológica.

Mas a alternativa era... bem, não havia alternativa. A menos que eu conseguisse aparecer com uma certidão provando que era casada com Anthony Milton. Se eu não tivesse dito a Grace que tinha me casado com Anthony. Se eu não tivesse... Então me dei conta de algo. Se eu não tivesse dito que havia casado, possivel mente ela nem teria deixado a casa para mim. Afinal, ela queria que uma família vivesse lá, não Helen e eu criando um alvoroço e assistindo a DVDs.

Minha cabeça não parou até a manhã seguinte e, por isso, quando o dia raiou em Londres, naquela segunda-feira, eu levantei da cama sem muita convicção, com enormes olheiras e os ombros curvados para a frente. Por isso, mal consegui me despedir de Helen quando saí para trabalhar e me arrastei até a estação do metrô na maior lerdeza. A noite insone também me fazia estremecer a cada instante, quando os pensamentos e as lembranças das oportunidades que eu tive de corrigir o meu erro, de contar a verdade a Grace e evitar esse pesadelo inundavam minha mente. As oportunidades que eu não aproveitei. Talvez encontrasse algum consolo no trabalho, pensei quando me aproximei do escritório. E logo me irritei diante da minha estupidez. O trabalho significava Anthony Milton, uma lembrança constante do meu pequeno conto de fadas idiota. Achar algum consolo lá não seria uma opção.

A Milton Advertising ficava em Clerkenwell, uma parte de Londres que costumava ser classificada como uma área sem graça e próxima, porém mais barata, do distrito financeiro da cidade, e passara a ser reconhecida como uma área não tão sem graça e próxima, porém mais barata, de Hoxton, o novo bairro mais *cool* de Londres. Sob ambos os aspectos, a região era repleta basicamente de transeuntes típicos de bairros empresariais e de gente que trabalhava com mídia, mas, enquanto antigamente eles usavam pseudo ternos Savile Row, agora se vestiam com pseudo roupas de estudantes de artes punk e ostentavam penteados que, na minha modesta opinião, ficavam bem em artistas de 20 e poucos anos, mas eram pouco recomendados para homens um pouco acima do peso, nos seus 30 ou 40 anos.

A agência ficava em um edifício baixinho, de dois andares, espremido entre dois prédios mais altos, fazendo com que parecesse ao mesmo tempo indefeso e desafiador. Do lado de dentro, em ambos os andares, havia livres, sem paredes divisórias, e no meio do salão do térreo havia uma enorme escadaria que levava ao segundo andar. No térreo ficavam as salas individuais (a grande de Anthony Milton e a menor de Max) e o escritório do pessoal encarregado do atendimento: o pessoal sênior, responsável pelo gerenciamento e cuidados com as contas, também conhecido por persuadir clientes a aumentar o volume de negócios com a agência; e os analistas juniores, eu me incluía entre eles, responsáveis por fazer todo o trabalho, cumprir todos os prazos e correr de cima para baixo para falar com o pessoal da criação, e ainda levar a culpa sempre que algo dava errado. Não era o melhor emprego do mundo, mas havia perspectivas de crescimento. Na minha entrevista de admissão, Max disse que eu poderia chegar a sênior em três anos, se trabalhasse o bastante e me destacasse. Eu não tinha a menor ideia se estava conseguindo me destacar ou não — ninguém parecia ter tempo para notar isso —, mas com certeza trabalhava bastante. Até tarde da noite, fins de semana, enfim. O pessoal sênior ganhava muito bem e tinha um cartão corporativo. O trabalho difícil era, na verdade, uma moleza.

O departamento de criação era responsável pelo trabalho relativo a design. Eles dispunham de todo o andar superior e utilizavam computadores Mac, nos quais desenhavam logos e discutiam entre si se um determinado tom de vermelho era mais ou menos *intenso* do que outro, que, para mim, parecia exatamente o mesmo.

A minha mesa ficava uns 4 metros à esquerda da sala de Anthony e 3 metros à esquerda da de Max; ou, para ser mais específica, bem em frente à mesa de Marcia, que tinha entrado na agência vários meses depois de mim e já havia recebido mais contas para cuidar, embora ela fosse apenas júnior, como eu.

Lentamente, caminhei do saguão até a minha cadeira, onde me joguei, pousei a garrafa de água que tinha comprado na estação do metrô e liguei o computador. Se conseguisse me distrair com o trabalho, eu disse a mim mesma, a resposta ao problema do testamento surgiria de repente. O segredo era não se prender a esse detalhe.

Por sorte, Marcia não parecia interessada em me deixar com nenhum tempo ocioso. Ela não gostava muito de trabalhar, nem de nada que interferisse na sua ocupada agenda de manicures, visitas ao cabeleireiro para fazer escova e limpezas de pele. Na minha opinião, ela havia entrado no ramo da publicidade na esperança de conseguir produtos de graça — passava a maior parte do tempo folheando revistas de moda e só parecia animada com clientes que vendiam sapatos, bolsas, roupa ou maquiagem.

— Você está com o manual de redação que deixei com você na sexta? — perguntou ela logo que eu me sentei. — Você sabia que eu precisava dele de manhã, portanto é melhor...

Forcei um sorriso. Marcia se dirigia a mim como se fosse minha chefe ou algo assim. Eu havia recebido de Max a tarefa de terminar o manual de redação, não ela. Mas eu disse a mim mesma que não era hora para discutir por bobagens.

— Está aqui — logo falei, tirando-o da bolsa. — Vou mandar uma cópia por e-mail, também.

Ela me lançou um olhar desconfiado.

— Você fez isso durante o fim de semana?

— Sim. Eu vim aqui ontem. — Ontem. Isso me fez lembrar a canção dos Beatles, "Yesterday". Quase tive vontade de pegar uma guitarra e cantar a música, que fala sobre todos os problemas que pareciam estar bem longe no tempo.

Marcia se espantou.

— Caramba. E como foi seu fim de semana? Quer dizer, tirando o trabalho?

Dei de ombros.

— Foi... ótimo. E o seu?

— O meu? — Marcia sorriu. — Ah, foi bom, obrigada. Saí para jantar, almocei com alguns amigos, dei uma olhada nas lojas. Sabe como é, nada de mais.

Encarei-a intrigada. Eu sempre me admirava com o empenho com que Marcia se dedicava às compras, o quanto ela ficava empolgada diante de cada nova aquisição, embora, até onde eu podia ver, fossem todas iguais. Cintos, bolsas, sapatos, suéteres, saias... para quê? Dinheiro jogado no lixo, como vovó costumava dizer. Dinheiro que poderia ser gasto em algo útil.

— Ah! Olha lá Anthony todo agitado — exclamou Marcia de repente, quando a porta da sala dele se abriu e ele e Max saíram. Fiquei vermelha na hora e me virei para a tela do computador, enquanto Marcia acenou, abrindo um sorriso enorme e radiante, como sempre fazia. Eles começaram a andar na nossa direção, e, quando ergui os olhos, vi Max olhando para mim. Anthony também me olhava. Senti meu rosto empalidecer. Anthony nunca me olhava. Em geral, ele nem parecia me notar. Será que eu tinha feito algo errado? Será que eu havia feito alguma besteira em uma conta importante?

Eles estavam a poucos metros de distância. Max tinha uma expressão séria; a de Anthony era esquisita. E logo senti meu coração disparar. Não apenas disparar, mas quase saltar do peito. Eu tinha dado meu cartão ao Dr. Taylor. Provavelmente ele havia telefonado para o escritório pedindo para falar com a Sra. Milton e fora transferido para a sala de Anthony... Não podia acreditar que tinha sido tão burra. Não conseguia crer que meu castelo de areia estava prestes a desabar tão cedo.

Sentindo-me mais tensa a cada segundo, sequei a palma da mão na calça e me concentrei na respiração. Eu tinha que pensar em uma desculpa. Era isso ou ir embora antes que eles pudessem dizer alguma coisa.

Pararam diante da mesa de Marcia, ainda olhando para mim.

— Oi, Anthony — sussurrou Marcia, e ele lançou-lhe um sorriso. Quando ergui a cabeça, meu olhar e o de Max se cruzaram, então voltei a olhar para baixo, rapidamente. Max tinha olhos azuis. Um tom de azul profundo. Mas era difícil notá-los, porque os óculos os escondiam a maior parte do tempo. Ele era um pouco mais baixo que Anthony, o que não era muito difícil, considerando que Anthony tinha bem mais de 1,80m, e Max conseguia fazer até ternos caros parecerem meio amarrotados.

Esfreguei a testa, que, àquela altura, não parava de transpirar.

— Tudo bem, Jess? — perguntou Max ao se aproximar. — Você não está com uma aparência boa.

— Eu? — questionei, um pouco desapontada. — É mesmo? Estranho, porque estou bem.

— E como foi o seu fim de semana?

Respirei fundo. Eu podia sentir meu peito apertando. Será que ele sabia? Será que estava fazendo um jogo comigo?

— Não foi muito bom — respondi, tensa. — Grace... minha amiga Grace... bem, ela faleceu.

Max espantou-se.

— Ah, Jess. Sinto muito. Ah, meu Deus, isso é terrível.

Olhei para ele um tanto indecisa, e logo senti meu corpo inteiro relaxar. Ele não sabia. Se soubesse do testamento, saberia que Grace havia morrido. Eu tinha escapado dessa.

— Está tudo bem — falei, ofegante. — Obrigada, Max.

— Ei, Max — disse Anthony, erguendo uma sobrancelha. — Você vai explicar a Jess porque estamos aqui? — Sua expressão tornou-se séria novamente e senti o coração disparar, mais uma vez.

— A... razão? — perguntei, engolindo em seco.

Max se mostrou desconcertado.

— Talvez não seja uma hora apropriada — murmurou ele.

— Como assim não é uma hora apropriada? Max, negócios são negócios.

Olhei para ele, nervosa.

— Há algo errado?

— Muito errado, eu acho — disse Anthony com ar sério.

Os meus olhos se arregalaram.

— É mesmo? O quê? Olhe, não foi culpa minha. Eu não pretendia. Eu... Eu... — Senti meu peito se comprimir novamente.

Anthony arqueou a sobrancelha.

— Isso pode ser verdade. Mas você se incomodaria de me dizer o que essa garrafa de água Evian está fazendo na sua mesa? — perguntou ele.

— Sério, Anthony, não é uma boa hora... — insistiu Max, mas Anthony fez sinal para que ele se calasse.

Olhei para a garrafa, ansiosa.

— A água? É... Quero dizer, é só para... Eu... É... — A sala começava a girar. Eu não conseguia enxergar direito nem formular uma frase coerente.

— É melhor escondê-la quando o pessoal da Eau Best aparecer mais tarde, hein? — disse Anthony abrindo um sorriso enorme. — São nossos novos clientes! Max ganhou a conta na semana passada. Que tal?

Marcia jogou a cabeça para trás e riu.

— Não acredito! Nossa, isso é fantástico. Realmente maravilhoso.

Quando fitei Max, ele revirou os olhos.

— Hmm... Que ótimo — eu disse, sentindo o coração voltar a se acalmar. Então, coloquei a garrafa na lata de lixo. E logo depois me dei conta do quanto estava com sede. — Vou pegar... uma... água. Da geladeira... — falei, ao me levantar meio cambaleante.

— Jess? — Ouvi Max atrás de mim, me chamando, mas não parei. Sentia-me descontrolada. Precisava jogar um pouco de água no rosto para me acalmar. Precisava ficar longe das pessoas. E logo ouvi o meu telefone tocar. Meu celular. Que estava na minha mesa.

No mesmo instante parei, tomada pelo pânico novamente. Então me forcei a continuar andando. Não poderia ser o Dr. Taylor. Com certeza o número do meu celular estava no cartão que eu dera a ele, mas isso não significava que toda vez que o telefone tocasse seria uma ligação dele. E, mesmo que fosse, ninguém atenderia meu celular. A chamada iria para a caixa postal.

Porém, o toque parou. Rápido demais para a ligação ter caído na caixa postal. Eu me virei devagar; então estremeci. Max segurava meu telefone, encostado ao ouvido. E parecia confuso.

Em seguida, ele me olhou com ar de curiosidade. E quase desmaiei. Corri em direção à minha mesa, mas já era tarde demais, e, enquanto corria, senti minhas pernas vacilarem. Estava tudo acabado. Naquele exato momento, o Dr. Taylor provavelmente estava explicando por que tinha pedido para falar com Jessica Milton. A Sra. Jessica Milton. A minha vida estava arruinada. Max sabia. Anthony saberia. Todo mundo saberia. Eu seria motivo de piada por toda a cidade.

Tomada pelo nervosismo, consegui chegar à minha mesa e me acalmar. Estava com dificuldade para respirar; estava arfando como um peixe fora d'água, sentindo o peito comprimir os pulmões e o coração. Então, coloquei a mão no peito e desfaleci.

— O telefone. É para mim? — consegui dizer pouco antes de a minha cabeça cair para trás e bater no chão.

— Jess? Meu Deus, o que aconteceu?

Max me olhava de um jeito estranho, mas eu o ignorei.

— Quem... era? Eu posso explicar. Eu só... — falei num grito sufocado, mas as palavras eram quase inaudíveis.

— Jess, calma. Tenta respirar. Respira fundo. Inspira e expira. Pegue um saco de papel. — Max ordenou a Márcia, antes de fechar o meu telefone. Ela lhe entregou o saco do seu croissant e Max o manteve sobre a minha boca. Alguns segundos depois, comecei a sufocar com uma migalha de croissant que ficou alojada na minha traqueia.

— Já estou bem — disse rapidamente. — Devo ter... — Ainda estava ofegante e senti Max me levantar. Então Anthony me fitou com ar preocupado.

— Jessica... — disse ele, com uma expressão assustada.

— Ela precisa ir para casa — afirmou Max.

— Não, eu... — Os braços de Max me envolviam e tinham um efeito tranquilizador. — Eu estou bem.

— Viu? Ela já está bem — disse Marcia.

— Não está, não — retrucou Max, olhando para mim, em dúvida. — Vamos, Jess, vou arranjar um táxi para você. — Seus braços me abraçaram com mais força e ele me levou em direção à porta. Só tive tempo de pegar meu telefone e minha bolsa, antes de sair.

— O... o telefonema — consegui dizer, enquanto ele me ajudava a caminhar até a rua e chamava um táxi. — Quem era?

Max me olhou de forma estranha.

— Ah, sim. Era uma moça chamada Helen que queria perguntar a você algo sobre a série *Assassinato por escrito*. Ela parecia um tanto... aflita.

— Helen? — Entrei no táxi, e senti o rosto corar de alívio. — É a garota com quem divido apartamento — expliquei.

— E ela está em casa? — perguntou Max, ao que respondi com um movimento afirmativo da cabeça. — Ótimo. Então seria melhor telefonar para ela e avisá-la de que está indo para casa. Quem sabe você chega a tempo de descobrir quem é o assassino.

— Eu estou bem, sério — eu disse, tentando um sorriso. — Não preciso ir para casa.

— Acho que precisa, sim — insistiu Max, fechando a porta do carro com uma expressão impenetrável. — Não podemos ter gente no escritório desmaiando assim. Pega mal.

Abri a boca para dizer alguma coisa, para tentar explicar, mas não havia nada a ser dito. E antes que eu pudesse falar *obrigada* ou *até amanhã*, o táxi partiu, Max voltou ao edifício, e eu me apoiei no banco, me perguntando o que ia fazer.

Quando cheguei em casa, Helen estava à minha espera, assustada. Eu tinha ligado para ela do táxi, mas não tinha dito muita coisa; apenas que estava indo para casa porque não estava me sentindo muito bem. Ela colocou a chaleira para esquentar e fez chá. Então nos sentamos.

— Você não está... doente, não é? — perguntou ela, nervosa.

— Não, não estou doente.

— Ah, Graças a Deus. Que bom — disse ela, aliviada. — Então, o que aconteceu?

Tentei explicar, mas não consegui falar nada.

— Você *parece* doente — insistiu Helen, séria. — Para falar a verdade, você parece muito mal. Tem certeza de que não está com nenhuma doença grave ou algo assim? Eu vi um programa ontem no Living TV sobre pessoas que morreram de doenças que elas nem sabiam que tinham...

— Não estou doente — afirmei. — Pelo menos não fisicamente.

— É algum problema mental? Ah, meu Deus. Tudo bem, qual é o problema? Depressão? Psicose? Olha, contanto que você não seja perigosa, eu posso ajudá-la. Trabalhei em um documentário sobre psicólogos uma vez, portanto sei um pouco sobre...

— Não tenho nenhum problema mental — interpus, sentindo a respiração acelerada. Eu...

— Sim? — Os olhos de Helen estavam arregalados, e cada poro do seu corpo exalava curiosidade.

— Fiz uma coisa errada.

— Uma coisa errada?

— E agora estou preocupada e não sei o que fazer.

— Ah, meu Deus. Tudo bem, acho que sei o que foi — disse Helen, levantando-se séria e fazendo que sim com a cabeça.

— Você sabe? — perguntei, curiosa.

— Tem a ver com os anéis, não é?

— Os anéis?

Helen fez de novo o aceno de cabeça.

— Eu vi os anéis na sua caixa de joias, no outro dia. Anéis de diamante. Você roubou joias de Grace, não é? Ah, Jess, eu temia que isso acontecesse. Então, o que houve? O advogado dela veio aqui ontem à noite para buscá-los? Olha, não tem problema. Nós vamos arranjar um bom advogado. Você não deveria tê-los roubado, é verdade, mas tenho certeza de que não irá para a prisão.

— Prisão? — Olhei para Helen, espantada. — Eu não vou para a prisão. E não roubei joias de Grace.

— Mas, e os anéis? Eu vi os anéis — declarou Helen, de olhos arregalados. — E depois aquele homem apareceu... Ah, meu Deus, é pior do que isso? Você anda contrabandeando diamantes? Grace comandava uma quadrilha do crime organizado?

Eu a fitei com as sobrancelhas arqueadas.

— Acho que alguém tem assistido a muita televisão — eu disse.

— Certo, então me diga o que é — pediu Helen, impaciente. — Se você não roubou os anéis nem os contrabandeou, então por que tem um anel de compromisso e uma aliança na sua caixa de joias? E por que saiu mais cedo do trabalho? Você nunca chega cedo do trabalho.

— Eu comprei os anéis — confessei, após um longo suspiro.

— Comprou? Mas você não tem dinheiro. Pelo menos, eu achava que você não tinha.

— É bijuteria.

Helen franziu o cenho.

— *Biju*? Jess, não estou entendendo.

Então respirei fundo. Várias vezes. E, quando estava certa de que poderia abrir a boca, sem que o meu peito acelerasse, contei tudo. Lentamente, mas de maneira resoluta. Envergonhada e evitando olhar diretamente para Helen, falei sobre a mentira que tinha saído do controle, do casamento falso, do advogado, da propriedade e do dinheiro. Durante todo o tempo, Helen se manteve em silêncio.

Eu devia ter mencionado anteriormente que Helen não era conhecida por ficar em silêncio. Ela falava no meio de um filme. Falava com a televisão, quando eu não estava por perto (sei porque a flagrara várias vezes em debates ferozes com o locutor). Ela ligava para o meu trabalho quando estava entediada e era conhecida por me manter no telefone durante mais de uma hora. A garota tinha coisas a dizer, o tempo todo, sobre tudo.

Exceto agora.

Em vez disso, Helen inclinou-se, apanhou sua xícara e tomou um grande gole de chá.

— Então, vamos ver se entendi direito — disse ela, por fim. — Grace era Lady Hampton. Ela deixou para você todos os seus bens, avaliados em aproximadamente 4 milhões de libras?

Fiz que sim com a cabeça em silêncio.

— Mais ou menos isso.

— Mais ou menos isso — repetiu ela, jogando para trás o longo cabelo castanho, um atordoamento expresso em seus olhos castanho-escuros. — Só que ela achava que você era casada com o seu chefe, por isso o dinheiro foi deixado para Jessica Milton. Sra. Jessica Milton, que você não é. Que não existe de fato. Pode me corrigir se eu estiver errada...

— Por enquanto, está tudo correto.

— E você tem a obrigação moral de reivindicar a herança, senão a bela casa de Grace será vendida pelo governo e transformada em um condomínio. Ou num cassino. Certo?

Fiz que sim com a cabeça de novo.

— É a casa mais bonita do mundo. Está na família dela há muitas gerações. O advogado disse que era o desejo dela que alguém morasse lá. Uma família.

— Naturalmente — prosseguiu Helen. — Uma família. Com seu marido imaginário, suponho.

Esbocei um sorriso tenso.

— E você não pode reclamar de fato a herança porque você não é Jessica Milton. Quero dizer, a casa, todo aquele dinheiro... e você não pode pôr as mãos em nada?

— É mais ou menos isso — concordei, tentando sorrir novamente. Eu estava me fazendo de corajosa, tentando fazer pouco-caso da situação, mas ainda estava encharcada de suor e com dificuldade de respirar com calma.

Helen acenou com a cabeça lentamente.

— Você não pode apenas reivindicar a herança como Jessica Wild?

— Ele disse que eu tinha que apresentar a certidão de casamento.

— E se você contasse a verdade?

Recusei a proposta com veemência.

— Não posso — sussurrei. — Não posso. Isso poderia se espalhar. Seria muito humilhante. E provavelmente eu não seria capaz de pleitear o dinheiro, de qualquer forma. Há uma regra de cinquenta dias: se a herança não for requerida dentro desse período, perde-se o direito.

— Isso significa que o dinheiro apenas... desaparece?

— Vai para o governo. Isso mesmo. — *Inspire profundamente,* eu disse a mim mesma. *Agora expire.*

— Os 4 milhões?

— Isso mesmo — respondi, concentrando-me na respiração, e Helen soltou um longo suspiro.

— Cacete — exclamou ela, tomando outro gole do chá. — Quer dizer, fala sério. Cacete. Não consigo pensar em nada mais para dizer.

— Não há nada a dizer — concluí com ar sombrio. — Sou uma idiota.

— *Idiota* é pouco — acrescentou Helen, balançando a cabeça espantada. Então os seus olhos se iluminaram. — Você disse que tem cinquenta dias?

— Isso mesmo.

— Tudo bem — disse Helen, empolgada. — Nesse período, aposto que você consegue mudar o seu nome na justiça.

— Mudar de nome. É claro! Ah, meu Deus, Helen, você é meu anjo da guarda. Mudar de nome! Por que não pensei nisso antes?

— Jessica Milton. De fato, é um nome bonito. E eu vou poder morar na sua casa enorme? Podemos ter um mordomo? Ah, por favor, Jess, vamos ter um mordomo. Um bonitão. E podemos sempre dar festas...

Ela me pegou fazendo um gesto negativo com a cabeça e franziu a testa.

— Que foi? Qual é o problema? Tudo bem, nada de mordomo. Mas ainda podemos dar festas, certo?

Naquele momento, suspirei, olhando para a pasta que o Dr. Taylor tinha deixado na mesa.

— Tem um detalhe — eu disse, desapontada. — O documento diz especificamente: Sra. Jessica Milton.

— Então mude o seu primeiro nome para "Senhora" — sugeriu Helen.

— Mudar meu nome para "Senhora"? Quem é que está sendo idiota agora? E ele disse que precisava de passaporte ou certidão de nascimento. Nunca vou conseguir isso a tempo. De qualquer maneira, eu disse a ele que não tinha mudado o meu nome. Se de repente eu aparecer com uma identidade de Jessica Milton, você não acha que ele vai desconfiar?

Helen se reclinou no sofá.

— Tudo bem, mas tem que haver outro jeito. Qual é, Jess, é muito dinheiro. Temos que arranjar um modo de requerer a herança. — Ela olhou para mim e ficou pálida. — De requerer a *sua* herança, melhor dizendo. Mas, se pensarmos bem, vamos descobrir um jeito. Tem que haver uma saída.

Então, ela assumiu um ar pensativo, apanhou o telefone e discou um número. Quando olhei para ela, nervosa, ela fez sinal para que eu me afastasse.

— Rich? Oi, é Helen... Sim...! Sei, desculpe, é que tenho andado muito ocupada. Escuta, eu queria fazer uma perguntinha. Você entende de testamentos, não entende?... É, eu sei que você trabalha com direito bancário, mas você deve ter estudado um pouco de direito de família, certo? Ótimo. Bem, vamos supor que um testamento tenha sido feito, no qual os bens iriam para uma... ah, sei lá. Uma Sra. Jones qualquer. E digamos que a Sra. Jones não seja de fato a Sra. Jones; seja, na verdade, Sarah Smith. Só que a pessoa que deixou a herança acha que ela é a Sra. Jones. A pergunta é: mesmo assim, Sarah Smith poderia reivindicar a herança?... Sei... Certo... Entendi... Obrigada, Rich... Sim, vamos sair para tomar um drink um dia desses. Me liga. Certo. Tchau.

Helen se virou para mim.

— Era Rich.

— Eu percebi. E quem é Rich?

— Richard Bennett. O advogado com quem saí há algumas semanas.

Eu me espantei.

— Ele é advogado? E o que falou?

Helen fez uma careta.

— Ele disse que Sarah Smith poderia reivindicar a herança, desde que conseguisse provar que era, de fato, a pessoa que o testamenteiro considerava ser a Sra. Jones. Mas, para isso, provavelmente teria que entrar na justiça.

— Justiça?

Helen permaneceu em silêncio. Eu, por minha vez, puxei os joelhos contra meu corpo e os abracei.

— Não posso ir à justiça. E, de qualquer maneira, não há tempo para isso. Meu Deus, não consigo acreditar no quanto sou azarada.

— Você não é azarada. Quer dizer, não totalmente. Só um pouquinho — disse Helen, tentando me encorajar, mas sem o menor êxito. — Não consigo acreditar. Você sempre foi tão arrogante, a mulher que odeia homens, e o tempo todo tinha uma fantasia de se casar...

— Eu não odeio homens — falei, suspirando. — Só acho que relacionamentos são uma perda de tempo. E eu não tinha nenhuma fantasia de me casar. Só fiz isso por Grace. A fantasia era dela, não minha.

— Você tem certeza de que também não queria um namorado? Certeza absoluta?

— Tenho — respondi, impassível. — Claro que não queria ter namorado.

— Só um marido? — perguntou Helen com um sorriso malicioso.

— Não! Ouça, Hel, eu não quero namorado, nem marido. Você sabe muito bem.

— Como é que você pode saber que não quer algo que nunca teve?

— Eu já tive namorado — retruquei, aborrecida. — Aliás, dois.

— Um na faculdade e outro há três anos. Sei, você é praticamente uma devoradora de homens — confirmou Helen balançando a cabeça e me deixando irritada.

— Só porque a sua vida gira em torno de homens, não significa que seja assim com todo mundo — repliquei na mesma hora. — Eu só não estou interessada naquele papo furado que rola nos encontros, ficar esperando o telefone tocar; nem alimentar o ego de um homem para fazê-lo gostar de mim e depois ele me trocar por outra, alguns meses ou alguns anos depois. Romance é um mito, Hel. Amor é somente uma reação hormonal. Dois de cada três casamentos acabam em divórcio, e o resto provavelmente é uma porcaria. Todo mundo termina sozinho; então, para que passar metade da vida perseguindo uma quimera?

— Quimera? Você quer dizer tipo algo que não existe?

— Isso mesmo.

— Como um marido imaginário? — perguntou Helen com um brilho sarcástico no olhar, e eu corei. — Quer dizer que você não está interessada em Anthony Milton nem um pouquinho? — continuou ela, em tom irônico. — Ele não é aquele cara... tipo assim, lindo? Ele estava naquele artigo que você me mostrou.

— Ele é lindo. Mas ainda assim não estou interessada.

— Tem certeza?

— Tenho — respondi com firmeza. — Pode acreditar, se eu estivesse procurando um marido, o que não estou, certamente o escolhido não seria Anthony. Ele é muito... — Franzi o nariz, tentando pensar na palavra certa.

— Bem-sucedido? Gostoso? — sugeriu Helen.

— Inconstante — eu disse, mas imediatamente me corrigi. — Não, inconstante não. Muito... — Suspirei. — Ah, não sei. Ele apenas não é o meu tipo. Não é sério o bastante. Sai com várias modelos. Garotas que parecem modelos.

— Você está querendo dizer que ele não é o seu tipo porque acha que ele não ficaria a fim de você?

— O que estou querendo dizer — tentei explicar — é que ele não é o meu tipo porque *eu* não estou a fim dele. — Então, fiz uma pausa e, ao perceber Helen me olhando com uma expressão desconfiada, senti meu rosto corar. — Nem dele, nem de ninguém, na verdade. E ele certamente não está a fim de mim.

— No momento — retrucou Helen.

— Como assim, no momento?

— Eu só estou tentando ver as coisas de um ponto de vista prático — disse ela, pensativa. — Grace achava que você era casada com Anthony Milton, certo?

— Certo.

— E Anthony Milton é lindo e bem-sucedido? Quer dizer, falando de maneira objetiva, ele é o típico "bom partido".

— Acho que sim.

Helen abriu um sorriso.

— Então, a solução está bem na nossa cara. Você tem que casar com ele de verdade.

— Ah, sei! — eu disse, após uma gargalhada. — Meu Deus, por que não pensei nisso antes? Grande ideia. Vou falar com ele amanhã mesmo.

— Estou falando sério. Acho que vale a pena tentar, não é? Leve o plano adiante e você não só se casa com o "Príncipe Encantado" mas se torna milionária e, ainda por cima, salva a casa de Grace.

— Ele não é o "Príncipe Encantado". E você se esqueceu de uma coisa: eu não quero me casar.

— Ah, mas não é disso que estamos falando. Você não quer casar porque considera casamento uma besteira e acha que romance é perda de tempo. Mas nesse caso é diferente.

— É mesmo? — perguntei, hesitante.

— É claro. Você não vai casar para viver feliz para sempre. Você vai se casar para ganhar 4 milhões de libras. É uma espécie de anticasamento. No fundo, é apenas um acordo. Você tem que persuadir o cliente e fazer com que ele feche o negócio.

— Agora Anthony é meu cliente?

— Isso mesmo!

— Mas...

— Mas o quê ? Você tem alguma outra ideia?

Eu não tinha uma resposta adequada, por isso abaixei a cabeça.

— E você quer o dinheiro? Quer cuidar da casa de Grace como ela gostaria que você fizesse? — prosseguiu Helen.

— Sim, mas...

— Sem essa história de "mas" — disse Helen, levantando-se. — Anthony Milton tem namorada?

— Não que eu saiba.

— Então está acertado. O Projeto Casamento acaba de ser lançado.

Deixei os ombros caírem para a frente, prostrada.

— Helen, por favor, tente entender. O que você está sugerindo é... é loucura. É como dizer que você vai se casar com Tom Cruise. Sem esquecer o prazo de cinquenta dias.

— Tom Cruise já é casado. Anthony Milton não é. E muita coisa pode acontecer em cinquenta dias.

— Não posso fazer isso — eu disse, em vão. — Simplesmente não posso.

— Nada de *não posso*. Não me diga que está com medo?

— Medo? — perguntei, na defensiva. — Claro que não. Apenas não sou uma modelo, sou um fracasso quando o assunto é namorado e acho a ideia completamente maluca.

— Que você é um fracasso quando o assunto é namorado é verdade. Mas podemos dar um jeito nisso. E na sua roupa.

— Minha roupa? O que tem de errado com a minha roupa? — Agora eu é que estava com uma expressão desconfiada.

— Tudo — respondeu ela com indiferença. — E seu cabelo também.

— Estou satisfeita com meu cabelo.

— O que você acha não conta. O que conta é Anthony Milton, e aposto que ele não gosta do seu cabelo.

— Duvido que ele tenha notado alguma vez o meu cabelo — repliquei, irritada.

— Exatamente.

— Não vou mudar o meu cabelo por causa de um homem. — Estava começando a me sentir tensa. — Nem a minha roupa. Não vou...

Helen suspirou.

— Por favor, Jess. Olha, eu sei que sua avó era uma megera e que você é obcecada por essa ideia de ser autossuficiente, e tudo isso que você vive dizendo. Mas isso não significa que você não possa se divertir de vez em quando. Passar batom não reduz o seu QI. Sair com um cara não transforma você em uma criatura patética que não pode viver sem homem.

— Isso não tem nada a ver com minha avó — retruquei, irritada.

— Tudo bem. Só estou dizendo que você precisa de roupas novas e de um novo corte de cabelo. Esse Anthony Milton pode não notá-la agora, porque você faz tudo para *não* ser notada. E você não está a fim dele porque não se permite isso — disse Helen, de maneira enfática. — Como está convencida de que ele nunca vai demonstrar interesse, você trata de eliminá-lo da sua lista. Sabe, se você fosse ambiciosa em relação a namorado como é com seu maldito emprego, teria uma fila enorme de homens querendo você, agora mesmo.

Eu ri involuntariamente.

— Ah, sei. Até parece.

— Olha, Jess. Da maneira como eu vejo a situação, ou você arrisca tudo, ou não. E se não arriscar, então vai estar dizendo adeus a um monte de dinheiro.

— Mas...

— Nada dessa conversa de "mas", Jess. Pense apenas no que você pode perder, se ao menos não tentar.

— É uma casa bonita — eu disse, indecisa.

— É uma casa maravilhosa — corrigiu Helen.

— E eu conseguiria pagar todas as minhas dívidas.

— Você seria rica, Jess. Mais rica do que jamais sonhou, o que significa ser autossuficiente.

— E casada.

— Tudo bem. Mas não casada da maneira romântica, cheia de sonhos. Você seria rica, independente de seu marido e estaria cuidando do legado de Grace.

Senti uma pontada no peito quando ouvi o nome dela.

— Eu sei. Mas ainda não vejo como eu conseguiria isso.

— Fazendo com que Anthony se apaixone loucamente por você, é isso? — perguntou Helen. — Bem, você precisa... como é que se fala quando um produto sofre alguma modificação? Como quando lançaram o KitKat Chunky?

— Reposicionar um produto — respondi.

Os olhos de Helen se iluminaram.

— Isso! Nós vamos reposicionar você.

— Como um KitKat Chunky?

— Como a mulher perfeita para casar.

Eu bufei, mal-humorada.

— E depois a gente reverte a situação, não é?

Helen me encarou.

— Vou ignorar essa parte — disse ela com ar de superioridade. — Ouça, Jess, você tem que prometer que vai levar isso a sério. Isso é *Topa ou não topa*. Tudo ou nada. Então, o que você escolhe? Topa ou não topa, Jess? Qual é a sua resposta?

— Isso não é um jogo, Helen, é loucura total. É impossível. É... é ridículo.

— *Topa ou não topa*? — repetiu Helen, olhando bem nos meus olhos.

Eu a fitei por um momento.

— Você sabe que essa é a ideia mais estúpida que ouvi na vida?

— *Topa ou não topa*? Sim ou não?

Deixei escapar um suspiro longo e doloroso.

— Não posso... Eu...

— Você pode, se quiser. Vamos lá, Jess. Arrisque. Tente. Faça por Grace.

Olhei para o chão, lembrando o quanto Grace tinha ficado empolgada quando falei que Anthony tinha me chamado para sair. Eu me lembrei da animação em seus olhos, quando ela disse que ele iria me pedir em casamento durante a viagem. De repente, me lembrei de um detalhe.

— O que foi? — perguntou Helen. — O que houve agora?

Mordi os lábios.

— Nada. É só... uma coisa que Grace disse há muito tempo.

— E o que é?

Meu rosto se contraiu, quando me concentrei no que tinha acabado de lembrar.

— Pensei que ela estivesse se referindo... Quer dizer... Mas talvez não. Talvez ela estivesse mesmo se referindo...

— O quê? — perguntou Helen, impaciente. — O que ela disse?

— Ela me fez prometer... ela me fez prometer que, se alguém me oferecesse tudo o que tinha, eu aceitaria — falei lentamente. — Pensei que ela estivesse se referindo a Anthony. Pensei que fosse um dos seus sonhos românticos bobos.

— E agora você acha que ela se referia à herança?

— Não sei. Talvez.

— E você prometeu que aceitaria?

Fiz que sim com a cabeça, em silêncio.

— Então isso significa... Você vai aceitar? Vai?

Olhei para Helen durante um momento, e concordei.

— Topo — eu disse, tão baixinho que mal ouvi minha própria voz.

— Eu não escutei.

— Topo. — Meus olhos estavam arregalados de medo. Eu não conseguia acreditar no que estava concordando em fazer.

Imediatamente, Helen se jogou em cima de mim e me deu um abraço bem apertado.

— Você não vai se arrepender, Jess. Nossa! Vai ser maravilhoso.

— É uma campanha, certo? — perguntei, nervosa. — Eu vou apenas dirigir uma campanha publicitária?

— Projeto Casamento — aprovou Helen. — Projeto Quatro Milhões.

— E se não der certo, esquecemos a história toda e eu mudo meu nome para "Senhora".

Olhei bem nos olhos de Helen e, um segundo depois, caímos na gargalhada, embora a minha fosse um tanto mais histérica que a dela.

Alguns minutos depois, Helen pegou o telefone, discou um número e piscou para mim.

— Oi, é Helen Fairbrother. Eu gostaria de marcar um horário com Pedro. Mas tem que ser para hoje à tarde. Ele pode? Ótimo. E dá para marcar uns tratamentos para hoje também? Isso. Pé, depilação, bronzeamento e limpeza de pele. E sobrancelha. Às duas horas? Perfeito, até lá. É para a minha amiga Jessica. Jessica Wild.

Então ela se virou para mim.

— Certo, acho que precisamos de um esquema para o projeto, não é? Pegue lápis e papel. Estamos lançando o Projeto Casamento.

Capítulo 5

PEDRO, COMO PUDE CONSTATAR DEPOIS, era um cabeleireiro espanhol, baixinho, que trabalhava num salão minúsculo, em cima de uma loja, perto da Islington High Street. O lugar era tão escondido que mal se via da rua — detalhe que, segundo Helen, era sua qualidade principal; ou seja, o lugar era conhecido apenas pelo boca a boca. As pessoas falavam muito bem dos serviços, dissera ela confiante, além de afirmar que ali se fazia a melhor depilação com linha de Londres.

Eu não fazia a menor ideia do que era depilação com linha, e não queria cortar o meu cabelo, mas, aos poucos, fui percebendo que resistir era inútil.

— Helen! Querida! Ah, meu Deus, adorei a sua bota! — O tal de Pedro veio correndo na direção de Helen assim que chegamos ao topo da escadaria estreita que conduzia ao salão. — Eu não sabia que você viria hoje! O que vamos fazer?

— Na verdade, marquei para a minha amiga Jessica — disse Helen, movendo-se para que Pedro pudesse me ver melhor. — Vamos fazer uma transformação.

Pedro ficou boquiaberto e eu corei ao notar que todo mundo se virou para mim; *todo mundo* quer dizer: três mulheres, impecáveis, que, até a minha chegada, estavam se olhando no espelho.

— Uma transformação? Adoro transformação! De que tipo?

— Uma transformação total.

— Só um corte de cabelo — interrompi, tensa. — Nada muito radical. — Mas pude ver Helen atrás de mim fazendo um gesto negativo de cabeça.

Pedro abriu um sorriso e passou a mão pelo meu cabelo, esfregando-o entre os dedos.

— Como vai ser? Curto? E a cor?

— Loiro — disse Helen em tom firme, no exato momento que eu disse:

— Não vou tingir, obrigada.

Pedro concordou e eu me apavorei.

— Loiro? — perguntei, espantada. — Não posso ficar loira.

— É claro que pode — disse Helen com indiferença. — Então, Pedro, o que você acha?

Ele franziu a testa.

— É. Acho que sim. Mas loiríssimo total ou só umas luzes estilosas?

Helen olhou para meu rosto.

— Luzes — disse. — Com cara de sofisticada, parecendo que gastou uma fortuna.

— Não só *parecendo*, querida — observou Pedro, com uma risadinha. — Tudo bem. Então ficamos com as luzes bem naturais. E o corte?

Ambos analisaram meu cabelo com ar pensativo, ignorando, por completo, a minha opinião no assunto. Cerrei os punhos. Eu tinha prometido aceitar qualquer sugestão de Helen, mas *loiro*? Fala sério!

— Basta aparar as pontas, por favor — me ouvi dizendo. — Cortei meu cabelo há poucas semanas.

— Acho que umas camadas ficariam bem — contestou Helen, sem prestar atenção no meu pedido.

— Camadas. É, acho que sim — concordou Pedro, ajustando a altura da minha cadeira. — Camadas e uma franja longa. Assim...

Ele levantou a ponta do meu cabelo para conferir como ficaria uma franja, caindo em cascata, no rosto.

— Perfeito! — gritou Helen, batendo palmas. — Nossa, Jessica, vai ficar lindo. Mas não se esqueça, Pedro, ela também vai fazer sobrancelha e perna. E ainda vamos fazer umas comprinhas, portanto não podemos demorar.

Pedro sorriu.

— Tudo bem. Sente aqui — disse ele, indicando uma cadeira ao lado de uma pia. — E vamos começar, certo?

Sentei toda tensa, agarrando os braços da cadeira. Camadas loiras. Eu ia ficar a cara da Lassie. Ia ficar ridícula. Ia parecer com uma daquelas prostitutas que minha avó costumava criticar, quando passavam na rua. Mulheres de minissaia, roupa cor-de-rosa, ou muita maquiagem. "Elas vão acabar como sua mãe", murmurava ela, em tom sombrio. "E você também, se não se cuidar. O homem olha para uma mulher assim e vê nela uma conquista, uma vítima. Ele não lhe dá valor, trata-a mal; pode escrever o que estou dizendo. Acaba indo embora quando ela menos espera." Eu concordava com ar sério, decidida a nunca cair nessa, decidida a nunca me permitir ser nada disso. Não que eu pensasse em minha mãe dessa forma. Eu dizia a mim mesma que vovó não entendia minha mãe. Ela não pretendia me abandonar. Não pretendia acabar morrendo num acidente de carro.

Mas, mesmo sem minha mãe por perto para servir como um exemplo disso, vovó era prova suficiente do que ela mesma afirmava. Após quarenta anos de casada, "quarenta anos", ela vivia repetindo, vovô a deixou por uma mulher com a metade da sua idade. Apenas foi embora, sem se importar com mais nada. Foi quando vovó deixou de usar maquiagem. Foi também quando deixou de sorrir, pelo menos essa era a minha conclusão, pois todas as fotos dela com vovô mostravam uma mulher diferente: feliz, com uma aparência alegre e de olhos brilhantes. Mas depois que ele partiu, ela passou a exibir uma carranca permanente. Ele foi embora um mês depois que minha mãe me deixou na casa deles por um fim de semana. Um mês depois que minha mãe entrou num carro e acabou num acidente. "Ela bem que podia não ter entrado no carro", eu costumava dizer a vovó. "Ela podia muito bem estar viva, se não tivesse saído, se tivesse ficado em casa." Vovó não concordava. Dizia que minha mãe estava usando minissaia, como se isso explicasse tudo. Uma mulher com a idade dela usando minissaia estava procurando encrenca.

Mas antes que eu pudesse explicar sobre luzes e saias curtas a Pedro, a cadeira se moveu, atirando minhas pernas para cima, e ele a puxou para trás, na direção da pia. Em seguida, pegou meu cabelo e começou a esfregar algo nos fios; não era xampu, era algo diferente. Parecia oleoso.

De fato era óleo, conforme descobri alguns minutos depois.

— Serve para hidratar e soltar os fios — explicou Pedro, com boa vontade. — Antes da água oxigenada, entendeu?

— Água oxigenada? — Foi tudo o que consegui falar antes de ser retirada subitamente da cadeira, jogada em outra, receber uma edição da *Vogue* e ser orientada a olhar sempre para a frente, enquanto Pedro se concentrava no meu cabelo, pegando algumas mechas, cobrindo-as com uma pasta branca, enrolando-os em papel-alumínio e repetindo o processo diversas vezes. Resolvi me concentrar em um artigo da revista sobre a tendência atual da exclusividade no mundo da moda e tentei não pensar no meu couro cabeludo, que não parava de arder.

Assim que minha cabeça inteira ficou coberta com papelotes de alumínio, fui levada ao andar de baixo, para a sala da Maria, uma mulher forte, mãe do Pedro, que me olhou de cima a baixo com ar sério, ordenou que eu me despisse e deitasse numa cama estreita. Em seguida, começou a aplicar cera quente nas minhas pernas, antes de puxá-la de um jeito que parecia arrancar junto uma boa parte da minha pele. Era pura agonia, mas eu não queria dizer nada, portanto me limitei a trincar os dentes e ficar de olhos fechados, para suportar a dor.

Depois, ela se concentrou nas minhas sobrancelhas: amarrou as duas pontas de um pedaço de linha e as enrolou entre os dedos, com movimentos rápidos, e começou a arrancar os fios, de um jeito aparentemente tão sem critério, que achei que, quando ela terminasse, eu ficaria como se tivesse saído de um filme de terror. No fim, ela me entregou um espelho para que eu pudesse verificar o resultado do seu trabalho, mas eu estava apavorada demais para olhar, portanto apenas o devolvi e acenei com a cabeça, forçando um sorriso para que ela não percebesse a minha aflição.

Então ela me puxou da cama e gritou:

— Pedro! Acabei! — Em seguida enviou-me de volta para o andar de cima, para que eu lavasse o cabelo antes de ser colocada diante de um espelho.

— Ah! — exclamou Pedro, com os olhos brilhando. — Agora sim. Bem melhor, não acha?

Olhando para baixo, para os meus joelhos, assenti em silêncio. Era muito humilhante. Eu me sentia como um peru sendo regado para o Natal.

— Bem, agora vamos ao corte — disse ele, apanhando a tesoura com um floreio; como um toureiro, ao brandir a capa vermelha.

— Agora vamos ao corte — repeti, nervosa. Assim que ouvi o barulhinho da tesoura, fechei os olhos e tentei não pensar nas mechas de cabelo que não paravam de cair no meu colo, nas minhas mãos, no meu nariz. *Eu posso comprar um lenço,* pensei. *Ou passar a usar chapéu. Ou raspar a cabeça e dizer a todo o mundo que estava estressada e o cabelo estava caindo.*

Logo senti o calor de um secador no meu couro cabeludo, e as mãos de Pedro soltando os fios e em seguida modelando as mechas.

— Então... dá uma olhada.

Lentamente, abri os olhos e olhei direto para o rosto de Pedro, no espelho.

— Está ótimo — falei. — Muito bom.

— Mas você nem viu direito — reclamou Pedro, magoado.

— Ah. Está bem. — Com o rosto queimando de vergonha, me forcei a olhar para meu reflexo, preparando-me para a surpresa, armando um sorriso pouco convincente, mas que ao menos me permitiria sair dali sem muito estardalhaço.

Só que não foi surpresa o que senti quando me olhei com mais atenção. Foi choque.

— Meu Deus!

Pedro olhou para mim assustado.

— O que foi? Não gostou?

Eu estava perplexa.

— Pareço outra pessoa. — Então olhei novamente. Parecia aquele tipo de garota que anda pela Kings Road falando alto ao celular. A pessoa que eu via no espelho era o tipo de pessoa que eu desprezava: o tipo de garota que senta do lado de fora dos cafés aos sábados, almoçando com um bando de amigas barulhentas, falando de homens, sapatos e coisas fúteis, que não tinham a menor importância. Pedro havia feito luzes californianas em um louro mel e um corte em camadas longas e repicadas, que suavizavam minhas feições. Minhas sobrancelhas não tinham desaparecido; elas só estavam mais finas, mais altas e arqueadas, e destacavam as maçãs do rosto, deixando minha expressão com ar permanente de questionamento.

— Ela não aprovou — comentou Pedro, com ar desapontado. — Ela não aprovou a transformação.

— Não — disse rapidamente. — Quer dizer... Não... é só... É... — Por fim, consegui falar com clareza. — É que nunca pensei que poderia ficar assim. Só estou achando diferente, só isso.

— Diferente no bom sentido? — Ele tinha tanta esperança no olhar que eu não podia dizer o quanto estava chocada, o quanto estava em dúvida. Então, abaixei a cabeça e olhei para minhas mãos, que estavam cobertas de cabelo. Do meu cabelo. Sentia-me como Sansão. E ao mesmo tempo como Cinderela. Estava completamente confusa.

— Diferente no bom sentido — concordei, meio indecisa. Interpretando como se tudo estivesse bem, Pedro finalmente sorriu.

— Isso mesmo! — admitiu ele. — Diferente é um bom sinal. Quer dizer que está bom.

— Bom? Ficou bom? — Maria apareceu atrás dele e olhou meu reflexo no espelho. — Ah, sim — disse, em tom de aprovação. — Agora menina bonita, hein? Agora muito melhor.

Fiz que sim com a cabeça, meio hesitante, ainda tentando me encontrar na imagem que via no espelho.

— Uau! — exclamou Helen, surpresa, ao largar a revista que estava lendo. — Você é maravilhoso, Pedro — murmurou ela, examinando meu rosto no espelho. — E você, Maria, é incrível — acrescentou rapidamente, quando notou que a mulher a fitava.

Então, Pedro apoiou as mãos nos meus ombros.

— Tem gente que apela para cirurgia — disse ele em tom triste. — Mas só precisa de um bom corte de cabelo.

— E de acertar as sobrancelhas — lembrou Maria. — Sobrancelhas mais que cabelo.

Todos ponderaram essa observação durante alguns segundos, sem vontade de argumentar, e logo Helen me puxou.

— Bem, está na hora. Temos que ir ao shopping.

— Shopping? Mas eu odeio fazer compras. E, além disso, estou sem grana.

Helen se mostrou impaciente.

— Pense nisso como um investimento.

Eu me levantei devagar e, em um ato involuntário, puxei o cabelo para trás da orelha. Mas não adiantou. Ele estava tão macio que imediatamente voltou para a franja, que caía em cascata.

— Um corte de cabelo à prova de Jessica — disse Helen sorrindo ao me puxar pela porta. — Realmente é quase um milagre.

Capítulo 6

— NÃO SOU CAPAZ DE fazer isso.

Na manhã seguinte, de repente o que era apenas uma das ideias loucas de Helen começava a se transformar em algo muito real e muito assustador.

— Você nem imagina *o quanto* é capaz.

Engoli em seco. Helen e eu estávamos diante do espelho dela, de corpo inteiro, enquanto ela dava uns retoques finais na minha maquiagem. Maquiagem! Eu nunca tinha me maquiado para ir ao trabalho.

E não era só isso. Eu já estava há uma hora e meia recebendo orientações dela sobre a arte da sedução (você precisa ficar no mesmo ambiente que a pessoa que está tentando seduzir); a arte de sorrir (faça um pouco de bico antes de levantar os cantos da boca e não mostre todos os dentes); de como receber um elogio (olhe de maneira sedutora e diga "obrigada", então sorria e não levante as sobrancelhas como se insinuasse que a pessoa que fez o elogio fosse idiota); e do que não fazer com as mãos (nunca tamborile os dedos na mesa, nem gesticule muito). Isso tudo me fez lembrar que o que estávamos fazendo não era uma brincadeira; era realidade.

— Sério, não dá — confessei, respirando fundo. — Sério, Helen. Além do mais, não preciso do dinheiro. Afinal, dinheiro não traz felicidade. Para ser feliz, basta ter amigos e amor, certo?

Helen sorriu e me abraçou.

— Jess, sou sua única amiga. Confie em mim, você precisa do dinheiro.

Fiz uma careta e, trêmula, voltei a olhar minha imagem no espelho. Eu estava empoleirada sobre quase dez centímetros de salto, minhas pernas cobertas por uma meia-calça cor da pele finíssima, e usava uma saia justa, que não chegava nem no joelho. Vestia um suéter macio de caxemira. Emoldurando o rosto, meu novo cabelo, macio e sedoso, brilhava como se eu estivesse em um anúncio de xampu.

Helen percebeu a minha expressão.

— O que foi? Não gostou?

— Não. Estou parecendo... uma...

— Uma mulher atraente? — perguntou Helen, com os olhos brilhando. — Uma mulher que se permite um pouco de diversão, de vez em quando?

Olhei para ela e fiquei envergonhada. Eu ia dizer *como uma piranha idiota.*

— Bem, tenho que ir — eu disse, dando uma rápida olhada no chão, sem saber por que ele parecia tão longe.

— Tudo bem — concordou Helen. — Não se esqueça: boca fechada quando sorrir e nada de se esconder atrás do computador.

Fiz uma cara de espanto e ela me deu um tapinha no ombro.

— Vamos lá, Jess. Você tem que aparecer para ser notada. Tem que ser receptiva e simpática.

— Entendi — aceitei rapidamente, compreendendo que resistir era inútil.

— Então prove. Pare de ficar inquieta e olhar-se no espelho como se estivesse diante de um show de horrores.

— Não estou inquieta — retruquei na defensiva.

— Deixe os braços ao lado do corpo e preste atenção na postura. Você é Jessica Wild, a gostosa. Quem é você?

Dei de ombros, meio desengonçada.

— Sou Jessica Wild — balbuciei.

Helen se irritou.

— Você é Jessica Wild, a gostosa, por quem Anthony Milton vai se apaixonar perdidamente — replicou ela, mal-humorada. — Repita.

— Não. Você conseguiu me convencer com a história do cabelo e me maquiou. Mas não vou dizer que sou gostosa.

— Vai, sim. Se não disser, não vai acreditar nisso. Então, enquanto não disser, não vou deixar você sair — ordenou ela.

— Mas eu não acredito nisso.

— Ouça, Jess, nós podemos fazer as coisas da maneira mais fácil ou da mais difícil. Você pode repetir a frase e ir trabalhar, ou... ou podemos ficar aqui a manhã toda até você repetir.

— Você não pode me obrigar — eu disse de forma categórica.

— Tranquei a porta da frente com duas voltas e escondi a chave.

Meus olhos se arregalaram.

— Você não tem...

— Então, diga.

Fitei-a com uma expressão de súplica por alguns segundos, mas ela permaneceu impassível. Por fim, desisti.

— Sou Jessica Wild — resmunguei. — Gostosa.

— *Por quem...?* Vamos, termine a frase.

— Por quem Anthony Milton vai se apaixonar perdidamente — murmurei. — Só que ele não vai. Helen, isto é idiotice.

— Não é, não. Vamos, de novo. Sou Jessica Wild, gostosa, encantadora, impetuosa e linda.

— Sou Jessica Wild. — Suspirei. — Gostosa. Sou encantadora, impetuosa e...

— E linda.

— E linda — repeti, constrangida. Eu podia imaginar a minha avó olhando para mim, indignada.

— Agora diga com vontade, como se realmente acreditasse.

Olhei para Helen, irritada. Eu ia acabar me atrasando para o trabalho.

— Mas eu não acredito.

— É melhor acreditar. Que horas você precisa chegar ao escritório?

Olhei o relógio.

— Tenho que sair agora. Nesse minuto.

— Então repita.

Fiz uma rápida comparação entre chegar atrasada ao trabalho e me submeter à humilhação a qual Helen estava me forçando. Então, me rendi.

— Tudo bem. Sou Jessica Wild — repeti, jogando o cabelo com impaciência. — Sou gostosa e Anthony Milton vai se apaixonar perdidamente por mim.

— Quem é você?

— Jessica Wild — respondi, abrindo um enorme sorriso, os dentes à mostra.

— E agora com o sorriso que nós treinamos.

— Jessica Wild — repeti fazendo beicinho, para impressionar.

— E o que você é?

— Uma gostosa que também é encantadora, impetuosa e linda — assenti rebolando, só para ratificar o que eu tinha dito; e para garantir que ela me deixaria sair.

— E quem vai se apaixonar perdidamente por você?

— Anthony Milton.

— Agora sim — concordou ela, pegando a chave. — Agora pode ir. Não, não pode, não. Você não vai com essa bolsa. Pegue uma das minhas.

Fitei-a perplexa, enquanto ela esvaziava minha bolsa e transferia tudo para uma das suas últimas aquisições.

— Como se a bolsa fizesse alguma diferença — resmunguei.

— A bolsa? Claro que faz diferença. A bolsa é o seu cartão de visita — explicou em tom firme. — Uma bolsa diz tudo que tem de ser dito. Bem, bolsa e sapato.

— Ótimo, vou me lembrar disso — observei em tom de sarcasmo, agarrando a bolsa e esperando que ela abrisse a porta. Então, com o maior cuidado (não há outro modo de se andar sobre saltos de dez centímetros), desci a rua em direção à estação do metrô.

Quando saltei do trem na Farringdon, meus pés pareciam estar sangrando. Pelo que eu sentia, provavelmente *estavam mesmo.* Fosse quem fosse o designer dos sapatos que Helen me forçara a usar, ou detestava mulheres, ou detestava pés, ou nunca, realmente, usou um sapato.

Irritada, sentindo-me bem longe da "Jessica Wild Gostosa", entrei mancando no restaurante da esquina para tomar meu café habitual (cappuccino pequeno, sem chocolate); e aguardei na fila.

— Café?

Eu sorri e respondi:

— O de sempre, obrigada.

Gary, o atendente, me olhou com ar indeciso e então sorriu.

— É você? Nossa, como está diferente.

No mesmo instante, meu rosto corou. Ele estava me achando ridícula. E tinha razão.

— Mudou o cabelo? Está bonito! — continuou ele. — Bonito.

— Que nada — retruquei, envergonhada. — Está brilhante demais. Não é nem um pouco prático.

— Não, está bom — insistiu Gary, ainda sorrindo. — Muito bom. Eu gostei.

O nome dele na verdade não era Gary, me dissera uma vez; ele era polonês e se chamava Gerik, mas sempre que alguém perguntava, ele tinha que repeti-lo mil vezes, e, ainda assim, a pessoa achava que era "Gary". Então, por fim, desistiu e adotou o novo nome.

Ele se virou de costas e começou a preparar o meu cappuccino. Quando acabou, me serviu.

— Não precisa pagar — insistiu quando tentei entregar-lhe duas libras em moedas. — E pode levar esse docinho, também. Um presentinho meu.

— Presentinho? — perguntei, assustada. Ele ficou com pena de mim. Era a única explicação. — Não, não, você tem que aceitar o dinheiro, Gary. Tome...

Mas ele ergueu a mão. E piscou. Sem entender o que estava acontecendo, eu me virei para ver para quem ele piscava. Mas não havia ninguém atrás de mim. E, quando olhei para ele, piscou novamente.

— Por conta da casa — disse, em tom firme.

— É mesmo? — perguntei, surpresa.

— É. Por ter deixado meu dia mais bonito. — Deixado o dia dele mais bonito? Pelo que me consta, eu nunca deixei o dia de ninguém mais bonito. Gary abriu um enorme sorriso e eu mais ou menos consegui retribuir o gesto, antes de me virar, hesitante, e sair.

— Vou deixar o seu dia mais bonito se me der um croissant de graça. — Ouvi uma mulher dizendo quando abri a porta.

— Meu dia já está bonito, obrigado. — Ouvi Gary respondendo de maneira rude. — E, se continuar sorrindo assim, faço você pagar em dobro.

Andando com certa dificuldade, desci a rua, em direção a Milton Advertising. Quando me aproximei da porta, o celular tocou; passei o café e o doce para a mão esquerda, para pegar o celular, e vi que a ligação era de casa.

— Alô?

— Me esqueci de dizer, mantenha a cabeça erguida. Você sempre olha para o chão. Não faça isso.

— Você não deveria estar procurando emprego hoje? — perguntei com um suspiro.

— E vou procurar — admitiu Helen, rapidamente. — Mas você é minha prioridade.

— Bem, obrigada. Vou manter a cabeça erguida se você trabalhar no seu currículo.

— Se você fizer tudo direitinho, não vou precisar de emprego. Você será milionária e eu posso ser sua amiga remunerada — disse ela.

— Tchau, Helen. — Guardei o telefone no bolso. Nesse momento, vi Anthony pela porta de vidro. Ele estava saindo. No mesmo instante, comecei a ficar nervosa.

Toda desajeitada, empurrei a porta para abri-la, mas Anthony a puxou ao mesmo tempo, e, em vez de entrar de cabeça erguida, caí para a frente e esbarrei nele. Imediatamente me recompus, mas as minhas pernas, que não sabiam se equilibrar em saltos com a espessura de um alfinete, se desequilibraram. Quando tentei me agarrar em alguma coisa, qualquer coisa, para não cair, soltei o copo, que caiu no chão, como em *slow motion*, bem na frente de Anthony, espirrando café nos sapatos dele e quase sujando sua calça. Eu teria caído igualzinho, também, se ele não tivesse me segurado.

— Porra! Quer dizer, ah, meu Deus. Desculpe — exclamei, todo o sangue se esvaindo do meu rosto.

Anthony me olhou por um momento, seus olhos azuis um pouco mais arregalados que o normal, com uma expressão assustada. Então sorriu e estendeu a mão, ajudando-me a me recompor.

— Jessica. Sente-se melhor hoje?

— Sim. Obrigada — respondi gaguejando. — E desculpe. Sobre o café.

— Não tem problema — disse ele, ainda sorrindo. — Foi culpa minha. A propósito, belo sapato. É novo?

Sentindo-me insegura, respondi com um gesto afirmativo de cabeça, enquanto ele mantinha a porta aberta para mim.

— Bem, até logo — disse ele com uma piscadela, e se afastou com passos largos e firmes, deixando-me perplexa. Sapato? Por que é que ele gostou do meu sapato?

— Jess?

Quando cheguei à minha mesa, Marcia me lançou um olhar espantado.

— Oi, Marcia. — Larguei-me na cadeira e liguei o computador.

— Você fez... você fez alguma coisa. — Ela me olhava com ar desconfiado.

— Só cortei o cabelo.

— Quando, ontem? Pensei que você estivesse doente.

Meu rosto corou.

— A garota que... divide o apartamento comigo o cortou. Para me animar — menti.

Marcia franziu a testa.

— A garota que divide o apartamento com você?

Concordei, esperando que ela não fizesse mais perguntas. Por sorte, ela precisou pegar uma pasta do arquivo.

— Então imagino que você esteja melhor. Não vai ter mais nenhum desmaio para chamar atenção? — perguntou ela de forma maliciosa.

Fiz sim com a cabeça de novo, verificando se meu telefone estava seguro, no meu bolso.

— Estou ótima.

— Que bom. — Ela suspirou e reclinou-se na cadeira. — Sabe a conta do Jarvis?

Tirei os sapatos.

— Claro. O banco. — Jarvis era uma conta nova da agência, que tinha ficado a cargo de Marcia, apesar de seus protestos de que não entendia nada sobre finanças.

— Isso mesmo. É que preciso de uma apresentação em PowerPoint — explicou ela. — E como você é boa nisso... Poderia me ajudar?

Olhei para ela com arrogância.

— Marcia, já expliquei a você como se usa o PowerPoint. É muito simples...

Ela sorriu.

— Eu sei, eu sei. Mas você faz muito melhor. Eu só pensei que, como você passou o dia fora ontem, poderia me dar uma mãozinha...

— Tudo bem — concordei com um suspiro e peguei a pasta. — Para quando você precisa da apresentação?

Ela estremeceu.

— Para às dez horas da manhã.

— Amanhã?

— Hoje.

— Hoje? Quer dizer... daqui... a uma hora.

— Pois é — admitiu Marcia com cara de cachorrinho perdido. — Eu deveria ter feito isso antes, mas estava tão ocupada. Quer dizer, *eu* estou para cortar *meu* cabelo há várias semanas... — acrescentou, me olhando com ar confiante, o que me deixou sem graça. Eu sabia que o corte de cabelo não era uma boa ideia.

— Pode deixar — prometi, com calma. — Vou ver o que posso fazer.

— Obrigada, Jess. Você é o máximo. — Marcia deu uma piscadela, esperou que eu retribuísse o sorriso e pegou o telefone. —

Alô, é a NET-A-PORTER? Ah, sim, eu queria uma informação sobre um vestido Marc Jacobs que vi...

Abri a pasta. Dentro dela havia uma especificação de vinte páginas da Jarvis Private Banking, cujo objetivo era lançar um novo fundo de investimento no mercado, especificamente voltado para mulheres, em especial jovens profissionais que nunca aplicaram em fundos de investimento. O cliente esperava que a agência de publicidade criasse um nome, uma marca e um conceito que fizesse o investimento parecer algo divertido, novo, desejável e atraente.

Anexo à especificação, havia duas folhas de tamanho A4, na qual Marcia tinha feito algumas anotações pouco legíveis.

- Chester Rydall, diretor-geral. De Nova York. Executivo elegante.
- Cliente importante, precisa de valorização.
- Mulher — jovem. Cores? Logo? Cores vibrantes, nada de aparência barata nem brega.
- Coisa cara.
- Desejável? Como...?
- Mercado de orgânicos — descobrir o que é couve-galega??
- Livro dos anjos. Será que eu tenho um anjo da guarda? Posso contar com ele?
- Liquidação, Kensington Church Street. Sábado. Meio-dia. NÃO POSSO ESQUECER!!!

Na outra página, ela tinha feito, de maneira muito útil, uma lista de compras de todas as coisas que esperava adquirir na liquidação, inclusive uma calça preta e um vestido de festa que combinasse com a sua bolsa nova.

Li tudo com atenção. Não se tratava de nenhuma anotação de estratégia para a campanha. Passava longe. Será que era uma espécie de piada que eu não entendi?

— Trabalhando muito? — Levantei a cabeça, vi Anthony debruçar-se na minha mesa e logo fechei a pasta. — Achei que um desses cairia bem, considerando que o outro foi... derramado. A propósito, desculpe pelo que aconteceu.

Ele pousou um copo de café diante de mim e eu o fitei, espantada.

— Você... você trouxe café para mim?

— Eu não sabia como você gostava — continuou ele, tranquilamente. — Então trouxe um pouco de açúcar.

— Açúcar — repeti, confusa. Anthony Milton acabara de me pagar um café. Era algo simplesmente... inesperado.

— Ótimo. Espero que você não se incomode.

— Incomodar? Não, claro que não — consegui dizer, e ele sorriu. Na mesma hora, Marcia surgiu ao lado dele.

— Anthony — disse ela em tom de reprovação, jogando charme. — Jessica tem muito trabalho a fazer. E preciso falar com você a respeito da conta Chester Rydall.

Ele se virou e eu aproveitei para olhar, mais uma vez, as anotações de Marcia.

— Claro — disse ele. — Na minha sala?

— Perfeito. — Marcia sorriu e se levantou, ajeitando a saia num movimento fluido.

— Você já vai? — perguntei a ela. — Só uma coisinha... acho que você me deu as anotações erradas.

— Anotações erradas?

— Para a apresentação. Não tem as informações de que preciso.

— Está tudo aí — retrucou ela, irritada, antes de disparar outro sorriso a Anthony. — Olha, tente ser um pouco criativa, está bem? Afinal, essa é uma agência de publicidade.

— Ser criativa? — perguntei, arqueando uma sobrancelha. — Tudo bem, mas... tem certeza de que é a pasta certa? Ou você quer que eu faça a apresentação baseada só na *spec* que o cliente nos deu?

Marcia olhou para a pasta na minha mesa.

— Olha, essa é a pasta certa. E por que alguém iria querer uma apresentação baseada em uma *spec* que o cliente já deu? Tenho umas coisas importantes para resolver com Anthony, portanto agradeceria se você fizesse uma apresentação conforme eu pedi. Certo?

— Certo — concordei, com um suspiro. — Tudo bem, então vou só digitar.

— Obrigada, Jess. — Marcia me ofereceu um doce sorriso, antes de se afastar. — Perfeito. E adorei seu cabelo. Ficou muito bem em você.

Às nove e cinquenta, Marcia estava de volta à sua mesa e eu tinha conseguido fazer seis slides, em um dos quais, para minha vergonha, se lia CORES VIBRANTES, NADA DE APARÊNCIA BARATA NEM BREGA. Eu estremeci, imaginando a cara de Marcia quando o slide fosse projetado diante de um grupo de banqueiros sérios. Mas não seria problema meu. Então verifiquei se havia erros de ortografia uma última vez, tentando não dar muita atenção à apresentação, salvei o documento e enviei para ela, por e-mail. Em seguida, voltei ao meu trabalho.

Porém, dois minutos depois, ela apareceu diante da minha mesa, totalmente pálida.

— É isso? — perguntou, fitando horrorizada a folha A4 que continha os seis slides.

Eu me limitei a fazer um movimento positivo com a cabeça.

— Mas não há nada aqui! — exclamou ela, com a voz praticamente inaudível. — A apresentação é daqui a dez minutos. Para o diretor-geral da Jarvis. Isto não é uma apresentação. É... é um piada! Jessica, pensei que pudesse confiar em você para fazer isso. Eu estava contando com você.

Com a maior calma, peguei as anotações que ela havia me dado.

— Marcia, essas são as anotações que você me deu. Eu as usei rigorosamente.

Marcia pegou as folhas e examinou-as. Então pousou a mão na minha mesa para se apoiar.

— Puta que pariu. Que saco! Não eram essas anotações. Isso era... — Os seus olhos estavam fixos no final da segunda página, a parte onde ela começara a escrever a lista de compras. — Isso é apenas... É... isso era um esboço...

— E então, Marcia? Pronta para a reunião? Anthony me falou que você está confiante em relação a essa campanha. Há algo que você queira compartilhar comigo?

Marcia e eu erguemos os olhos, ao mesmo tempo, e demos de cara com Max bem atrás de nós. Ela empalideceu. Fiquei vermelha, o que sempre acontecia quando Max se aproximava, conforme eu já havia notado. Estava até pensando em procurar tratamento para esse problema.

— Não, não, está tudo certo — respondeu ela, demonstrando o contrário. Então olhou para mim, com uma expressão estranha. — Para falar a verdade, Max, eu acho que talvez Jessica devesse estar presente nessa reunião. Quer dizer, participar dessa reunião.

Olhei para ela, surpresa. Ela nunca me convidara para nenhuma das suas reuniões.

— Boa ideia. A propósito, onde ela está? Ela veio hoje?

Eu o encarei irritada e forcei um sorriso.

— Muito engraçado.

Max se virou para mim com ar de espanto.

— Jess? — Então se aproximou e me observou com atenção. — Caramba. É você! O que aconteceu? O que você fez no cabelo?

— Ela cortou — respondeu Marcia. — E comprou roupas novas também. Impressionante como conseguiu arranjar tempo para tanta coisa, considerando-se que passou mal ontem.

— Pensei que você fosse uma nova estagiária — disse Max, ainda surpreso, sem prestar atenção ao sarcasmo de Marcia.

Forcei um sorriso.

— Não, sou eu.

Ele me olhou por alguns segundos, como se quisesse confirmar que estava diante de mim e não de outra pessoa.

— Enfim, o que você acha, Max? — insistiu Marcia.

— Do cabelo da Jess? Gostei. Quer dizer, é preciso um tempinho para se acostumar com...

— O que você acha de ela participar da reunião? — perguntou Marcia, sem paciência.

Max estremeceu.

— Ah, sim. Claro. Bem, acho uma ótima ideia. Você quer, Jess?

— Claro. Acho que seria muito útil...

— Perfeito — interrompeu-me Marcia. — Porque Jess tem trabalhado muito comigo nessa campanha e seria uma grande oportunidade para ela fazer a apresentação inicial.

Precisei de alguns segundos para registrar o que Marcia tinha acabado de dizer.

— Não... Eu... Eu não posso... — gaguejei.

— É claro que pode. Quero dizer, você praticamente a redigiu — afirmou Marcia, evitando o meu olhar.

— Não! Não redigi nada... — retruquei, horrorizada.

— Ótima ideia! — concordou Max, com tranquilidade, ignorando os meus protestos. — Vou só confirmar com Anthony, mas eu particularmente acho que Jessica é mais que bem-vinda na equipe. Vejo vocês daqui a pouco, então.

Antes que eu pudesse dizer mais alguma coisa, ele desapareceu. Imediatamente, me virei para Marcia, furiosa.

— Não posso fazer essa apresentação! — protestei. — Não existe sequer uma apresentação. E você sabe muito bem que eu não consigo falar em público. Marcia, você não pode fazer isso comigo.

Marcia segurou meus ombros.

— O que é isso, Jess? Você vive me pedindo uma oportunidade para uma participação mais ativa; essa é a sua chance.

— Mas não posso fazer essa apresentação. Isso não é nem uma apresentação. É um monte de bobagem!

— Eu sei — disse Marcia, ajeitando a postura. — Mas a culpa não é minha. Foi você que fez, Jess. Você tem que assumir uma parcela de responsabilidade.

— Eu? Só fiz um favor a você. Não tenho nada a ver com...

— Olha, essa é a sua primeira apresentação — interrompeu Marcia, impassível. — Se for uma merda, todo mundo vai atribuir o desastre à sua inexperiência. Vou ser a primeira a defender você. Não se preocupe. Mas se eu fizer besteira... — Ela suspirou, com ar dramático. — Max já está louco para arranjar uma oportunidade para me ferrar. Ele usará qualquer desculpa para me mandar embora.

— Você não será despedida — retruquei, desesperada. — Mas eu sim, se apresentar isso. Marcia, não dá. Realmente não dá. Você *vai ter* de fazer.

— Não vou — repetiu Marcia, enfatizando a negativa com um gesto de cabeça. — De jeito nenhum. Portanto, se eu fosse você, começaria a treinar agora. Certo? — Ela esboçou um sorriso e voltou à sua mesa. Quanto a mim, pela segunda vez essa semana, preferia estar morta.

Capítulo 7

ENTREI NA SALA DE REUNIÃO com as pernas bambas — e não era por causa do salto alto. No mesmo instante, Max veio na minha direção.

A maioria das pessoas evitava Max sempre que possível; todos o consideravam um workaholic obsessivo sem nenhum senso de humor, mas isso não era verdade. Quando ele sorria, o que de fato não era muito comum, seu rosto se iluminava, seus olhos ficavam tão espremidos que mal dava para vê-los, e era impossível não sorrir também. Não que eu gostasse dele ou algo assim. Quer dizer, é claro que eu gostava dele. Mas como colega. E, de qualquer maneira, ele certamente não estava interessado em mim. Max não estava interessado em ninguém.

— Primeira apresentação, hein! — Ele sorriu, o que normalmente me faria sentir melhor, mas aquela situação não era normal. — Já estava na hora.

— Pois é — eu disse, tentando me acalmar. — Qual deles é o Chester Rydall?

Max apontou para um homem de cabelo grisalho e pele bronzeada que conversava com Anthony. Ele parecia ter acabado de sair de um iate. Ao seu redor, todos estavam alvoroçados: ofereciam-lhe café, suco de laranja, perguntavam se ele queria comer alguma coisa. Apenas Anthony e Max pareciam tranquilos diante daquele gigante do mundo financeiro.

— Max! Venha conhecer Chester Rydall — convidou Anthony, surgindo ao nosso lado.

— Sim. Jess também deveria conhecê-lo — sugeriu Max imediatamente. — Afinal, ela vai fazer a apresentação hoje.

— Claro! — concordou Anthony com ar de simpatia. Era a segunda vez que ele sorria para mim naquele dia, e eu me senti desconcertada. — À propósito, adorei o cabelo — sussurrou ele. — Combina com você. — Fiquei surpresa, mas antes que eu pudesse dizer qualquer coisa, ele já havia se dirigido a Chester. — Chester, este é Max, meu assistente. E esta é Jessica. Jessica Wild.

— Anthony, posso dar uma palavrinha com você? — perguntou Marcia aparecendo ao lado dele, de repente, com um sorriso fingido.

— Claro. Sem problema — assentiu Anthony e desapareceu, deixando-me com Max e Chester.

— Jessica Wild — disse Chester, cumprimentando-me com um aperto de mão. — Lindo nome. E você trabalha nessa agência há muito tempo?

— Hmm, faz um tempinho — consegui dizer. — Alguns anos.

— Jess é uma das nossas melhores do atendimento — afirmou Max, com uma expressão séria. Olhei para ele, surpresa. Ele nunca tinha dito aquilo para mim.

— É mesmo? Bem, ótimo — observou Chester em tom de satisfação. — Nesse caso, estou ansioso para ver sua apresentação, Jess.

— A apresentação. Certo. — Senti o coração disparar. Como se já não bastasse a apresentação estar um desastre, eu ainda tinha que me esforçar para corresponder ao alto nível de expectativa. Não poderia estar em situação pior. Eu já conseguia ver o olhar severo de Max quando eu estragasse tudo, já podia sentir o peso de sua decepção.

Mas, antes que eu pudesse dizer qualquer coisa, pensar em uma desculpa para sair correndo da sala, ou até desmaiar novamente, Anthony voltou.

— Bem, pessoal, são dez e quinze. O que acham de começarmos? Pronta, Jess?

Senti meu coração batendo no peito e fiz que sim com a cabeça, receosa.

Então, ele conduziu Chester até a mesa, e sentou ao lado dele. Marcia sentou ao lado de Anthony, e Max sentou de frente para eles, com os dois homens que acompanhavam Chester. Sentei ao lado de Marcia e tentei me acalmar, embora soubesse que a única coisa que realmente me acalmaria seria ir embora dali e nunca mais voltar.

— Configurei sua apresentação para o projetor — disse Marcia, com um sorriso, e eu senti um nó na garganta.

— Na verdade, não é exatamente minha — esclareci, ao notar todos os olhos voltados para mim. — Eu não tive muita participação.

— Não seja boba, Jess, você a redigiu — contestou Marcia em tom gentil, e eu me senti enjoada. Estava sob uma daquelas experiências extracorpóreas, observando a situação do alto e não dando a mínima para o fato de Jessica estar sentada. Todo meu esforço e toda a minha dedicação, desde o dia que consegui esse emprego, estavam prestes a ir por água abaixo. Qualquer dignidade que eu tinha conseguido construir estava prestes a ser destruída.

Anthony se mostrou pensativo por um momento, então abriu um sorriso para Chester. Alguns segundos depois, ele se levantou e andou até a janela.

— A Milton Advertising — disse ele, após uma pausa — não é uma agência de propaganda convencional. Com certeza, fazemos algumas coisas convencionais, mas acreditamos que as fazemos de um modo especial. Quando trabalhamos para um cliente, ele se torna parte da nossa família, parte da *raison d'être*, se preferirem assim. Os seus problemas são nossos problemas; seus êxitos, os nossos triunfos. Nós não nos limitamos a designar um diretor para um cliente; nós o integramos. Trabalhamos *com* nossos clientes, não *para* eles. Não poupamos esforços para melhorarmos; estamos disponíveis sempre que necessário, não apenas quando nosso escritório está aberto. E ao recebermos a tarefa de desenvolver uma nova marca, não pensamos somente em logos e estilos de fonte. Pensamos em valores essenciais. Pensamos no que uma companhia representa, no que sua marca precisa expressar: aos clientes, aos concorrentes, aos acionistas, aos meios de comunicação, ao público... Ajudamos nosso cliente a descobrir quem ele é, suas características e seu perfil, e então nos certificamos de que tudo que ele faça reflita os seus valores, desde o modo como a sua recepcionista atende o telefone à forma como suas vendas on-line são administradas. Asseguramos uma visão abrangente e somos criteriosos em relação a detalhes. Somos incansáveis, comprometidos, criativos e inspirados. Às vezes, podemos dizer coisas que o cliente não quer ouvir, mas preferimos falar a verdade a ele acabar descobrindo por outras pessoas. Em resumo, nós cuidamos do nosso cliente. Profundamente. E você verá esse cuidado em tudo o que fazemos, desde a apresentação de hoje ao jeito como cuidamos do desenvolvimento da marca, caso contrate a nossa agência. — Nesse momento, Anthony se virou para Chester. — O que, sinceramente, espero que aconteça.

Os presentes pareciam arrebatados. Todos os olhares se concentravam em Anthony. Eu sabia que na verdade ele não tinha dito nada — pelo menos nada substancial —, mas suas palavras tinham provocado um efeito eletrizante. Até eu me peguei pensando que, se estivesse no lugar de Chester, contrataria aquela agência.

Em seguida, ele se sentou em silêncio. Ninguém disse uma palavra. Alguns segundos depois, Chester pigarreou, na esperança de abrir espaço para o que viria a seguir, mas, mesmo assim, o silêncio continuou absoluto. Seria uma tática? Seria parte do procedimento de uma reunião para inquietar o cliente, para mantê-lo na expectativa? Foi quando senti um pontapé no tornozelo. Logo me virei e vi Marcia me fitando, irritada.

— A apresentação — sibilou ela. — É a sua vez.

Apavorei-me. Eu tinha que fazer a pior apresentação do mundo, naquele momento? Depois daquela introdução? Sorrindo totalmente sem jeito, eu me levantei e Marcia enfiou o controle remoto do projetor na minha mão.

— Uma boa manhã a todos — eu disse, e quando tentei pigarrear, comecei a tossir desesperadamente. *Uma boa manhã a todos? Que maneira antiquada de se cumprimentar, parecia um vendedor do século XVIII.* — Quer dizer, bom dia — corrigi rapidamente. — Sou Jessica Wild, e hoje vou falar, em termos gerais, sobre a nossa interpretação a respeito do novo empreendimento do Jarvis Private Banking.

Abri um enorme sorriso, tentando disfarçar o medo humilhante que fazia minhas pernas tremerem de maneira descontrolada.

— Você está sendo modesta, Jessica — disse Anthony, em tom animador. — Tenho certeza de que você tem mais do que "em termos gerais" para apresentar a Chester e aos outros presentes.

Nesse instante, eu empalideci.

— Claro. Sim, claro. — A essa altura eu já estava redigindo na minha mente a minha carta de demissão, e imaginando opções de carreira que poderiam estar disponíveis para mim.

Hesitante, apertei um botão no controle remoto, e a minha apresentação surgiu na tela. Eu queria me deter o máximo possível no primeiro slide — o que continha o título — porque ele era, sem dúvida, o melhor; e no instante em que ele saísse da tela, as coisas iriam simplesmente rolar ladeira abaixo.

— O Jarvis Private Banking — comecei, da maneira mais confiante possível. Então, olhei para Max, que estava lendo a lista de clientes do Jarvis Private com uma expressão séria e concentrada. Desviei o olhar de novo. Meu corpo inteiro tremia, e eu comecei a suar frio. Desesperada, tentei me lembrar do que Anthony tinha dito, buscando pensar em algo para tornar a apresentação um pouco menos constrangedora. Tentei pensar em qualquer coisa que pudesse usar para encher linguiça. — Que... que valores associamos com o Jarvis Private Banking? — perguntei, após uma pausa, e deixei a pergunta no ar por um instante. Todos estavam me olhando com ansiedade, e me dei conta de que não fazia a menor ideia da resposta, ou seja, que valores eram aqueles. Então, decidi fazer outra pergunta.

"Que valores são essenciais, fundamentais? E que valores precisam ser estendidos ao novo fundo de investimento?"

Àquela altura, eu estava realmente suando e levei a mão à testa para limpar as gotas de suor que insistiam em brotar.

— Qualidade — consegui dizer. — Qualidade e... discrição.

Então olhei discretamente na direção de Chester, que parecia meio confuso.

— Qualidade, discrição e... luxo — concluí. — Produtos luxuosos, serviço luxuoso. Para aqueles que buscam... luxo.

Sorri, mas não foi um sorriso de felicidade. Foi um de desespero.

E logo notei a expressão de Marcia. Eu podia jurar que ela sorria de sarcasmo. Quando percebeu que eu a olhava, assumiu de repente um ar sério, mas eu tinha notado seu escárnio. Ela estava, no fundo, achando graça da situação. Divertindo-se em me ver de pé, aqui, fazendo papel de boba.

Em seguida, apertei um botão no controle remoto e surgiu o segundo slide.

***Parte interessada:* Chester Rydall, diretor-geral.**
***O que sabemos sobre ele:* nova-iorquino, elegante, apreciador de artigos de luxo.**

Chester parecia esperar que, de repente, eu desse a resposta; parecia saber que as perguntas tinham como objetivo mostrar algo inusitado, embora não entendesse bem o porquê dessa tática.

— Este slide é importante — eu disse, forçando-me a olhar para Chester com uma expressão séria —, pois, como líder da marca, os seus valores irão, inevitavelmente, não apenas influenciar, mas também demonstrar os principais valores da marca propriamente dita. Se nós o compreendermos, estaremos compreendendo a marca e vice-versa. E quando digo "nós", não me refiro só à Milton Advertising, mas ao mundo, como um todo.

A cada minuto eu ficava mais tensa. Todos os olhares estavam voltados para mim, e não de um jeito lisonjeiro.

Chester forçou um sorriso e eu estremeci de novo. Eu estava numa estrada de mão única, num caminho sem volta. Era como se fosse um caminhão desgovernado em plena rodovia. Tudo que podia fazer era olhar a estrada adiante e tentar não bater.

Rapidamente, segui para o slide seguinte.

Fundo de investimento para mulheres

— E este — anunciei entusiasmada — é o conceito que devemos discutir hoje. Um fundo de investimento direcionado para mulheres. Vamos pensar a respeito, certo?

Todos me fitaram sem expressão. Parecia um daqueles pesadelos em que você está fazendo uma prova e as perguntas continuam mudando assim que você as responde. Ou um daqueles sonhos em que você aparece no baile da escola e percebe que se esqueceu de se vestir.

— Vejam bem — eu disse, desesperada, tentando me lembrar de dados e números que constavam das especificações da pasta do cliente —, há um milhão de fundos de investimentos. Provavelmente mais. Fundo de investimento é o que não falta por aí. Mas não é algo muito interessante, não é? Mas um fundo de investimento para mulheres? Isto é diferente. Isto é algo específico. É... ousado. Inovador. Ultrapassa todas as fronteiras.

Ouvi um resmungo vindo da parte da sala onde Marcia estava sentada, e senti um frio na espinha. Então, me enchi de coragem e passei para o quarto slide.

Perfil do usuário de fundos de investimento: **público de alta renda, investidores exigentes**

Não era muito, mas pelo menos aquele slide continha mais de quatro palavras. Li o texto, pausadamente, em voz alta. Tudo que eu conseguia ouvir era a voz de Helen ressoando no meu ouvido, como um papagaio, dizendo que eu era gostosa. Gostosa? Meu Deus, estava arrependida de ter vindo trabalhar hoje. Há poucas horas, lá estava eu, diante do espelho, enquanto Helen tentava decidir qual de suas bolsas eu deveria usar, e o destino arquitetava minha total destruição. Na verdade, bolsa era um tema recorrente nessa história de horror; a lista de compras de Marcia citava, no mínimo, três que ela pretendia comprar.

— Deste modo — eu disse, hesitante, lembrando da primeira coisa que Max me ensinara sobre publicidade: *os clientes sempre esperam que você tenha a resposta, mas normalmente* eles mesmos *a têm. Então continue fazendo perguntas, porque, em algum momento, alguém vai sugerir a solução.* — Quantas pessoas nesta sala possuem fundos de investimento?

Lentamente, Chester e os seus dois assessores ergueram as mãos, assim com Anthony e Max.

Naquele instante, percebi que em poucos segundos eles chamariam a segurança.

— Isso é bem interessante — continuei, respirando fundo. — Todos homens. Todos de alta renda... — Então percebi que talvez não fosse apropriado fazer referência à faixa salarial do seu cliente em potencial em uma reunião de prospecção de contas. — E todos... sofisticados.

Olhei para Anthony e ele ergueu uma sobrancelha, deixando-me ainda mais nervosa.

Logo passei ao próximo slide.

***Cores? Logo?* Cores vibrantes, nada de aparência barata nem brega.**

Fitei o slide, sentindo o sangue sumir do rosto. Estava tudo acabado. Então, desliguei o projetor. Eu tinha que pedir desculpas e desistir. Não havia mais nada a dizer, nada a apresentar.

Em seguida, peguei minha bolsa — quer dizer, a bolsa de Helen —, ciente de que todos os olhares se concentravam em mim, ciente de que em alguns segundos, a minha carreira na Milton estaria acabada. Quanto ao Projeto Casamento, me dei conta de que o simples projeto "Fazer Anthony Voltar a Falar Comigo" já seria bem difícil.

— Jess? Tudo bem? — perguntou Max, preocupado.

— Claro que está tudo bem — interveio Anthony, rapidamente. — Vamos, Jess, não nos faça esperar. Aposto que você tem algo nessa bolsa, não é?

Hesitei por um momento. Então pensei: talvez não estivesse tudo acabado. Anthony não reparara que havia algo errado. Ele achava que eu iria tirar a resposta da bolsa, como um mágico tira o coelho da cartola. E talvez eu pudesse fazer isso. Helen tinha razão: há ocasiões em que é preciso ir à luta. Topa ou não topa. E aquele emprego era muito importante para mim para que eu desistisse. A opção seria "Topa" até o fim. Num gesto proposital, pousei a bolsa na mesa.

— Desculpe — eu disse, e o silêncio ao redor da mesa tornou--se desconfortavelmente mais profundo. — Mas nenhum slide conseguiria atingir o x da questão.

— O x da questão? — perguntou Chester, indeciso.

— Exatamente — assenti, decidida que, a partir dali, seria tudo ou nada. Era afundar ou nadar. E eu ia fazer o que pudesse para boiar, mesmo que isso significasse nadar cachorrinho. — E o x da questão é que uma mulher, em particular a que tem dinheiro suficiente para investir em fundo de investimento, provavelmente iria preferir gastar dinheiro em...

Olhei para Marcia, e meus olhos foram atraídos para algo no chão, ao lado dela. Algo feito do mais macio couro. Algo que, eu não tinha dúvidas, havia custado mais de 300 libras. Então tive uma ideia.

— ... em uma bolsa — concluí em tom firme.

— Uma bolsa? — repetiu Chester, surpreso.

— Isso mesmo — confirmei. — Ou um belo par de sapatos.

— Em vez de ter um fundo de investimento?

Fiz que sim com a cabeça. Se eu fosse me dar mal, pelo menos iria lutar até o fim.

— Por exemplo, Marcia, quantos pares de sapato você tem?

— Jessica, não vou responder — disse ela, olhando ao redor da mesa, a expressão desconcertada.

— Por favor, diga — pediu Chester.

Então ela olhou para Anthony, que fez um gesto afirmativo com a cabeça, e suspirou.

— Ah, não sei. Trinta, talvez.

— Incluindo os que você não usa com frequência? — perguntei de maneira insistente.

Marcia sorriu, constrangida.

— Certo, talvez uns quarenta. Não, cinquenta. Em torno disso.

— E bolsas? — perguntei incisiva. — Quantas bolsas?

Marcia parecia desconcertada. Nos últimos dez meses, eu a tinha visto usando pelo menos dez bolsas de marca.

— Quinze — respondeu ela, dando de ombros. — Vinte. Que diferença faz? Estamos falando sobre fundos de investimento, lembra Jessica?

— Cinquenta pares de sapatos e vinte bolsas. Preço médio de cada item: 300 libras. Isso soma... — Fiz o cálculo, sem saber quantos zeros deveria acrescentar... — Vinte e uma mil libras! Vinte e uma mil libras que poderiam ter sido depositadas em um fundo de investimento, mas esse fundo teria que fazer com que ela sentisse a mesma satisfação que sente ao comprar um novo par de sapatos ou uma bolsa nova.

— Vinte e uma mil libras em... em acessórios! — disse Chester, anotando os dados em um pedaço de papel. — E isso é normal?

— Claro — respondi, confiante, pensando no guarda-roupa de Helen. — Algumas mulheres não dispõem de um orçamento assim, naturalmente, mas a proporção em relação ao salário será semelhante.

— É mesmo? Então como podemos fazer isso? Como podemos fazer um fundo de investimento ser tão desejável quanto uma bolsa? — perguntou Chester, inclinando-se para a frente, com a caneta na mão. Anthony sorriu, e senti meus ombros relaxarem.

— Bem — eu disse, tentando ganhar tempo. De repente, me lembrei do artigo da *Vogue* que eu tinha lido no salão, enquanto

Pedro mexia no meu cabelo como se preparasse um frango para o almoço de domingo. O artigo falava sobre peças-chave da estação, artigos que tinham imensas listas de espera, itens pelos quais algumas mulheres, fanáticas por moda, lutariam. Na hora, tinha ficado espantada ao descobrir que havia gente disposta a pagar mais de mil libras por um suéter verde, mas agora isso me dava boas ideias. — Apenas explicar os benefícios e o potencial de rentabilidade não vai adiantar, não é? Porque todos os fundos fazem isso, e Marcia ainda prefere gastar seu dinheiro em bolsas.

Anthony riu e Marcia fez uma careta; isso era tudo que eu precisava para me sentir encorajada. Então, fui em frente, me tranquilizando e acertando o passo.

— Para que um fundo de investimento se torne um objeto de desejo e algo tão atraente quanto uma bolsa, ele precisa ser um item difícil de obter, o que significa ter lista de espera. Ele precisa oferecer benefícios visíveis, talvez uma bolsa de edição limitada oferecida gratuitamente quando a mulher aderir ao investimento, de maneira que outras que saibam reconhecer o valor de tal item possam identificá-lo e isso se transforme em um tipo de clube privativo. Tem que ser caro, um investimento mínimo de... não sei, 2 mil libras por mês ou algo assim, para que o acesso seja restrito. É importante que as clientes não sejam chamadas de "clientes" mas sim de "sócias", para que tenham a sensação de propriedade. E não seria interessante concentrar anúncios em revistas de finanças; é melhor anunciar nas páginas da *Vogue* e da *Harper's Bazaar.* Também é importante que algumas celebridades adquiram o fundo e mencionem sua adesão em entrevistas na *Hello! Magazine.*

Respirei fundo e olhei para Chester. Pelo que pareceu uma eternidade, ele não disse uma palavra; apenas olhou para as anotações que tinha feito e coçou a cabeça. Então virou-se para mim.

— Adorei.

Olhei para ele, insegura.

— É... mesmo?

— Realmente adorei — repetiu ele. — Você conseguiu chegar ao... como é mesmo que você chamou mesmo? O x da questão? Isso mesmo, você chegou ao x da questão de forma sucinta. Você está certíssima, uma apresentação formal de slides não teria nada a ver com o que foi demonstrado aqui. Tenho que reconhecer o mérito da sua agência, Anthony. Esta foi uma apresentação espetacular. Inovadora. Diferente. Fiquei meio confuso por algum tempo, mas acho que foi isso que você quis dizer quando afirmou que esta não era uma agência de propaganda *convencional*. Certamente, o que acabei de ver não teve nada de convencional.

Comecei a ficar intrigada. Quer dizer que ele tinha adorado a minha ideia?

— É claro que não teve nada de convencional — disse Anthony, piscando para mim, o que deixou Marcia desconfiada. — Jess, estamos orgulhosos. Obrigado.

Olhei para Max para ver se ele também sorria, se me olhava com orgulho, mas ele fitava a mesa e eu fiquei desanimada.

— Obrigada — forcei-me a dizer, e as palavras me soaram estranhas. — Estou muito contente que tenham gostado.

Então percebi que Marcia me observava, com um sorriso fixo no rosto.

— Tudo isso parece muito bom — disse ela. — Mas e quanto à marca? Pensei que fôssemos abranger esse detalhe também, Jess.

— E eu posso apostar que ela se encarregou disso — afirmou Anthony em tom encorajador, os olhos brilhando. De repente, ele não me pareceu tão sem graça. Ele era de fato bastante atraente. Do tipo loiro, de olhos azuis. — O que você decidiu em relação à marca, Jess?

Estremeci.

— Bem, a marca precisa refletir esses... esses valores e... e... aspirações.

— E quais seriam? — perguntou Marcia, de maneira incisiva.

— Pensei que você soubesse, Marcia — eu disse da forma mais meiga possível. — Os valores são: luxo, fazer parte de um grupo seleto e exclusividade.

— Exatamente — concordou Chester, satisfeito.

— E quanto à identidade visual, Jess? — perguntou Max de repente.

— Eu... — Quando olhei para ele, notei a aprovação em seu rosto e senti uma onda de felicidade invadir meu corpo. Então me voltei na direção de Anthony, que sorria de orelha a orelha. — Achei que o símbolo poderia ser uma bolsa — respondi tranquilamente, como se tivesse passado uma semana me preparando para aquilo. — Ou um par de sapatos. Algo que diga aos homens que aquele não é um clube para eles.

Chester ainda me encarava como se esperasse mais, por isso decidi ir em frente.

— Poderia ter uma frase que se relacionasse com a logo — acrescentei, olhando para Anthony mais uma vez, seu sorriso confiante me deixando mais segura. — Algo como: "Combina com tudo" ou "Deixa você mais no alto que qualquer sapato".

— *Combina com tudo*. Isso está ficando cada vez melhor — disse Chester, ao se levantar. — Bem, eu adorei. Infelizmente não posso ficar mais, tenho outra reunião. Mas vou entrar em contato. Acho que essa ideia vai dar certo — acrescentou, olhando para mim. — Jessica Wild, não é? — perguntou. — Foi um prazer conhecê-la. É muito bom tê-la no nosso time.

Em seguida, ele e os seus sócios se retiraram.

— Marcia, você poderia acompanhar o Sr. Chester até a porta? — pediu Anthony, ao que ela ameaçou contestar, desistindo logo em seguida, e praticamente correndo para fora da sala.

Depois, ele se aproximou de mim, dando-me um enorme abraço.

— Conseguimos a conta do Jarvis Private Banking! Jessica Wild, você é um trunfo para esta agência.

— Eu? — perguntei sem fôlego.

— Isso mesmo, você — confirmou ele. Então deu um tapinha nas costas de Max. — Jarvis Private Banking — disse, com um gesto afirmativo de cabeça. — Não se trata apenas de uma empresa de primeira linha. É uma empresa de destaque entre as de primeira linha. Pense nos lucros! Acabaram-se os problemas, Max. De agora em diante, tudo vai ser mais fácil.

— Assim espero — resignou-se Max, recolhendo seus papéis. — No todo, podemos dizer que foi um bom trabalho.

Anthony fez uma expressão de impaciência.

— Foi um trabalho brilhante — corrigiu, virando-se para mim. — Bolsas, hein? Você estava inspirada! Quanta perspicácia. E toda aquela encenação e suspense no início; simplesmente fantástico. Estratégia arriscada, mas acertou em cheio. Ficamos todos intrigados, não é, Max?

Ele me olhava radiante, como se fosse uma piada interna que só nós dois conhecêssemos.

— Com certeza — assentiu Max, embora não estivesse mais sorrindo. Então me virei para ele esperando um elogio, mas, em vez disso, ele evitou o meu olhar e caminhou em direção à porta.

Anthony, por outro lado, não parava de me parabenizar.

— Nossa nova melhor analista sênior — disse, no momento em que Marcia reapareceu. Ela abriu um enorme sorriso, mas a sua expressão mudou quando se deu conta de que ele não se referia a ela. — E parabéns, Marcia, por sugerir que Jess fizesse a apresentação — acrescentou ele. — Foi uma sacada sensacional.

Marcia deu um sorriso forçado.

— Bem, é verdade — disse ela, após uma pausa. — Achei que seria uma boa ideia. E tenho certeza de que ela vai me ajudar muito com esta conta.

— Você ainda... Quer dizer... você ainda é a responsável pela conta? — perguntei, sem me controlar.

— É claro — respondeu ela. — Afinal, a campanha é minha.

— Pensei ter ouvido você dizer que Jess a tinha redigido — retrucou Max, ao se deter diante da porta, com um sorriso irônico.

— Bem, redigiu, quer dizer, tecnicamente juntou as partes, mas continua sendo minha conta. Não é, Anthony?

Anthony olhou para ela por um momento e depois para mim.

— Bem — disse, com ar pensativo —, se Jess redigiu a campanha, nada mais lógico que ela assuma a conta, não é?

— É mesmo? — perguntei, radiante. Nossa! Eu estava adorando Anthony. Não adorar tipo "quero casar com ele". Ah, não importa! Até casar com ele começava a parecer uma boa ideia. — Eu, responsável pela conta do Jarvis Private Banking? Está falando sério?

— Claro que estou — respondeu ele, imediatamente. — Projeto Bolsa. O que acha, Marcia? Significa que você não vai mais precisar administrar a... como é mesmo que você chamava essa conta? Uma conta chata e técnica de serviços bancários?

Pronto. Eu estava apaixonada. Marcia ficou em estado de choque.

— Projeto Bolsa? — perguntou ela, forçando um sorriso. — Isso não tem muito a ver com serviços bancários, não é? Quer dizer, pelo menos não mais.

— Exatamente, desde que a nossa estrela, Jessica Wild, colocou as mãos na campanha! — retrucou Anthony. — Então está tudo acertado. E tenho certeza de que você pode ajudar Jess, se ela precisar. Certo, Marcia?

— Claro! Bem, se você acha que é a coisa certa a fazer, então, sim. Claro!

— Nada como trabalho em equipe, não é mesmo? — observou ele, dando uma piscadela.

Marcia e eu sorrimos, e ela disse:

— Isso mesmo. Trabalho em equipe.

Capítulo 8

— E AÍ? — PERGUNTOU Helen, esperando por mim na porta de casa.

— E aí o quê? — indaguei em tom de indiferença.

— O que aconteceu? Falou com ele? Ele notou o seu cabelo?

Então abri um enorme sorriso.

— Helen, hoje foi o melhor dia da minha vida. Vou gerenciar uma *conta importante!* Fiz uma apresentação para Chester Rydall, diretor-geral de um enorme banco, e poderia ter sido o pior momento de toda a minha vida, mas aí eu pensei na sua bolsa e tive várias ideias. E agora sou a responsável pela conta. E Anthony disse que eu era uma das melhores analistas seniores da agência.

Helen pareceu confusa.

— Ele disse isso?

Então a abracei e, enquanto tirava o casaco, contei-lhe tudo.

— Foi o melhor dia da minha vida — repeti, feliz. — E, se não fosse por você, eu nunca teria pensado em nada daquilo.

— Gerenciar uma conta — repetiu Helen sem emoção. — Sim, e daí? Isso significa um salário mais alto?

— Muito mais. Pelo menos 10 mil libras a mais por ano.

— Uau! Então isso realmente faz diferença.

— Muita — concordei, mas logo fiquei confusa, quando ela me deu um tapa na testa.

— O mesmo que 4 milhões?

— Helen, isso é algo concreto, não um plano louco — retruquei, séria. — Virar sênior significa estabilidade para o resto da vida.

— O Projeto Casamento não é nenhum plano louco, Jess. E se você herdar 4 milhões de libras, acredite, sua situação será bem mais estável.

— Tudo bem. Não precisa ficar feliz por mim. Nem ligo — disse, impaciente.

— Eu estou feliz. Mas me conte o que rolou na pausa para o cafezinho. Fale mais de Anthony.

— Anthony? — repeti, um pequeno sorriso se formando em meus lábios. — Bem, foi ele quem me deixou responsável pela conta. E ele foi maravilhoso, também; quer dizer, ele realmente sabe como encantar um cliente.

— Não estou interessada na conta — disse Helen, com ar de tédio. — Fale sobre você e Anthony. O Projeto Casamento.

— Ah, certo. — Aquela história de estar apaixonada parecia um pouco infantil agora, mas percebi que eu devia algo a Helen. — Bem...

— Sim? — disse Helen, inquieta.

— Ele comprou café para mim! — contei em tom de triunfo. — E disse que gostou do meu sapato. E do meu cabelo.

— Jura? — perguntou Helen, empolgada. — É mesmo?

— É. E também sorriu muito — acrescentei, olhando para Helen, que parecia mais calma.

— Alguém mais notou o seu cabelo? — perguntou ela.

— Todo mundo. Max nem me reconheceu. E Marcia quis saber quem era o meu cabeleireiro.

— Você não contou a ela, não é? — questionou ela acusatoriamente. — Pedro é meu segredo.

— Eu disse que você tinha feito o corte e as luzes.

— Eu? — perguntou ela, rindo. — E ela acreditou?

— Acho que qualquer hora dessas ela vai telefonar para marcar uma hora com você.

— Ótimo. Ela é inimiga. Vou tosar o cabelo dela.

— É como eu falei — acrescentei, recostando-me no balcão, ao lado de Helen. — Foi um dia bom. Um dia ótimo.

— Perfeito — disse ela com um suspiro. — Mas você precisa ter foco, Jess. O principal não é o trabalho, é fazer com que Anthony Milton fique perdidamente apaixonado por você.

— Eu sei. — Então peguei dois saquinhos de chá e coloquei um em cada xícara. — Mas quanto mais eu me esforçar e me destacar no trabalho, mais Anthony vai gostar de mim. Ele ficou muito empolgado com a minha apresentação, ao passo que Max mal falou comigo depois — comentei de maneira casual, enquanto fervia a água. — Ele não sorriu nem uma vez.

— Não? E daí? Por que você se preocupa com o que Max pensa?

— Não me preocupo — retruquei na mesma hora. — Não me preocupo, mesmo.

— Ainda bem, porque você tem que se concentrar em Anthony.

— Eu sei.

Nesse instante, o telefone tocou, e Helen praticamente se jogou em cima do aparelho.

— Alô? Ah, sim. Só um momento.

Ela passou o telefone para mim, fazendo uma careta, e atendi a ligação.

— Alô?

— Sra. Milton? É Robert Taylor. Da Taylor e Rudd.

— Dr. Taylor. — Meu rosto corou como uma resposta imediata. — Oi. Como vai?

— É sobre o funeral, Sra. Milton... Quer dizer, Sra. Wild. Será na quarta-feira à tarde... amanhã, às três horas. Espero que seja um horário conveniente para a senhora.

— Ah, o funeral — repeti, ainda mais nervosa. — Amanhã? Sim, claro.

— Que bom que a senhora vai poder ir. Será na All Saints Church, em South Kensington. A senhora sabe onde fica?

— Sim. Acho que sim.

— E talvez, se houver tempo depois da cerimônia, podemos falar sobre os documentos. Sobre o testamento de Grace.

Engoli em seco.

— Certo. É... Bem, não sei quanto tempo vou poder ficar. Sabe como é, tenho que voltar para o trabalho. Mas vamos ver, está bem?

— Está bem — concordou o Dr. Taylor.

Em seguida, desliguei o telefone e voltei ao balcão.

— Merda. Era ele, não era? O advogado — perguntou Helen, preocupada. — Eu sabia. Assim que ouvi a voz dele. Devia ter dito que você não estava.

— Tudo bem. Ele só queria dizer que o enterro de Grace é amanhã — expliquei, mais calma.

Helen fez uma expressão triste.

— Ah, certo.

Mordi meus lábios.

— Ele também queria saber se poderíamos resolver a questão dos documentos.

— Você não pode ir! — replicou ela. — Não pode. Vai ter que pensar em alguma desculpa.

— Eu tenho que ir — contestei, cruzando os braços. De repente, me senti desprezível, planejando o Projeto Casamento com Helen, quando a pobre Grace ainda nem tinha sido enterrada. — Algumas coisas são mais importantes que dinheiro.

— Mas vai ter que ir embora do enterro logo — sugeriu Helen. — Tem que evitar assinar qualquer coisa.

— Não quero falar sobre isso agora — eu disse, ligando a televisão. — Não se preocupe com o Dr. Taylor. Pensarei em algo.

Capítulo 9

PROJETO: CASAMENTO DIA 4

Pendências:

1. Ir ao funeral. Evitar o Dr. Taylor. Torcer para que o inferno não se abra diante de mim e me sugue para o seu interior.

O dia do enterro foi um dia em que tudo deu errado. Começou escuro, sombrio e chuvoso, e, com o passar das horas, foi ficando cada vez pior. Após uma breve tentativa de flertar com Anthony ter sido frustrada quando Max se aproximou e começou a falar sobre empréstimos, desisti de pôr em prática o Projeto Casamento e, em vez disso, me concentrei em ir à igreja e evitar contato com o Dr. Taylor. Ao saltar do metrô e ver as ruas de South Kensington repletas de pessoas com guarda-chuva enquanto a chuva caía, como se vários baldes de água fossem virados ao mesmo tempo, me dei conta de uma coisa: eu iria dizer adeus a Grace. E não sabia se estava pronta para isso, não sabia como reagiria ao vê-la sendo enterrada.

— Ah, Jessica. Que bom vê-la.

Quando passei pela porta, imediatamente vi o Dr. Taylor vindo na minha direção, e fiquei tensa.

— Oi, Dr. Taylor. Como vai?

— Tudo bem — respondeu ele de maneira educada. — Estou muito contente que a senhora tenha vindo.

Após um esforço, consegui dar um sorriso.

— Eu não poderia deixar de vir. De jeito nenhum.

— Certo. Precisamos marcar uma reunião para acertar a papelada do testamento. A senhora vai estar livre depois? Talvez possamos ir ao meu escritório.

— Sabe o que é... — respondi com cuidado. — Hoje não é um dia muito bom.

Percebi o Dr. Taylor me olhar com ar de curiosidade e engoli em seco.

— Não é um dia bom? — repetiu ele.

Suspirei.

— Pois é. Para falar a verdade, não sei se quero falar sobre a herança no mesmo dia em que... bem, o senhor sabe... — acrescentei olhando para o altar, e o Dr. Taylor sorriu.

— Ah, entendo. Mas acredite. Grace não se incomodaria com isso. Pelo contrário, ela iria encorajar essa atitude.

— O senhor acha? — perguntei, hesitante.

— Claro. Então, que tal falarmos mais tarde?

— Mais tarde? Bem, talvez. Quer dizer, tenho que voltar ao trabalho, então não, mas... vamos ver, está bem?

O Dr. Taylor sorriu.

— Certo. E o Sr. Milton? — indagou ele.

— O que tem ele? — perguntei, o coração disparado.

— Ele veio com a senhora?

Como é que eu não pensei nisso? Meu marido deveria estar ali comigo. O Dr. Taylor ficaria desconfiado.

— O Sr. Milton? Ah, não. Não, ele não pôde vir, infelizmente. Negócios, sabe como é. Ele fica... muito tempo fora de casa — acrescentei, toda atrapalhada.

— Entendo — disse o Dr. Taylor olhando para a minha mão esquerda. Eu não estava usando aliança.

— Ah, meu Deus. Eu vivo esquecendo de colocar as alianças — esclareci, nervosa, tirando o falso anel de noivado e a aliança do bolso do casaco, onde eu os havia guardado naquela manhã, na intenção de colocá-los antes do funeral; o que, é óbvio, não aconteceu.

— Esqueceu de colocar? — perguntou o Dr. Taylor, curioso. — Pensei que as pessoas estivessem sempre com a aliança no dedo.

— É verdade — concordei, tensa. — É claro. Eu também. Só que... fui lavar a louça. Sabe como é.

— Ah, sim. — O Dr. Taylor sorriu de forma amável, e eu sequei uma gota de suor do nariz. — E o seu marido está longe?

— Está. Trabalhando. Na verdade, é um pesadelo — expliquei, torcendo para que o Dr. Taylor me deixasse em paz, lamentando que a conversa tivesse até mesmo começado. — Anthony passa muito tempo longe de casa. Sempre ocupado, muito ocupado.

O Dr. Taylor fez um gesto de compreensão, e então sorriu.

— Vamos?

Ele acenou em direção a um banco da igreja logo adiante, e, aliviada por não ter de falar mais nada, eu o segui e me sentei perto dele.

O órgão começou a tocar, acho que era uma música de Bach. Em seguida, o vigário apareceu e todos se levantaram. Ele falou algo sobre paz ou Deus, e todos se sentaram novamente. Então, quando ele começou a recitar a frase *(Queridos irmãos, estamos hoje aqui reunidos)* — que abre todas as cerimônias importantes: casamentos, enterros, batizados —, senti que alguém se espremia para se sentar ao meu lado. Virei, aborrecida, pois havia bastante espaço em volta e não havia necessidade de sentar ali.

Então fiquei perplexa

— Max? O que você está fazendo aqui?

— Só pensei... — Ele apanhou um hinário. — Achei que você poderia gostar de companhia. Funeral é uma coisa muito deprimente, não é?

— É verdade. Mas você veio até aqui? Você saiu do escritório para vir aqui?

Ele disparou-me um sorriso enigmático.

— De vez em quando eu saio do escritório, sabia?

O órgão começou a tocar e, antes que eu pudesse dizer qualquer coisa, antes que eu pudesse fazer mais perguntas, todos se levantaram para cantar outro hino. Max também se levantou; imitei o gesto. Estávamos perto um do outro, e podia sentir a manga do paletó dele roçar no meu braço enquanto líamos os hinários. Meu coração começou a bater em ritmo acelerado e fiz o possível para ignorar aquela sensação.

Então decidi me concentrar no mais importante naquele momento, ou seja, tentar cantar certo. Afinal de contas, eu disse a mim mesma, eu não gostava de Max. O objeto do meu desejo era Anthony. Ou ninguém. Mas, com certeza, não era Max. E mesmo que eu gostasse dele, isso não fazia diferença. Nunca iria rolar nada. Eu sabia muito bem disso para me deixar levar pela emoção. Deixar-se levar pela emoção era uma atitude perigosa. Acabava sempre em sofrimento, solidão e todo o tipo de problema. Eu era bem esperta, bem...

— Na verdade — sussurrou ele —, tenho um motivo inconfesso para vir aqui hoje.

Meu estômago se embrulhou.

— Você... é mesmo? — perguntei, ansiosa, olhando nos olhos dele.

Ele sorriu e, quando comecei a esboçar um sorriso, acrescentou:

— Sabe o manual de redação que você fez para Marcia? Parece que ela o perdeu. E o cliente vai à agência hoje, portanto precisamos de uma cópia urgentemente.

Fitei-o por um momento. Então pigarreei para aliviar o nó na garganta. Bem-feito para mim. Nossa, como eu era burra.

— Você podia ter telefonado — sugeri, tensa.

— Eu tentei. Mas seu telefone deve estar desligado.

— Ah, sim. Claro — concordei, desconfortável. — Quer dizer que você precisa do manual de redação. Eu... bem, eu mandei para ela por e-mail. Então ela ainda deveria ter...

Max arqueou as sobrancelhas.

— Se ela ainda o tivesse, eu não teria de vir até aqui — sussurrou ele, num tom alto o bastante para ser ouvido acima das vozes que entoavam o hino.

— Tem razão. — Eu me senti uma tola; queria cavar um buraco no chão para esconder minha cara. Mas consegui forçar um sorriso. — Desculpe, esqueci que estávamos falando de Marcia. Está na minha pasta de enviados. Posso dar a minha senha para você, se quiser.

— Obrigado, Jess. Você é ótima.

Escrevi a minha senha em um pedaço de papel e entreguei-o a Max, que o guardou no bolso. Em seguida, ele apanhou um hinário e começou a cantar, em voz alta.

— Ele conseguiu dar uma escapada, não é? — perguntou o Dr. Taylor, aproximando-se de mim, para poder sussurrar no meu ouvido.

Olhei para ele, confusa.

— Hmm, é, acho que sim — confirmei, percebendo, tarde demais, o significado do que ele acabara de dizer. — Mas... Quer dizer, ele não é... — sussurrei, desesperada, mas o Dr. Taylor tinha voltado a cantar e não me ouviu.

Então, o hino terminou, o vigário fez uma oração e começou a falar sobre Grace. E, aos poucos, esqueci Max ao meu lado, esqueci o Dr. Taylor, o testamento e a aliança.

— Grace recebeu esse nome acertadamente — disse o vigário. — Ela era uma pessoa dotada de graça, mas também, como qualquer um que a conhecia sabia muito bem, dotada de determinação e força. — Ele contou histórias sobre ela; histórias que eu nunca tinha ouvido antes. Falou que, durante muitos anos, ela havia sido responsável pelos arranjos de flores daquela igreja, e cuidava disso toda semana, sem falta. Em seguida, quando a marcha fúnebre começou a tocar e o caixão de Grace apareceu na porta da igreja, eu me deparei com a realidade nua e crua. Ela havia morrido, e não voltaria. Minha querida amiga Grace nunca mais me falaria do prazer de um batom coral; nunca mais me diria que a felicidade estava a um passo de distância, era só andar mais um pouquinho para alcançá-la; nunca mais riria das minhas histórias bobas nem escreveria receitinhas para mim. Ela estava morta. Não estava de férias, nem fora da cidade. Estava morta. E eu estava sozinha. Como eu sempre soube que ficaria.

Agarrei o banco da igreja à minha frente e senti lágrimas rolarem pelo meu rosto.

— Você está bem?

Ao me virar, vi Max olhando para mim, preocupado.

— Estou bem — respondi na hora. — Olha, é melhor você voltar ao escritório. Para a reunião.

Eu não queria a compaixão dele; muito menos que fingisse que estava preocupado.

— Eu posso ficar — disse ele, franzindo a testa. — A reunião é só à tarde. Você não quer ficar sozinha em um funeral, quer?

— Talvez queira — admiti, fungando. — Talvez eu queira ficar sozinha.

— Tem certeza?

— Tenho — respondi, no instante em que o hino terminou. Imediatamente o Dr. Taylor se virou e estendeu a mão para Max, que a sacudiu meio indeciso.

— Conseguiu terminar logo os negócios, não é? — sussurrou ele, com um sorriso.

— Negócios? — perguntou Max.

— Jessica disse que você era muito ocupado e não poderia vir. Eu só queria dizer que acho um gesto muito simpático da sua parte vir até aqui.

Senti todo o sangue se esvair do rosto; Max olhou para ele, curioso.

— Ela disse isso?

— Sim, mas você está aqui agora, isso é o que importa. — Ele sorriu novamente e sentou, no momento em que o vigário mandou todos se ajoelharem. Então, me ajoelhei na parte almofadada do banco e Max imitou o gesto.

— O que significa isso? — sussurrou ele, quando todos começaram a rezar o Pai-Nosso.

— Isso o quê? — perguntei, sem jeito. — Ah, é apenas o advogado de Grace. Não leve em consideração o que ele fala. Ele é um pouco... maluco, eu acho. Deve ter confundido você com alguém.

— Alguém? Quem?

— Quem? — repeti vagamente. — Hmm, não tenho certeza. Bem...

— Ele disse que você falou que eu estava muito ocupado para vir. Ele não pode ter inventado isso.

Tentei sorrir.

— Ele... ele provavelmente pensou... — Eu estava quebrando a cabeça para pensar em algo. — Ele provavelmente pensou que você era meu... namorado.

— Namorado?

— Isso. Ele deveria vir, sabe? Mas não pôde. E eu disse isso ao Dr. Taylor, portanto acho que ele pensou...

— Você tem namorado?

— Tenho — respondi, desviando o olhar e torcendo para que o tom de beterraba que surgira no meu rosto desaparecesse.

— Ah. Certo. Desculpe, eu não sabia.

— Bem, agora sabe.

As orações terminaram e todos se sentaram, quando o vigário começou uma das leituras.

— Bem, tenho que ir — anunciou Max, inclinando-se para a frente para apanhar o guarda-chuva.

— Tudo bem — eu disse, tentando não me sentir desapontada, dizendo a mim mesma que era melhor assim.

— É. Tenho muita coisa para fazer, me preparar para esta reunião, sabe como é...

— Claro. Pode ir. Vou ficar bem.

— Bem, eu vou... até logo. Ou até amanhã. Enfim.

Em seguida, ele se levantou e saiu. Eu me forcei a não ficar olhando ele se afastar. Afinal, disse a mim mesma, a sensação de vazio no meu estômago não tinha nada a ver com Max; tinha a ver com Grace. Eu estava em um funeral, portanto era *natural* sentir uma sensação de vazio.

— Que pena — comentou o Dr. Taylor, balançando a cabeça. — Seu marido teve que ir, não é? Eu esperava conhecê-lo melhor.

— Pois é. Uma pena. — Então me virei rapidamente. — Mas ele é assim mesmo — acrescentei, com um sorriso. — Sempre ocupado.

Após a cerimônia, não fiquei para as bebidas e os salgadinhos que o Dr. Taylor havia encomendado — em parte porque não poderia arriscar que ele trouxesse os documentos necessários para resolver o testamento de Grace e, em parte, porque eu precisava ficar sozinha. Então, fui dar uma volta pelo cemitério e pelas ruas adjacentes, olhando tudo ao meu redor, sem prestar atenção em quase nada.

Fiquei pensando na promessa que tinha feito a Grace e em todas as histórias que havia inventado sobre Anthony, imaginando que conselho ela me daria agora, se estivesse viva. Será que ela me aconselharia a falar a verdade? Ou será que me diria para levar as mentiras adiante? Talvez esse fosse meu castigo por contar mentiras. É o que vovó teria dito. Ficaria indignada e diria que eu havia recebido exatamente o que merecia.

Grace, entretanto... não acreditava em castigo. Acreditava em gente, em romance, em amor. Ela tinha acreditado em mim. Sempre que eu duvidava que poderia fazer algo, sempre que me via tentada a jogar a toalha, ela me olhava com aqueles olhos brilhantes, e dizia que eu era capaz de fazer qualquer coisa que desejasse, contanto que eu estivesse focada e não duvidasse de mim mesma. E ela sempre estava certa. No funeral da minha avó, não pensei que seria capaz de discursar — pelo menos nada que lhe fizesse justiça; uma fala que não fosse pontuada por raiva, recriminação e movida pela necessidade desesperada de gritar: *não foi minha culpa, não foi minha culpa* —, mas, mesmo assim, eu consegui. Quando fui surpreendida por suas dívidas, estava certa de que nunca conseguiria pagá-las, que a minha vida estava, em todos os sentidos e para todos os efeitos, arruinada, mas novamente Grace discordou. Apertou a minha mão e disse: "Sabe de uma coisa? A sua avó era uma mulher muito orgulhosa. Ela não permitiria que você soubesse das dívidas. Mas tinha orgulho de você, também."

Isso me surpreendeu, porque na verdade, eu era uma decepção para minha avó — embora, até eu aparecer na sua porta, ela nem tivesse conhecimento da minha existência. Mas Grace apenas sorriu e disse: "Ela não sabia como dizer a você, mas disse a mim. Ela me contou tudo a seu respeito. Você foi muito elogiada no piano quando tinha 13 anos. Ela até guardou o certificado que você ganhou, sabia? Ela guardou tudo."

E, como num passe de mágica, parei de me preocupar com as dívidas. Porque eu estava orgulhosa, também. Orgulhosa de poder, finalmente, ajudar vovó, como ela tinha me ajudado todos aqueles anos.

E agora... eu queria ajudar Grace. Queria retribuir sua amizade, compensá-la por tornar o mundo um pouco mais belo. Então peguei o celular e disquei o número de casa.

— Helen? Sou eu. Escute. Qual é o próximo passo?

Capítulo 10

— TUDO BEM, ENTÃO PRECISAMOS reforçar o ataque.

Era noite de sexta-feira, Helen e eu estávamos em um bar enfumaçado, e franzi o nariz. Apesar de seguir à risca os conselhos dela por dois dias, usando batom, jogando o cabelo e agindo como o tipo de pessoa que detestava, eu não havia conseguido nem um encontro, que dirá um pedido de casamento de Anthony.

— Tudo bem — concordei lentamente. — Mas lembre-se: as coisas não acontecem assim tão rápido.

— Não espero que se case com Anthony amanhã. Mas você dispõe de cinquenta dias, e, sinto muito em admitir isso, mas parece que você está desperdiçando esse tempo.

— Não estou desperdiçando tempo. Mas Anthony quase nunca está no escritório.

— Quase nunca? Isso significa que ele está lá às vezes?

— Acho que sim, mas está sempre em reunião.

— Reunião? Com quem?

Suspirei.

— Sei lá. Com clientes. Com Marcia. Com um monte de gente.

— Então marque uma reunião.

— Eu? — perguntei surpresa.

— Isso! Marque uma reunião para falar sobre aquele projeto da bolsa. Ou para se queixar do aparelho de fax. Qualquer coisa.

— O aparelho de fax — repeti, distraída.

— Não importa o motivo da reunião — disse Helen, paciente. — A questão é que você precisa passar um tempinho com ele.

— Ah, entendi.

Helen me olhou espantada.

— Meu Deus, para uma pessoa considerada inteligente, você é uma idiota quando o assunto é homem.

— Não sou... — comecei a retrucar, mas logo desisti. — É que parece desperdício de tempo, quando há tantas outras coisas a fazer.

— Está se referindo a Max?

— Max? — perguntei, surpresa e desconcertada. — Do que você está falando?

— Estou falando que você sentia certa atração por Max, não sentia? Costumava falar dele o tempo todo. E ele nunca chamou você para sair.

— Isso foi há muito tempo — retorqui. — E eu não sentia atração por ele. Eu apenas... Apenas o respeitava, só isso. Acho que ele é bom no que faz e...

— E você gosta dele?

— Não! — protestei, negando vigorosamente com um gesto de cabeça.

— Nem um pouquinho?

O rubor no meu rosto tornou-se mais visível, e eu não disse nada. Não estava a fim de Max. E, mesmo se estivesse, isso não era importante.

— Tudo bem, pode negar. Mas imagine se ele gostasse de você. Não seria legal?

— Como assim, legal? — perguntei, irritada, tentando afastar da mente a imagem de Max me beijando. — Ouça, Helen, confie em mim, eu não gosto de Max. Juro. Nem um pouquinho.

— Tudo bem — assentiu Helen com um suspiro. — Só estou tentando fazer você entender que ter um namorado não é uma coisa tão terrível assim. Não é um sinal de fraqueza.

Olhei para a minha bebida na mesa e me lembrei do funeral, da minha satisfação quando Max apareceu de repente, da imensa decepção que senti, e disfarcei, ao descobrir que ele só tinha ido até lá por causa do tal manual de redação. Com certeza, o amor era um sinal de fraqueza. Afinal de contas, não era fraqueza sentir vontade de chorar só porque alguém que você gosta não sente o mesmo por você? É patético. E eu não iria passar por isso.

— Helen, quero deixar bem claro que essa coisa ridícula de Projeto Casamento não tem nada a ver com amor, romance, ou o desejo de ter um namorado. Nem um marido. Entendeu?

— Tudo bem — concordou ela, dando de ombros. — Então, vamos continuar com o plano? Porque se trata de uma contagem regressiva. Não há tempo para recato nem para tentar abordá-lo aos poucos. Você tem que atacar. Tem que decidir o jogo, dar o primeiro passo. Agora é hora de ir até o fim e fechar negócio, como se diz por aí.

— Fechar negócio? — perguntei, espantada. — Helen, você tem visto algum outro programa além do *Topa ou não topa*? Parou de assistir a *Assassinato por escrito?*

— Tem que fazer com que ele convide você para sair — continuou Helen, impassível. — Isso é pré-requisito para um pedido de casamento. Não estou certa?

— Acho que sim — falei, meio constrangida. — Mas não é tão fácil. Quer dizer, não se pode convencer um cara a chamar você para sair, não é? Ele tem que querer.

Agora foi a vez de Helen fazer uma expressão de espanto.

— Você pode tomar a iniciativa — sugeriu ela.

— Não. De jeito nenhum. — Balancei a cabeça para dar mais ênfase à minha negativa.

— Acho que tem razão — disse Helen, pensativa. — Você quer que ele corra atrás de você, que dê o primeiro passo. Certo, então tem que fazer com que ele convide você.

— Finalmente! — concluí de forma sarcástica. — Bem, parece que chegamos a um consenso.

Helen suspirou.

— Nossa, você sabe ser chata às vezes. Tudo bem, olha isso.

Ela se levantou e se dirigiu ao bar, jogando para trás seu longo cabelo escuro, que estava absolutamente magnífico, em um estilo um pouco desarrumado, meio largado. Helen media apenas 1,57cm, embora não parecesse, porque sempre usava saltos altíssimos.

Parou diante do balcão durante um momento, girou na minha direção e certificou-se de que eu estava prestando atenção. Em seguida, voltou-se para o bar, devagar. No meio desse movimento, porém, ela pareceu atraída por algo à sua direita. Então, olhou para lá com ar de curiosidade, sorriu, abaixou a cabeça e olhou mais uma vez. Depois, aprumou o corpo, de forma que pudesse olhar de uma posição mais alta. Finalmente, ela se virou de frente para o bar. Dois minutos depois, um cara se aproximou dela, oferecendo uma bebida. Era evidente que o objeto da atenção de Helen tinha sido *ele*. Em seguida, ela fez um gesto de cabeça e apontou para mim. O rapaz chamou o barman e deu-lhe uma nota de 10 libras, antes de entregar a Helen um cartão, lançar-lhe um olhar significativo e se afastar, parando no mínimo duas vezes para se virar e fitá-la. Tenho que admitir, foi impressionante.

Cinco minutos depois, ela estava de volta à nossa mesa, com nossas bebidas.

— Viu? — perguntou ela com ar de vitória.

— Você conseguiu um telefone, não um encontro.

— Eu poderia ter marcado um encontro com aquele cara — retrucou Helen com um olhar malicioso. — Agora é a sua vez.

— Você deve estar brincando — contestei com uma risada. — Não vou até o bar e pedir a um cara qualquer que me pague uma bebida, de jeito nenhum.

— Você não tem que pedir nada. Só tem que esperar que ele ofereça.

— Helen, eu não vou até o bar para pegar o telefone de um estranho. É indecente. É...

— É o que você tem que fazer se Anthony olhar para você com segundas intenções. Poxa, se você não consegue flertar com um estranho que nunca vai ver novamente, que dirá com Anthony?

— Mas... — Tentei achar uma boa razão para não fazer aquilo, uma razão que Helen aceitasse.

Então, lancei-lhe um olhar de súplica, mas ela não parecia disposta a ser compreensiva.

— Jess, você tem noção do que está em jogo, não tem? — perguntou ela, antes que eu pudesse argumentar. — Estamos falando de como a sua vida pode mudar. Mas se não está nem aí, então acho que podemos ir para casa...

Ela apanhou a bolsa e começou a se levantar, parecendo completamente enfurecida e zangada.

— Helen, por favor — implorei, puxando seu braço. — Ouça, não é que eu não consiga... Quer dizer... bem, eu faço se você quiser...

— Ah, bom. Porque é exatamente o que eu quero.

— Certo — assenti, resignada. — Certo, vou em frente. Mas se você contar a alguém, eu saio do apartamento e nunca mais falo com você. Entendeu?

— Tudo bem — concordou ela, erguendo o polegar, e eu comecei a andar em direção ao bar. Porém, logo voltei.

— Pensando bem, você sai do apartamento.

— Tudo bem.

Comecei a andar de novo. Então hesitei e me voltei rapidamente na direção de Helen.

— Você não acha que é melhor eu começar com algo mais fácil? Tipo passo a passo, até chegar ao bar? Talvez eu devesse apenas sorrir para começar, até me acostumar com essas coisas, e depois...

— Vá — ordenou Helen.

Voltei ao bar e fiquei lá alguns segundos, agarrada no balcão. Aquilo era loucura. Eu simplesmente não era o tipo de pessoa que dava mole para estranhos. Nem para ninguém. Era uma total perda de tempo. Uma situação humilhante demais. E perigosa. Pelo menos na teoria. Eu poderia me deparar com um psicopata homicida, que corta suas vítimas com machado. Entretanto, eu tinha, pelo menos, que fingir que estava me esforçando; para agradar a Helen, para que ela parasse de ficar pegando no meu pé. Ela não via problema nisso porque adorava esse jogo de sedução. O difícil para ela era *não* fazer essas coisas. Então, respirei fundo e me virei lentamente, até ficar de frente para o restante do bar. À minha esquerda, havia um grupo de homens e vários grupos aqui e acolá de homens e mulheres. À minha direita, alguns grupos de homens e, no canto distante, um cara sozinho, tomando uma cerveja e parecendo deslocado. Ele devia ter uns 40 anos, usava óculos e, pelo seu jeito, era provável que estivesse mais feliz no seu bar de costume do que em um bar moderninho. Na mesma hora, sorri para ele. Ele olhou para mim meio desconfiado e espiou ao redor para verificar se eu estava sorrindo para outra pessoa. Quando voltou a me olhar, fiquei nervosa e ergui o queixo, tentando lembrar se deveria continuar olhando ou não, mas quando decidi que fitá-lo provavelmente seria a atitude certa, ele já tinha ido embora.

Bem, eu disse a mim mesma, *pelo menos tentei.*

Então me virei para Helen, como se dissesse: *"viu? eu já sabia"*. Nesse momento, senti algo no meu ombro. Ao me virar, o cara de óculos estava ao meu lado, ainda com a cerveja na mão.

— Oi! — disse ele.

— Oi.

— Você é... Quer dizer... Não pensei que você fosse... Bem, a descrição que você fez não lhe faz justiça. Nem de longe.

— A minha... a minha descrição?

— No site. Eu estava com medo de que você me desse bolo. Faz uma hora que cheguei. Não que eu esteja chateado com seu atraso. De jeito nenhum. Como minha esposa costumava dizer: "isso é privilégio das mulheres." Acho que não deveria falar dela, não é?

— Como assim? — Eu estava completamente confusa. — E de que site você está falando?

— O umasegundachance.com. É... Quer dizer, você é... Ah, meu Deus. Não é você. Eu devia imaginar. Uma bela jovem, e eu fui achar que você estava aqui para me conhecer. Olha, desculpe. Por favor. Eu...

Ele parecia ainda mais chateado e humilhado do que eu me sentira há poucos minutos, e, de alguma forma, o constrangimento dele acabou dissipando o meu desconforto.

— Não sou eu — expliquei, com educação. — Mas não precisa se desculpar. Você... acha que levou um bolo?

Ele deu de ombros.

— Não tenho a menor dúvida. É só olhar para mim. Não pertenço a esse lugar. Não sei o que deu na minha cabeça, realmente. Foi o meu amigo Jon que me convenceu a fazer isso. Disse que seria bom para conhecer outras pessoas. Eu me divorciei... há um ano. A minha ex-esposa foi morar com um cara chamado Keith, no sul de Londres, e eu vim parar aqui, como um idiota triste, tentando ser algo que não sou...

Ele não conseguiu terminar a frase e eu me identifiquei um pouco com ele.

— Sabe de uma coisa, eu não acho que você seja um idiota triste. Acho que você é muito corajoso — afirmei, estendendo a mão. — À propósito, meu nome é Jess, Jessica Wild.

— Jessica Wild? É seu nome mesmo?

Ele pareceu surpreso. Todo mundo sempre ficava surpreso ao ouvir meu nome, como se eu estivesse, de alguma forma, contrariando o código de defesa do consumidor, por ter um nome que não condizia com as minhas atitudes. Eu não tinha nada de impetuosa; nem queria ser. Eu era sensata. Disciplinada. Pelo menos sempre fui...

— É — confirmei.

— Combina com você.

— Claro que não — afirmei num ato reflexo. — Quer dizer, é só olhar para mim. Não tenho nada de impetuosa.

— Pois eu acho que combina muito bem com você. Jessica Wild. Bem charmoso. Um pouco perigoso. Você tem sorte.

Olhei para ele, espantada. Sempre achei meu nome inapropriado. A minha avó atribuía a rebeldia da minha mãe a esse sobrenome, que remete a algo impetuoso; e eu passei a vida inteira fazendo o possível para não seguir pelo mesmo caminho.

— Você acha mesmo?

— Eu me chamo Frank. Frank Werr.

— Frank Verr?

— Isso. Só que com som de *u*, como em "Wilson". E, por conta disso, quando eu era pequeno, os garotos ficavam me chamando de *wanker*, que quer dizer idiota — explicou ele. — Os meninos diziam que era um trocadilho.

— Ah, sim — eu disse, sentindo de repente pena dele. — Bem, isso não devia ser nada legal, não é? Olha, você... quer beber alguma coisa?

Frank fez um gesto negativo de cabeça.

— Acho que vou para casa. A pessoa que eu estava esperando não vem mesmo. E você é muita areia para o meu caminhãozinho. Além disso, vai passar um jogo na televisão e, se eu for embora agora, talvez chegue em casa a tempo de assisti-lo.

— Muita areia? Não sou, não — retruquei. — De jeito nenhum.

Frank me lançou um olhar indeciso.

— Você é muita areia para o meu caminhãozinho. Você é linda. É como uma nota... 9. Eu provavelmente sou... 5. Talvez 5,5. Quer dizer, todo mundo gosta de pensar que está um pouquinho acima da média, não é? Eu não estou fora de forma. Não tenho barriga de cerveja nem nada. Portanto acho que isso me dá mais 0,5 ponto, concorda?

— Eu te daria um 7 — anunciei, convicta.

Frank balançou a cabeça.

— Não. Acho que não mereço um 7. Talvez 6, no máximo.

— Tudo bem. Seis — concordei. Então olhei para ele com curiosidade. — Você me daria mesmo nota 9?

— Na verdade, 9,5. Quando eu disse 9, estava tentando ser mais indiferente.

Sorri.

— Você é louco. Mas olha, não vá embora. Venha sentar na nossa mesa. Estou com uma amiga.

— Posso? — perguntou ele, com um sorriso nervoso. — Tem certeza?

— Claro.

Quando nos aproximamos da mesa, Helen olhou para ele com uma expressão esquisita.

— Esse é o Frank — eu disse. — Frank, essa é Helen.

Frank enrubesceu e estendeu a mão meio indeciso, antes de perceber que isso poderia parecer meio antiquado e puxou o braço de volta.

— É um prazer... Quer beber alguma coisa?

— Adoraria — aceitou Helen, sorrindo. — Vinho branco, por favor.

— Vinho branco — repetiu Frank. — Sim, claro. É para já. Você, também, Jess?

Concordei, sorrindo, e notei que suas costas estavam um pouco mais aprumadas enquanto ele se dirigia ao bar.

— Bem, você demorou — disse Helen. — Mas conseguiu bebida para nós duas, portanto acho que passou no teste.

Duas horas depois, e um pouco bêbada, levei um susto ao descobrir que já eram onze e meia. Eu não tinha olhado o relógio nem uma vez, e também não fiquei tentada a dar as desculpas habituais e ir embora cedo. Eu tinha de fato me divertido. Frank era engraçado e interessante, e, embora eu não estivesse interessada nele (nem ele em mim), nós três ainda estávamos rindo quando saímos do bar para enfrentar o ar frio da rua.

— Bem, foi ótimo conhecer vocês — disse Frank quando paramos, por um breve momento, na calçada.

— Idem — falou Helen.

— Com certeza — concordei. Essa brincadeira de conhecer gente não era tão difícil quanto eu pensava. Aliás, tinha sido até divertido. Talvez Helen tivesse razão. Talvez eu devesse me divertir mais.

Nós nos despedimos de Frank e descemos a rua. O bar ficava no Soho, portanto precisávamos ir até a Oxford Street para tentar arranjar um táxi. A rua estava cheia de pessoas bêbadas que trabalhavam em escritórios da região, que riam e falavam alto; garotas com pouca roupa, e grupos de rapazes ocupando a rua inteira e olhando com malícia para qualquer coisa feminina que passasse diante deles. Mas essa noite isso não me preocupava muito; essa noite eu me sentia quase outra pessoa, como se fizesse jus ao meu nome.

— Eu apenas comecei a conversar com ele — comentei com Helen, dando-lhe o braço. — E ele não parecia esquisito nem nada assim. Parecia bem legal.

— É mesmo — concordou Helen. — Muito legal.

— E me deu nota 9,5. Bem, sei que ele não estava falando sério, mas foi legal mesmo assim.

Helen parou e me lançou um olhar atípico.

— Você é 9,5, Jess — afirmou com ar sério. — Juro que é.

Sorri timidamente.

— Não sou, não. Mas obrigada de qualquer maneira. E obrigada por me levar para sair. Foi...

— Divertido? — perguntou Helen.

— De certo modo.

— E agora você vai seduzir Anthony Milton?

— Vou — concordei, acenando com a cabeça novamente. — Eu vou, Hel. Vou simplesmente chegar perto dele, sorrir e...

Nesse momento, fui interrompida pela aproximação brusca de um carro que passou por mim, fazendo-me perder o equilíbrio e cair.

— Jess! Está tudo bem? — perguntou Helen, indignada, pulando para me ajudar. — Que maluco!

Minha perna estava até doendo, mas o susto tinha sido pior que a dor.

— Seu babaca estúpido! — gritou Helen, correndo atrás do carro, que tinha parado, cantando pneu, no sinal logo adiante. — Por que não olha por onde anda?

— E você devia andar na calçada; não no meio da rua — gritou de volta a voz de uma mulher, no interior do veículo. Era óbvio que os amigos do motorista eram tão grosseiros e mal-educados quanto ele. Enquanto Helen continuava discutindo, eu me levantei com dificuldade e puxei o braço dela.

— Deixa pra lá — sugeri. — Não vale a pena ficar brigando.

— Vale, sim — retrucou Helen de forma rabugenta. — Ele quase atropelou você. Ele devia ter mais cuidado.

Enquanto tentava convencê-la a ir embora, resolvi, por curiosidade, dar uma olhada no interior do carro. Havia uma garota de cabelo escuro e liso no banco do carona. Seu rosto estava praticamente escondido atrás de enormes óculos escuros. Algo que, tendo em vista o horário, achei meio ridículo.

Em seguida, olhei para o motorista. E fiquei de queixo caído.

— Vamos embora, Hel — eu disse imediatamente, ainda surpresa, quando o motorista olhou para mim.

— Ir embora? — questionou ela em tom de desafio. — Só quando ele pedir desculpas. Enquanto...

— Vamos agora — insisti, puxando-a para longe dali. — Quero ir para casa.

Então, vi um táxi vazio e fiz sinal; assim que o carro parou, puxei Helen para dentro.

— O que aconteceu? — perguntou ela, irritada, quando nos afastamos. — Você podia processar aquele motorista. Ele com certeza estava bêbado.

— É — falei, indecisa. — Mas não sei se isso seria conveniente para o nosso plano.

— Plano? — indagou Helen, confusa. — Do que você está falando?

— Do Projeto Casamento — respondi calmamente. — O motorista era Anthony Milton.

Capítulo 11

NA MANHÃ SEGUINTE, QUANDO ACORDEI e entrei na cozinha, Helen estava diante do fogão, fritando ovos.

— O que é isso? — perguntei, curiosa.

— Combustível — respondeu Helen, sorrindo. — À propósito, como está a perna?

Dei de ombros.

— Boa. Ficou um hematoma acima do joelho, só isso. E esse combustível? É para quê?

— Para as atividades de hoje — respondeu ela com convicção. — Portanto coma tudo, você vai precisar de energia.

— Não vou fazer compras — anunciei, nervosa. — Estou sem grana, Hel. Não posso comprar mais nada.

— Não é de compras que estou falando. Anthony Milton deve um favor a você. Um grande favor. E, quando ele se desculpar muito pelo que fez ontem, você tem que estar preparada. Tem que estar bem afiada na arte da sedução, a ponto de deixá-lo caidinho em segundos.

Senti os pelos da nuca se eriçarem de medo. Eu tinha uma sensação ruim sobre o que Helen estava planejando.

— Hel, você sabe que eu não sou um machado nem ele uma árvore a se derrubar, não sabe? — perguntei, tentando sorrir.

— E, mesmo assim, ele vai ficar caidinho. E tenho alguém para ensinar você a fazer isso. — Helen sorriu. — Agora sim ele não vai ter escapatória.

— Me ensinar?

Helen fez que sim com a cabeça, empolgada.

— Pensei nisso ontem à noite, a caminho de casa. Ela é ótima. Trabalhava em um dos bares onde rodamos aquele programa *London Uncovered*, que fiz no ano passado, lembra? Enfim, o nome dela é Ivana, e ela sabe tudo o que há para se saber sobre sedução. E ela não vai cobrar nada pelas aulas. Bem, por enquanto. Eu disse que você pagaria mil libras quando recebesse o dinheiro da herança. Expliquei a ela que era uma espécie de investimento.

Olhei para Helen desconfiada.

— Ivana? Você está falando da Ivana que você entrevistou para o documentário sobre *lap dance*?

— Sim, mas ela não era a dançarina. Ela era acompanhante. É diferente. Essas garotas não dançam, elas apenas flertam, seduzem e convencem os caras a pagarem 50 libras por um drink, só para passarem mais tempo com elas.

— Ela é uma prostituta! — exclamei. — Você pediu a uma prostituta que me ensinasse a seduzir? Você é louca. Esqueça. Por nada nesse mundo...

— Ela não é prostituta — interrompeu Helen, irritada. — Ela é acompanhante.

— Que transa com os clientes.

— Que, eventualmente, pode transar, mas não é esse o objetivo. O objetivo é seduzir. Minha nossa, Jessica, achei que você fosse gostar. Não foi muito fácil convencer Ivana, sabe...

Percebi que Helen tinha ficado decepcionada, então pedi desculpas.

— Eu não pretendia ser tão negativa. Mas... Não sei se ela é... correta. Entende?

— Ela é correta, Jess, acredite. Se existe alguém que pode fazer com que Anthony peça você em casamento, essa pessoa é Ivana.

Agora coma, porque temos que chegar na casa dela antes das onze.

Ivana morava em um apartamento na Old Compton Street, no Soho. Chamar aquilo de *apartamento* era um exagero. Na verdade, era uma sala, no segundo andar de um prédio, onde havia um enorme colchão, um armário que, quando aberto, revelava uma cozinha minúscula, e outro armário que disfarçava um banheiro.

Sua beleza era de uma espécie "exótico-devassa": lábios carnudos, olhos intensos, cabelos castanhos sedosos e um corpo ao mesmo tempo pequeno e curvilíneo. Seus olhos eram verdes, seu cabelo tinha um corte chanel com a parte da frente mais comprida, e ela estava usando um vestido preto, justo, e salto alto, de no mínimo dez centímetros. Após muita insistência de Helen, eu havia concordado em vestir minha melhor roupa de sedução: sapatos pretos de salto alto e uma saia lápis, tudo comprado depois da minha transformação no salão de Pedro. No entanto, ainda me sentia brega e desengonçada.

Ela e Helen trocaram beijinhos e mantiveram uma conversa rápida e animada sobre o programa que tinham feito, e me espantei diante de seu sotaque proveniente do Leste Europeu, carregado nos "erres" e nos "efes" ("Eu conseguir tanto trabalho depois daquela programa. A polícia, eles vêm para me ver. Mas eles não fazer nada. Eles só vêm para me *ver*, sabe o que quero dizer?")

E logo ela se virou, me olhou de cima a baixo e cruzou os braços.

— Você não saber como ser sexy? — perguntou, e eu fiquei envergonhada. — Você precisar seduzir homem e fazer ele pedir você em casamento?

Fiz que sim com a cabeça, envergonhada, sentindo o rosto adquirir um atraente tom marrom-arroxeado. Exposta daquele jeito, a minha situação desagradável pareceu completamente patética.

— Então precisamos de café — disse ela, olhando para Helen. — Vou tomar um espresso macchiato, que você vai pedir no Café Boheme aqui embaixo, e esperar por mim. Eu lá em cinco minutos. Cerrrto?

Helen olhou para mim, e concordei.

— Certo. Nos vemos... lá.

Em seguida, descemos a escada estreita e, ao chegarmos na rua, passamos por cima de dois homens que dormiam na entrada. Então, seguimos, sem perder tempo, para o Café Boheme, onde pedimos café e ficamos esperando. Esperando. E esperamos um pouco mais.

Uma hora depois, Ivana finalmente apareceu e se sentou ao nosso lado.

— Bem — disse ela, olhando para mim, como se eu tivesse feito algo errado e ela não tivesse demorado nem um pouco a chegar. — Como você seduz um homem? O que você faz?

Ela olhou com desagrado para o seu macchiato frio e, imediatamente, Helen pediu outro café.

— Não sei — respondi meio encabulada. — Quer dizer, não sei. Não muito bem.

— Quando namorou pela última vez?

Senti-me humilhada.

— Tenho andado mais concentrada na minha carreira.

— Quando? — repetiu Ivana.

— Há dois anos, talvez — respondi, baixinho. De repente, a minha defesa habitual "que eu me concentrava na minha carreira, que não precisava de homem na minha vida" pareceu patética. Ivana estava certa: eu não sabia ser sexy. Não sabia sequer por onde começar.

— Dois anos?

— Talvez três — confessei, tentando disfarçar o constrangimento.

Ivana olhou para Helen com impaciência.

— Então eu ter muito trabalho pela frente, certo?

Em seguida, olhou para mim, e eu concordei tentando sorrir, mas logo mudei de ideia quando vi que seus olhos estavam fumegando, mas não de forma *provocante*.

O café chegou e ela o tomou rapidamente. Logo se virou para mim.

— Muito bem — disse ela com um profundo suspiro. — Diga como você falar com homens.

— Como eu falo com um homem? — perguntei, confusa.

Ivana fez que sim com a cabeça.

— Bem, acho que da mesma forma que com qualquer pessoa. Quer dizer, depende do contexto, mas eu apenas... — Olhei para ela, incapaz de prosseguir. — Não sei. Realmente não sei.

Ivana acenou com a cabeça de novo.

— Como eu imaginava. Tudo bem, então deve saber uns detalhes básicos: em primeiro lugar, não se fala com um homem como se fala com uma mulher. Homens, eles gostam de falar. E gostam que você ouça. Tudo que ele faz é fascinante, tudo que ele faz, você achar sexy. Certo?

— Mas e quanto ao que eu tenho a dizer? — perguntei. Ivana lançou-me um olhar furioso e na mesma hora corei. — Fascinante — repeti. — Fascinante e sexy.

O olhar furioso de Ivana se transformou em uma expressão de dúvida.

— Você discorda do que ele diz, ele se afasta.

— Mas aí ele vai pensar que sou superficial — retruquei, inquieta. — Além do mais, não vou concordar com um cara só para ele gostar de mim. Você nunca ouviu falar de feminismo?

Da emancipação feminina? Não estou preparada para fingir que sou burra.

— Os homens preferem as burras — declarou Ivana categoricamente. — Enfim, concorde com o homem, ele vai achar que você é inteligente.

— Mas... mas...

— Mas nada — replicou ela com firmeza. — Confie em mim. Bem, depois, precisa um pouco de contato físico. Demais não é bom; muito pouco, e ele nem presta atenção. Só um leve toque no braço, ou no rosto, quando você se inclinar para dizer alguma coisa. Um leve roçar aqui, uma encostadinha ali. Você quer que ele se concentre em você. Não em outra pessoa. Certo? Desse modo, você escuta com muita atenção cada palavra, e depois se inclina. Assim. — Ela demonstrou como fazer, curvando-se delicadamente por cima de Helen. — Acho que esse deve ser o desafio maior para você, não?

Revirei os olhos.

— Ah, que ótimo! E onde vou fazer isso? Quando estivermos no bebedouro? Bem profissional.

O tom da minha voz foi distintamente sarcástico, e Ivana se irritou.

— Você vai achar o momento certo — disse ela de maneira brusca. — Mas sua voz é problema. Você tem que mudar sua voz.

— Minha voz? O que há de errado com a minha voz?

— Não é sexy.

— Bem, não posso mudá-la — retruquei de forma decisiva. — É a minha voz e não tenho como me livrar dela.

Ivana não concordou.

— Você sempre pode mudar a voz. Ouça. — Ela tomou outro gole de café e começou a falar num idioma que, a meu ver, era o de seu país de origem. A voz dela parecia grossa, zangada, bruta e gutural. Então ela fez uma expressão diferente e começou a sussurrar em inglês, com a voz suave como o canto de uma sereia.

— Viu? Na Rússia, eu não ter que seduzir. Aqui, eu ter que seduzir. Aqui, eu ter voz melhor. Entendeu?

Concordei com um aceno de cabeça, admirada, e logo pensei como seria tentar fazer o mesmo.

— Agora sua vez — exigiu ela.

— Não consigo — eu disse, envergonhada.

— Tenta — disse Helen para me encorajar.

— Tudo bem — concordei, resignada. — Mas não vale rir — acrescentei, antes de pigarrear. — Oi — falei, tentando imitar o tom abafado de Ivana. — Oi, meu nome é Jessica Wild.

— Wild? Seu nome é Wild? É sério? — Ivana sorriu, revelando uns quatro dentes de ouro. — Eu mataria para ter um nome como esse — disse ela, balançando a cabeça, e eu torci para que ela só estivesse usando a palavra "matar" em sentido figurado. — O seu nome Wild, você tira proveito dele, certo? Diga W-i-l-d.

Ela "ronronou" o meu nome de forma tão maliciosa, que eu olhei ao redor para ver se alguém tinha ouvido.

— Wild — repeti, sem a menor sensualidade.

— Wiiild — repetiu Ivana, me olhando bem nos olhos.

— Wiiild — repeti outra vez, agora em um tom um pouco menos frio, mas ainda longe de parecer sexy.

Ivana se mostrou impaciente.

— Precisamos do exercício de respiração — disse ela. — Vamos ao parque.

— Parque?

— Parque.

Vinte minutos depois estávamos no Regent's Park.

— Agora — disse Ivana em tom decidido —, você corre e grita ao mesmo tempo. Nós ficamos olhando.

— Não vou correr e gritar. Aqui é um lugar público.

— Você quer o marido? Quer o dinheiro? Não se esqueça da minha parte, claro.

Examinei seu rosto para ver se ela estava brincando, mas, pelo visto, não estava.

— Não — respondi. — Quer dizer, não tem nada a ver com o dinheiro. Tem a ver... bem, essa amiga minha que morreu, Grace. Ela achava que eu era casada, mas...

Desisti de prosseguir, quando vi seu olhar fixo e inflexível.

— Você quer casamento, então corre e grita "Wild", está bem? — disse ela bruscamente.

Lancei um olhar de súplica para Helen, mas ela me ignorou.

— Você pode pelo menos tentar — sugeriu ela, sem olhar para mim. — Afinal, que mal tem?

— Mal? Afora a humilhação de gritar em um lugar público, incomodar os turistas e até ser presa?

Ivana olhou o relógio. Em seguida, ordenou:

— Rápido. Está ficando tarde.

Sua expressão era impassível, e eu me dei conta de que não iria conseguir sair dessa. De um jeito ou de outro, teria de correr pelo Regent's Park, gritando meu próprio nome. Então, respirei fundo e comecei a me afastar de Helen e de Ivana; ou, mais precisamente, do casal sentado em um dos bancos do parque e do homem que passeava com o cachorro. Então corri e gritei "Wild". Talvez *gritei* seja um leve exagero, mas com certeza disse meu nome em voz alta.

— Está um merda — gritou Ivana. — Não ouvi você. Você ter que gritar.

Trincando os dentes, comecei a correr novamente e "rosnei":

— Wild.

— Correr mais rápido. Você não correr bastante rápido — advertiu Ivana aproximando-se e começando a correr ao meu lado.

Seus saltos altos afundavam na grama, então ela parou e depois continuou descalça. Intrigada por não ter pensado nisso antes, imediatamente imitei seu gesto. Ao perceber que ela estava a ponto de me ultrapassar, corri mais rápido. Era até um pouco divertido tentar ficar à frente dela, sentindo o vento encher meus pulmões.

— Wild — gritou ela. — Vamos, Jessicaaa. Wiiild. — Enquanto corria, ela abriu os braços e berrou com uma força tão gutural que afugentou os pássaros.

— Wild — gritei, dessa vez mais alto. — Wild.

— Você é impetuosa, eu sou impetuosa — esbravejou Ivana.

— Somos todas impetuosas — gritei, fechando os olhos e inspirando profundamente. Para minha surpresa, percebi que estava mesmo começando a me divertir. Não estava me incomodando se as pessoas nos olhavam ou se meus pés estavam me matando. Era libertador correr e gritar num parque tranquilo de Londres; emocionante me comportar de forma tão escandalosa, como uma criança que ainda não aprendeu a ter noção de limite.

— Wild — berrou Ivana a plenos pulmões.

— Wild — gritei também, abrindo os braços e jogando a cabeça para trás. — Wiiiiiiild.

Continuei fazendo isso por mais cinco minutos e, ao voltar para perto de Helen, percebi que a maior parte do tempo estivera correndo e gritando sozinha; Ivana havia calçado os sapatos e fumava um cigarro ao lado de Helen.

Imediatamente voltei a me sentir burra e olhei para baixo.

— Dessa vez ser melhor — elogiou Ivana, jogando o cigarro no chão e amassando-o sob seu salto. — Mas você ter longo caminho antes de seduzir homem para casar com você.

— Acho que você se saiu muito bem — disse Helen, notando minha expressão de desânimo. — Fez jus ao nome. Foi totalmente perigosa. Com certeza.

— Certo — disse Ivana, indo em direção à entrada do parque. — Eu ter que ir agora. O seu dever de casa é repetir diante do espelho que você é Jessica Wild, que você é mulher sexy. Diga para sua amiga, também.

— Só isso? — perguntou Helen. — Nenhuma outra dica? É que temos... muito pouco tempo.

Ivana parou.

— Você pratica isso hoje. Nos vemos de novo em breve. Você me fala do contato físico.

Olhei para ela, insegura.

— Mas... mas não posso. Quer dizer, não sei como fazer isso. Vou parecer ridícula — protestei.

— Se fizer direito, vai parecer sexy — resumiu Ivana se afastando, como se o problema estivesse resolvido.

— Mas como faço direito? Você nem me mostrou — contestei, e logo me arrependi ao perceber que ela havia parado. Com um suspiro, Ivana olhou o relógio e, aos poucos, se virou.

— Eu ter hora marcada — disse ela, irritada. — Mas tudo bem. Duas coisinhas. Lamber lábios assim.

Ela colocou a língua para fora e lambeu os lábios, com languidez.

— Viu? Agora você faz.

Morrendo de vergonha, tentei imitá-la. Ivana ficou impassível e olhou para Helen com ar de espanto.

— Fazer no espelho — sugeriu ela. — É melhor ver seu rosto quando estiver fazendo. Agora o contato físico — continuou. — É melhor mostrar de perto. Venha aqui.

Eu obedeci e me aproximei.

— Agora comece a conversar — ordenou.

Sem a menor convicção do que estava fazendo, comecei a balbuciar algo sobre o tempo. Enquanto eu falava, Ivana tocou na minha mão, de leve.

— Sabe de uma coisa — sussurrou ela. — Foi muito bom conhecê-la. — Em seguida se inclinou e segurou a minha mão. Seus movimentos eram bem suaves, e de repente me dei conta de que, por trás daquela fachada agressiva, Ivana era na verdade muito delicada. E meiga. Então, apertei sua mão com carinho.

— Obrigada, Ivana. Foi muito bom conhecê-la, também.

— Para onde está olhando? — perguntou ela.

— Hmm... — eu disse, sem querer admitir que, naquele exato momento, meus olhos tinham sido atraídos para seu decote, que deixou aparecer seu seio quando ela se inclinou. Então ela se afastou, e eu me espantei. Eu não queria que ela se afastasse.

— Você deveria estar olhando para meu peito — disse ela, levantando os olhos para verificar se eu estava fazendo isso. Nem eu nem Helen conseguíamos olhar para outra coisa. — E o toque na mão. Foi bom, não foi?

Assenti sem palavras.

— Você estava representando? Aquilo fazia parte da sedução?

— Claro — respondeu ela, disparando um olhar fulminante para mim. — Ter atenção de um homem é um jogo, entende? Você chegar perto, ele fica interessado, aí você se afasta. Faz ele desejar e então fica inacessível, aí ele quer mais, entendeu? Bem, pratique isso. E também como se abaixar, para ajeitar o sapato, apanhar algo no chão, não importa; o que importa é para onde ele vai olhar, certo?

— Certo. — Eu não podia acreditar que jogos assim realmente funcionassem. Achava que amor e desejo fossem uma questão de química e de atração, quando, na verdade, ambos têm a ver com a maneira correta de se ter contato físico e um decote. Lamentei não ter trazido um caderno, pois havia muita informação para decorar.

— Obrigada, Ivana — disse Helen rapidamente.

Ivana olhou para ela e depois para mim, com uma expressão impenetrável.

— Isso não vai ser nada fácil — disse, com um suspiro, fitando meus pés, como se nunca os tivesse notado. Àquela altura, eles estavam totalmente doloridos dentro dos sapatos pretos de salto alto.

— Você precisar de sapato melhor — concluiu ela, seca.

— Sapato melhor? Mas esse é novo.

— Você não acha que Anthony merece uma namorada com sapato bonito? Ou acha que ele tem que tolerar sapato feio? É isso o que está querendo dizer?

Não sabia o que responder. Para falar a verdade, depois da noite passada eu não sabia nem se Anthony merecia uma namorada, que dirá uma com sapato bonito.

— Esse não está bom? — perguntei, indecisa.

— Não ser sexy — disse Ivana com ar de desprezo. — Salto mais fino. Cor. Seu rosto precisar de cor, também. Nada de preto, eu acho.

— Nada de preto? — Engoli em seco. Todas as minhas roupas eram pretas. Helen só havia conseguido me persuadir a comprar essa saia lápis, ridiculamente apertada, porque ela era preta, e eu me convenci de que ninguém notaria o quanto ela marcava meu corpo.

Mas Ivana não estava prestando atenção. Ela já tinha se despedido, e olhei, em silêncio, ela se afastar com passos largos, seu sapato alto fazendo barulho quando batia no chão.

— Estou ferrada, não é? — perguntei a Helen enquanto observávamos Ivana.

Ela tomou a minha mão.

— Venha. Vamos fazer umas comprinhas.

Capítulo 12

PROJETO: CASAMENTO DIA 9

Pendências:

1. Ouvir com ar de deslumbrada o que Anthony diz.
2. Usar todas as artes da sedução.
3. Ser Jessica Wiiiiiiiild.

Marcia estava na sala de Anthony quando cheguei ao trabalho segunda-feira de manhã. Eu a vi saindo tranquilamente cinco minutos depois que sentei à minha mesa.

Ela parou na minha frente e me olhou de cima a baixo. Eu estava usando um casaco de lã verde-limão que Helen tinha insistido para que eu vestisse, e que me fazia sentir como um ciclista que se previne para não ser atropelado à noite.

— Seu casaco é bem chamativo — observou ela.

— É mesmo — concordei, tentando suprimir o impulso de tirá-lo na mesma hora. Em vez disso, dei uma olhada na agenda. Não havia nenhum compromisso a manhã inteira. Reunião com Max às duas horas. — Então, como foi seu fim de semana?

Ela pareceu surpresa.

— Ótimo, obrigada. E o seu?

— Ah, muito bom. — Forcei um sorriso, tentando me sentir como Jessica Wiiild, mas a tentativa resultou num deplorável fiasco.

— É mesmo? — Marcia pareceu curiosa. — Ah, antes que eu me esqueça, uma pessoa telefonou para você. Um tal de Dr. Taylor.

— Dr. Taylor? — Senti o sangue desaparecer do meu rosto. — Quando?

— De manhã cedo. Há uma meia hora.

— E ele disse... o que queria?

Marcia me olhou com os olhos arregalados.

— É claro que não. Eu não perguntei. — E me lançou um sorriso carregado de curiosidade. — Mas ele deixou um número — acrescentou, entregando-me um pedaço de papel.

— E não disse mais nada? — indaguei, ansiosa.

— E deveria? — perguntou ela, desconfiada. — Ele me pareceu meio velho para você. Não sabia que você gostava de homens mais velhos.

— E não gosto — esclareci, quase explicando que o Dr. Taylor não era, de jeito nenhum, um admirador em potencial, mas decidi não me incomodar em prestar esclarecimentos. Eu tinha outras coisas com que me preocupar. Coisas muito mais importantes. — Bem, obrigada.

Tentando respirar normalmente, liguei o computador. Marcia tinha falado com o Dr. Taylor. Mas não havia necessidade de pânico. Era óbvio que ele não tinha dito nada, senão ela teria contado a todo mundo no escritório, e estaria rindo, agora, na minha cara. Estava tudo bem. Tudo certo.

Momentos depois, Marcia saiu de perto e foi até a cozinha, e, no mesmo instante, liguei para o Dr. Taylor.

— Bom dia, Taylor falando.

— Dr. Taylor! Oi, é Jessica Wild.

— Oi, Jessica. Obrigado por ligar de volta. Eu estava pensando em marcar uma reunião.

— Pois é. Acho que vai ser difícil. Vou estar... muito ocupada nas próximas semanas.

— Nas próximas semanas?

Embora nervosa, fui em frente.

— Na realidade, vou viajar. Para fora do país.

— Vai sair de férias?

— Sim. Mais ou menos. Trabalho e férias. Por isso vou ficar fora durante algum tempo.

— Que pena! E você não teria um tempinho hoje?

— Não. Não, eu... Viajo hoje à tarde — respondi, sentindo o rosto queimar. — Coisa de última hora. Mas vou telefonar quando voltar. Imediatamente.

— Isso é muito simpático da sua parte. E *bon voyage*.

— Obrigada. Muito obrigada, e... e nos falamos daqui a algumas semanas.

Pousei o telefone, soltei um profundo suspiro e deixei a cabeça pender para trás.

— Jess?

Tive um sobressalto ao perceber que Anthony surgia atrás de mim.

— Desculpe, não queria assustá-la — disse ele em tom formal. — É que... acho que devo um pedido de desculpas a você.

— Desculpas?

Com toda a elegância, ele apoiou os braços na minha mesa, olhando bem nos meus olhos, com uma expressão desolada.

— Era você sexta à noite, não era? Quando me dei conta do que tinha acontecido, já era tarde demais, e depois você e sua amiga correram... Por favor, me perdoe. Você se machucou?

— Não — respondi logo. — Não, de jeito nenhum. Sério, não tem problema.

— Tem problema, sim — retrucou ele, com um gesto afirmativo de cabeça, e seus olhos azuis brilharam diante dos meus.

Pude ver Marcia voltar à sua mesa, e ficar tentando ouvir o que falávamos. Nesse instante, pude sentir a inesperada satisfação de ser a pessoa com quem Anthony queria falar. — E gostaria de me redimir.

— É mesmo? — Levei a mão à testa para ajeitar uma mecha de cabelo que tinha caído.

— Eu estava pensando, talvez um almoço. Você acha que aguentaria almoçar comigo?

— Almoçar? — perguntei, surpresa. — Você quer almoçar comigo?

— Se você não estiver muito zangada. Você não está muito zangada, está?

— Não, não, acho que não.

— Ótimo. Podemos marcar por volta de uma da tarde?

Ele sorria de forma maliciosa, e eu sorri também. Minha opinião inicial era totalmente equivocada. Anthony não era grosseiro. Na verdade, era muito gentil. Estava arrependido. E ainda queria almoçar comigo.

— Hmm, tudo bem. Por volta de uma.

— Ótimo. Bem, nos veremos então.

Ele fez um breve aceno e foi para sua sala, enquanto eu mal acreditava no que acabara de ouvir. Eu ia almoçar com Anthony Milton. Só nós dois.

— Bem, parece que Anthony já falou com você, não é? — perguntou Marcia, acomodando-se na sua mesa. — Ele tinha dito que precisava falar com você. Era sobre a conta do Jarvis? Algo a ver com a campanha? Se precisar de alguma ajuda é só falar, está bem? Afinal, sei tudo sobre bolsas.

— Era mais ou menos isso que ele queria — respondi meio indecisa, procurando o celular para enviar uma mensagem a Helen. — E obrigada por se oferecer para ajudar. Qualquer coisa, eu falo com você.

* * *

Anthony me levou a um restaurante pequeno, a poucos metros do escritório, onde fomos levados a uma mesa de canto. Se eu tinha ficado inibida ao sair do escritório, estava ainda mais constrangida quando nos sentamos. A mesa era tão pequena que nossos joelhos quase se tocavam. Eu e Anthony Milton.

Assim que nos sentamos, ele pegou um cigarro.

— Você se importa? — perguntou ele, chamando a minha atenção. — Por que se for incômodo, eu deixo para depois.

— Não — respondi imediatamente. — De jeito nenhum.

— Que alívio! — Anthony acendeu dois cigarros, me entregou um e se reclinou na cadeira. — As pessoas são tão esquisitas com essa coisa de cigarro, não é? Quer dizer, em alguns meses vou acabar sendo proibido de fumar. Ninguém tem mais o direito de se divertir. Por exemplo, o filme *Pulp Fiction* teria alguma graça se os personagens não fumassem? Camus teria escrito obras tão fabulosas se não pudesse sentar nos cafés da Rive Gauche inalando nicotina?

Fiquei tão surpresa pela referência a Camus quanto pelo cigarro, que joguei fora de maneira discreta.

— Você gosta de Camus?

Ele esboçou um leve sorriso.

— Depende. Você gosta?

— Gosto. Eu considero *O estrangeiro* um dos melhores textos existencialistas.

— Bem, nesse caso terei que confessar que nunca li nada de Camus. Estava contando com a possibilidade de você também nunca ter lido. Aí eu diria que li.

Ele sorriu e perguntei:

— E *Pulp Fiction*?

— Esse eu vi. E adorei.

— Eu também — concordei, nervosa.

— Então temos algo em comum. Bem, Jessica, o que você gostaria de comer? Você não é vegetariana ou algo do tipo, é?

— Vegetariana? Não, de jeito nenhum — respondi ao pegar o cardápio, sentindo-me um pouco mais relaxada.

— Que bom. O filé aqui é maravilhoso, se você quiser experimentar.

— Parece uma ótima ideia!

Anthony chamou o garçom e fez o pedido, acrescentando uma garrafa de vinho tinto após um momento de indecisão. Então ele se virou para mim e sorriu.

— Você vai ter de me ajudar a beber — disse ele. — Ninguém quer que o espetáculo da noite de sexta-feira se repita, certo?

Sorri.

— Não. Ninguém quer isso.

Anthony fez que sim com a cabeça e um silêncio um pouco constrangedor se seguiu.

— Vou me reunir com Max mais tarde para discutirmos a conta Jarvis — comentei, animada, após um momento. — Você não imagina o quanto estou empolgada por estar cuidando dessa conta. É uma grande oportunidade.

— É mesmo. Mas isso é trabalho e estamos aqui para almoçar, portanto não vamos falar disso até voltarmos ao escritório. Certo?

— Certo. Nada de trabalho.

Houve outra pausa significativa.

— Hoje fez muito frio, não é? — mencionei, de modo involuntário.

— Frio? — perguntou ele com ar de espanto. — Nem percebi.

Fiquei sem graça. Meu Deus, eu era mesmo chata. Mas se não podia falar sobre trabalho, então o que mais haveria para falar?

Apanhei o cardápio de novo, passando os olhos pelas palavras sem, no entanto, ler nada. Então, de repente, ouvi uma voz na minha mente. *Você ter que fazer perguntas. Você ter que achar tudo que ele diz fascinante.*

Nervosa, o encarei. Isso nunca iria dar certo. Nem em um milhão de anos. Eu *não queria* que desse certo. Esse jogo fazia com que eu me sentisse como uma aeromoça dos anos 1960. Mas não tinha muitas opções. Então, pigarreei de novo.

— É... você... Você deve se sentir orgulhoso com o que conquistou na Milton Advertising. Eu adoraria ouvir como você abriu uma agência de tanto sucesso.

Anthony se mostrou admirado.

— Sério?

— Claro — respondi, ciente de que meu pedido soara falso. Muito ridículo. Anthony iria pensar que eu era esquisita, e provavelmente ia comer com pressa, e...

— Bem, nesse caso, eu adoraria contar.

— Jura? — perguntei, surpresa. — Quer dizer... Tem certeza?

Anthony me lançou um olhar desconfiado.

— Você está mesmo interessada em ouvir?

— Claro. Quer dizer, com certeza.

— Bem, então vamos lá — disse ele, acomodando-se na cadeira. — Você pediu. Começamos há cerca de dez anos. Mas isso você já sabe. O que você não deve saber é que, durante os três primeiros meses de existência, a Milton Advertising ficava no andar de cima de um restaurante cuja especialidade era *fish and chips*...

— *Fish and chips*?

— Pois é. Ficávamos com um cheiro horrível. Tínhamos de pendurar nossos ternos do lado de fora da janela antes de cada reunião com um cliente, para não aparecermos cheirando a fritura.

Eu ri ao ouvir aquele comentário. Nesse instante, o vinho chegou e Anthony continuou a história.

— Max e eu trabalhávamos para firmas concorrentes, e estávamos em busca de novos desafios. Então convencemos o maior número possível de clientes a embarcar na nossa ideia, nos instalamos na sala acima do restaurante e tentamos ganhar dinheiro suficiente para sobreviver. Sempre fizemos questão de vender a imagem de uma agência de qualidade, entende? Uma agência publicitária que levava a sério o que fazia. Promovendo os nossos clientes, mas de uma maneira verdadeira, trabalhando a essência do produto e usando os detalhes corretamente.

— Quer dizer, como gramática — sugeri.

— Gramática? — perguntou Anthony, confuso.

— Usar a gramática corretamente — expliquei com ar sério. — É que saiu um artigo na *Advertising Today*, há mais ou menos um mês, que falava do quanto os anúncios de hoje são cheios de erros de gramática. Como a colocação de apóstrofes no lugar errado, ou o uso de *duzentas gramas* quando deveria ser *duzentos gramas*, esse tipo de coisa.

— Isso mesmo! — confirmou Anthony, batendo o copo na mesa. — Isso mesmo, Jess. Gramática. Detalhes. Fazer as coisas cem por cento corretas. Cento e dez por cento. Garantir a satisfação do cliente.

— E a sua estratégia deu certo?

— Claro. Creio que a nossa carteira de clientes fala por si. Crescemos aos poucos, e não demorou muito até conseguirmos um espaço mais apropriado, bem ao lado de um bordel no Soho.

— Um bordel? — perguntei absolutamente chocada, então me lembrei do conselho de Ivana. — Quer dizer, que incrível!

— Era mesmo; até certo ponto — disse Anthony, sorrindo. — As garotas eram muito divertidas. E, para falar a verdade, isso acabou virando algo positivo. Um dos meus antigos colegas de trabalho ameaçou nos processar por aliciar clientes, e nós... descobrimos, como posso dizer... que ele frequentava o bordel. Uma vez, fiz ele saber que eu tinha conhecimento disso... bem, foi o fim do problema.

— Não acredito!

— É sério. Estou falando, bons tempos aqueles. Pura adrenalina, todos os dias. Cada contrato era tudo ou nada.

— Você fez um excelente trabalho — observei, sentindo o calor do vinho atingir o estômago. — Hoje a Milton é uma das maiores firmas de Londres.

Anthony sorriu.

— Acho que sim.

A comida chegou e, enquanto comíamos e bebíamos, Anthony falou de como a agência cresceu, de como eles conseguiram os maiores clientes e de como fizeram sucesso. Por fim, prestar atenção a cada palavra que ele falava tornou-se a coisa mais natural do mundo; e cada vez que eu exclamava, ele parecia mais descontraído. No fim, eu já nem estava mais fingindo. Estava animada e à vontade, e os olhos azuis dele brilhavam, olhando bem nos meus.

— É impressionante! — exclamei quando acabamos de comer. — Quer dizer, tanta gente pensa em abrir o próprio negócio, mas poucas pessoas levam o plano adiante.

— Bondade sua — disse ele antes de me olhar com uma expressão admirada. — Sabe, foi bem divertido conversar com você, Jess. Você é uma pessoa muito interessante. Tem muitas qualidades que não aparecem tanto no dia a dia.

— Você acha? — Sorri timidamente, pensando em confessar que não tinha dito nada que indicasse algo profundo durante todo o almoço, mas mudei de ideia.

— Tem, sim. — Ele me fitou por um momento, um pouco mais longo do que seria considerado confortável, e eu ruborizei. Então ele pediu a conta e abriu um sorriso. — Muito obrigado por ser tão compreensiva em relação à sexta-feira à noite. Agi muito mal e peço desculpas.

— Ah, não precisa — retruquei na mesma hora. — Não foi culpa sua. Eu estava andando no lugar totalmente errado.

— Você é muito gentil — disse Anthony sorrindo. — Afinal, você estava no Soho. Isso significa que você mora perto do centro, ou o Soho é apenas seu *point* favorito para uma noite de sexta?

— Meu *point* favorito? — perguntei, surpresa, e forcei um sorriso. — Para falar a verdade, é o *point* da minha amiga. Nós moramos em Islington.

— Islington! — repetiu ele, pensativo. — Tem muitos barzinhos bacanas em Islington. Eu vivo pensando em dar uma volta por aquelas bandas.

— É um lugar bacana. Bem, para quem gosta desse tipo de coisa.

— E o que seria "esse tipo de coisa"?

O rubor no meu rosto ficou visível; ele me olhava de modo sedutor, e de repente eu me senti como uma adolescente. Se ele tivesse contado uma piada ruim, eu teria me acabado de rir.

— Ah, você sabe. Quer dizer, é muito movimentado. Tem muita gente.

— Adoro muita gente — disse Anthony, sorrindo de forma maliciosa. — Você não?

— Claro. Quer dizer, sabe como é, nada de excesso...

A conta chegou e Anthony a examinou por um momento.

— Sabe de uma coisa? — perguntou ele finalmente, os olhos brilhantes como se tramasse algo.

— O quê?

— Estou me divertindo bastante. O que você me diz de tomarmos outra garrafa de vinho? Podemos ficar aqui, eu posso fumar e você pode falar tudo a respeito das pessoas de Islington.

— Mais vinho? — Meus olhos se arregalaram. — Ah, não. Não, eu não posso. Já bebi demais. Além disso, tenho uma reunião com Max às duas horas, para discutirmos o planejamento do meu projeto. Para falar a verdade, eu deveria voltar agora.

— Max pode esperar. Afinal, não se deve colocar o trabalho acima de tudo. Sucesso não depende de trabalho. É um segredo que poucos conhecem, Jessica Wild: quem trabalha demais acaba trabalhando para quem sabe se divertir.

— É mesmo?

— Você está diante de uma prova viva. Então? Mais vinho? Confie em mim, será uma decisão profissional mais acertada do que ficar na sala de Max revisando detalhes do seu projeto.

Olhei para ele, mordendo os lábios. Eu sabia que deveria ir embora. Sabia que Max estaria esperando por mim. Por outro lado, seria uma atitude tão errada deixá-lo esperando? Tudo que eu sempre fazia era trabalhar. Agora estava aqui com Anthony Milton. Estava me divertindo. E não queria que esse momento terminasse.

— Mais vinho — concordei, sentindo-me tomada pela adrenalina de me comportar mal.

— Boa escolha — disse Anthony, piscando, antes de chamar o garçom.

Capítulo 13

MAX SAIU DA SALA NO instante em que Anthony e eu voltávamos para o escritório, nos arrastando. Pelo que me lembro, eu nunca tinha me arrastado por causa de bebida antes, mas não havia dúvida: evitávamos olhar nos olhos dos outros, tínhamos uma expressão despreocupada, ficávamos dando risadinhas sem motivo algum, e eu estava adorando tudo aquilo. Percebi que tinha me tornado uma pessoa séria demais. E precisava mesmo ficar um pouco mais leve. Conhecer pessoas era divertido. Flertar era divertido. E beber durante o almoço também era divertido.

— Então, como foi o almoço? — perguntou Max, e o encarei com certo sentimento de culpa; Anthony se despediu e foi para a sala dele.

— Almoço? Foi bom — respondi, enrolando um pouco as palavras, e sorri. O cabelo de Max estava desarrumado, como sempre ficava a essa hora do dia, pois ele passava os dedos entre os fios diversas vezes enquanto se concentrava, puxando-os de um lado para o outro, até deixá-los quase todos para cima. Ele usava uma camisa listrada e um suéter azul-marinho com gola V, que destacava seus ombros largos. Pensei em mencionar esse detalhe, mas acabei desistindo. Max era muito sério.

— Ótimo — disse ele sem convicção. — Pensei que tivéssemos uma reunião às duas horas.

Assenti em silêncio, vagamente. Eu queria estender o braço e ajeitar o cabelo dele, e decidir se ficava melhor jogado para a direita ou para a esquerda. Mas, em vez disso, respondi:

— E tínhamos mesmo. Mas trabalho não é tudo, Max. Pelo menos quando se trata de muito trabalho. Pessoas bem-sucedidas... — Franzi o cenho tentando me lembrar das palavras de Anthony. — As pessoas bem-sucedidas não trabalham demais — concluí.

— Não? — perguntou Max, aborrecido. — Tem certeza?

— Claro. — Então, cambaleei até a minha mesa. Eu não estava me sentido tão bêbada no restaurante. Mesmo ao caminhar pela rua, eu estava razoavelmente bem. Cheguei a esbarrar em Anthony algumas vezes, mas pensei que tinha sido culpa dele. E, como ele pareceu achar engraçado, não me preocupei. — Você tem que aprender a se divertir, Max. Esse é o segredo.

Ele me seguiu até minha mesa e perguntou, fazendo uma careta:

— Você andou fumando? Está com um cheiro horrível.

— Fumar... Fumar é... — tentei argumentar, mas esqueci o que ia dizer. Eu não tinha exatamente fumado; Anthony me oferecera outro cigarro e eu o experimentei, só isso. Apenas dei algumas tragadas. Para falar a verdade, não entendia o motivo para se fazer tanto estardalhaço a respeito disso.

— Certo. Bem, embora eu aceite seu conselho para me divertir mais, infelizmente temos mesmo trabalho a fazer. Pode ir à minha sala daqui a cinco minutos?

Levantei a cabeça, mas não conseguia focar os olhos; então liguei o computador.

— Marcia não está aqui — comentei, ao notar a sua ausência. — E não está na mesa dela.

— Não — admitiu Max, com o olhar estranho. — Ela está em uma reunião com um cliente. Não se esqueça, cinco minutos.

— Cinco minutos não é problema — respondi, concentrando-me em cada palavra.

— Fico feliz de ouvir isso.

Assim que ele se afastou, corri até a cozinha e bebi um copo d'água. Depois fui ao banheiro. Em seguida, preparei um café, bebi mais um pouco de água, por via das dúvidas, apanhei meu caderno, e fui, meio insegura, para a sala de Max, onde me sentei à sua mesa de reunião.

— Bem — disse Max, sentando-se ao meu lado. — A situação é o seguinte: faltam menos de duas semanas para a próxima reunião com Chester Rydall, que virá aqui para ver o que já foi feito em relação às nossas propostas; o que significa que, nesse dia, teremos que apresentar a identidade visual, um conceito fechado para a campanha e os resultados da análise do público-alvo.

Fiz que sim com a cabeça, séria.

— E então? — perguntou Max, ansioso.

— Parece ótimo — eu disse, imaginando o que Anthony estaria fazendo, bem do outro lado da parede. Durante o almoço, eu tinha notado que ele tinha uma pequena ruga acima dos olhos que ficava mais profunda quando sorria. — Sabe de uma coisa? Você não sorri muito, não é, Max?

— Não sorrio? — perguntou ele, surpreso.

— Não *muito* — corrigi. — As pessoas gostam de gente que sorri. Embora você não deva mostrar muito os dentes.

— Ah, sei — disse Max, desconfiado. — Vou tentar me lembrar disso. Bem, eu andei conversando com o pessoal da criação sobre a sua ideia para a logo.

— A bolsa — interpus, feliz por conseguir me lembrar.

— Exatamente. A bolsa. E eles têm ótimas ideias. Dê uma olhada.

Ele mostrou alguns *mock-ups*, e eu fiz o possível para me concentrar neles.

— Aquele é legal — afirmei, apontando para um modelo cor-de-rosa.

— Jess, você está se sentindo bem? Você está agindo estranho.

— Estranho? — Fiz um gesto negativo de cabeça. — Não estou estranha. De qualquer maneira, você deveria ter dito de maneira estranha. Gramática é muito importante. — Acomodei-me na cadeira triunfante. Isso mostraria a ele que eu estava absoluta e perfeitamente bem. Então percebi que Max olhava para mim e disparei um sorriso rápido.

— Gramática — disse ele. — Certo. Aceite as minhas desculpas. Enfim, isso é apenas um primeiro esboço. Assim que tivermos o nosso conceito um pouco mais definido poderemos avançar mais. E aí entra a sua parte.

— Minha parte? — Nesse momento me dei conta de que eu deveria fazer perguntas. Deveria mostrar que estava muito interessada nele. Então ele ficaria lisonjeado e esqueceria tudo sobre conceitos ou sobre qualquer coisa de que estivesse falando.

— O conceito. E a pesquisa. Jess, o que há de errado com você? Essa é a sua conta. Você tem ideia do quanto isso é importante? Para a gente? E para você?

— Claro — respondi. Ele parecia aborrecido. Irritado de verdade. Talvez eu devesse fazer algumas perguntas; colocar em prática todo o charme de Jessica Wiiild. — Só estou satisfeita, porque era sobre isso que eu queria falar com você. — Sorri, tentando fazer biquinho. — A identidade visual e o conceito. A propósito, Anthony me contou como vocês dois abriram a agência. Achei maravilhoso. Você é tão talentoso. Eu adoraria ouvir a sua versão da história.

— O quê? — perguntou ele, curioso.

— Estou falando do início da agência, das dificuldades, do cheiro de peixe e batata frita, de como vocês convenceram clientes...

— Bem, você faz tudo parecer bem romântico, mas na verdade foi apenas muito trabalho.

— Muito trabalho e lábia para persuadir as prostitutas a prestarem alguns favores — acrescentei, sorrindo e tentando expressar um brilho malicioso no olhar.

— Persuadir prostitutas a fazer o quê? — indagou ele, perplexo. — Pelo que eu saiba, nunca houve nenhuma prostituta nos prestando favores.

— Não a vocês, mas ao cara que ia processá-los — esclareci, impaciente. — Anthony me contou tudo.

— Ah, contou? Bem, então ele também deve ter contado que a garota entendeu tudo errado; que descobrimos que ela se referia à outra pessoa; e que, depois, a reunião que fizemos com o homem certo foi um dos piores momentos da existência da Milton Advertising.

— Ele não disse isso.

— Claro que não, porque isso arruinaria uma boa história — disse ele, com ar de deboche. — Mas não vamos perder o foco. Creio que você ia falar sobre a pesquisa e o conceito do Projeto Bolsa.

— Eu?

— Exatamente. Então?

— Então — repeti, percebendo, irritada, que nenhuma das táticas de Ivana funcionaria com Max. — Então, suponho que estou analisando o conceito sob todos os ângulos. Sabe como é, examinando os possíveis resultados da pesquisa...

— Sob todos os ângulos — repetiu Max com ar cético.

— Isso mesmo — disse, de maneira defensiva. — O que estou querendo dizer é que estou considerando os aspectos mais amplos. Examinando as questões principais.

— E quais são elas?

Mudei de posição na cadeira de maneira estranha e tirei o casaco. Estava, outra vez, apertada para fazer xixi.

— São os componentes cruciais nessa campanha — respondi, hesitante.

— Eu esperava mais detalhes — observou Max. A frustração era nítida em seu rosto.

— Detalhes? — perguntei, cruzando as pernas. - - Que tipo de detalhes?

Ele se levantou.

— Tudo bem, eu não sei o que está acontecendo, mas sei que não estamos chegando a lugar nenhum. Que tal se eu sugerir as questões, e você diz se concorda ou não?

— Boa ideia — concordei, tentando não mostrar meu alívio e, ao mesmo tempo, me esforçando para me concentrar no que ele dizia.

— Bem — disse Max de repente com uma expressão séria. — Temos que encomendar uma pesquisa completa, feita à base de levantamento de dados secundários e, talvez, uma ou duas discussões em grupo, também. Temos que esclarecer a proporção de gastos na propaganda impressa em comparação com a propaganda na internet; definir se queremos resultados diretos ou se queremos construir a marca; decidir a identidade visual da marca; estabelecer a aceitação esperada...

À medida que Max falava, eu contava até dez, repetidas vezes, torcendo para que o tempo passasse mais rápido.

— O mais importante é fazer com que o público contrate o serviço, certo? — concluiu ele, enfim.

Concordei, hesitante, sentindo a testa coberta de suor.

Em seguida, cruzei e descruzei as pernas mais uma vez. Nesse momento, percebi que não tinha nem tocado no caderno. Então o abri e comecei a fazer anotações. Mas, por alguma estranha razão, era como se eu tivesse duas mãos escrevendo duas coisas diferentes. Ao perceber que também não conseguia escrever em linha reta, pousei a caneta.

— Exatamente. Fazer com que o público contrate o serviço.

— Temos que definir quando iremos anunciar nas revistas de moda, e analisar a melhor forma de alcançar possíveis clientes após o lançamento, para podermos gerar interesse pelo produto — continuou Max, franzindo um pouco a testa. — Mala-direta, patrocínio, esse tipo de coisa. Temos de pensar em uma estratégia para usar a imprensa especializada em paralelo, ao mesmo tempo da campanha. Também precisamos de consultores financeiros para recomendarem o fundo aos seus clientes, não acha?

Concordei distraidamente. Os músculos que controlavam a minha bexiga trabalhavam além do normal.

— Ótimo — prosseguiu Max. Eu percebi, desapontada, que ele ainda não havia terminado.

Alguns minutos depois, ele parou e me lançou um olhar inquisitivo. Concordei efusivamente, sem fazer a menor ideia do que ele tinha falado. Eu havia passado o tempo todo usando cada milímetro do cérebro me concentrando em me segurar até chegar ao banheiro.

— Tudo bem — eu disse. — Bem, se isso é tudo, acho melhor começar a pôr a mão na massa.

— Como assim? Agora?

— Não há tempo a perder. Quando foi mesmo que você disse que Chester viria para se inteirar da campanha?

— Sem ser na próxima segunda-feira, na outra. Você anotou na agenda, não anotou? Porque vai ser uma reunião muito importante.

— Então é melhor não perder tempo — eu disse, forçando um sorriso e cerrando os punhos.

Max me olhou de modo impassível.

— Tem certeza de que está tudo bem? Você está muito esquisita.

— Não estou esquisita. Só estou menos séria, é isso. Menos chata. A vida é para se viver, Max.

— A vida é para se viver. Esse é o seu novo mantra?

— É o meu novo jeito de ser.

— Acho que prefiro o jeito antigo — disse ele, de maneira categórica.

— Bem, é direito seu. Mas na verdade não tem nada a ver com você. E quanto ao Projeto Bolsa, está tudo sob controle — assegurei, sentindo o suor gotejando na nuca. Se não fosse imediatamente ao banheiro, não conseguiria mais me segurar. — Trabalhar é muito bom, mas também é importante se divertir, Max. Muito importante mesmo.

— Na minha opinião, diversão é algo superestimado — concluiu ele com ar preocupado. — Bem, se precisar de alguma coisa, me avise, está bem?

— Está bem.

— E, lembre-se, não temos muito tempo.

— Não se preocupe — prometi, começando a me afastar. — Vou providenciar tudo super-rápido.

Ele me seguiu até a porta.

— Ah, só mais uma coisinha — acrescentou. Eu estava tão perto do banheiro que já estava quase tocando a porta, mas me forcei a virar e sorrir.

— O que é?

— Quando você disse que vai providenciar tudo super-rápido, você quis dizer rapidamente, não é? — perguntou ele, com um sorriso irônico. — Gramática, lembra? É muito importante.

Capítulo 14

PROJETO: CASAMENTO DIA 10

Pendências:

1. Tomar remédio para dor de cabeça. Água. Mais remédio para dor de cabeça.
2. Nunca mais ser chata. Diversão é o seu novo sobrenome...
3. Lembre-se, as pessoas bem-sucedidas não trabalham muito. Ou algo do gênero...

Quando acordei no dia seguinte com uma dor de cabeça terrível, parecia que alienígenas tinham se instalado na minha cabeça durante a noite, extraído o meu cérebro e substituído por uma máquina de ferro pesada, com garras que pressionavam meu crânio. Estava bêbada demais para conseguir comer quando cheguei em casa, e agora sentia um buraco no estômago; uma olhada rápida no espelho revelou um rosto pálido, dando a impressão de que eu estivera escondida por vários meses. Mal me lembrava do dia anterior. Lembrava-me de ter almoçado com Anthony, de ter feito perguntas e de perceber seus olhos brilharem. Lembrava-me de ter sentido leves pontadas de excitação percorrerem meu corpo, sempre que ele me fitava com ar malicioso. Mas, depois disso, a minha memória praticamente se apagou. Tinha vagas lembranças de uma reunião com Max — embora não me recorde do assunto nem o que discutimos. A lembrança meio indefinida de chegar em casa, dos gritinhos de alegria de Helen quando eu falei do almoço, de me arrastar até a cama... e só.

— Você não vai — declarou Helen com firmeza. — Está com uma aparência horrível.

— Tenho que ir — resmunguei. Eu queria ir. Queria ver Anthony, queria que ele sorrisse para mim de novo.

— Mas você está doente.

— Ressaca não é doença.

— Até o seu cabelo parece cansado.

— E está cansado. — Suspirei. — Mas você pode fazer uma pequena mágica, não é?

— Você quer dizer um milagre? Olha, não vá. Telefone e diga que está doente.

— Eu tenho que ir. Eu quero.

Mantivemos essa conversa evasiva por uns quarenta minutos, durante os quais consegui tomar banho, beber duas xícaras de café, comer cereal com leite — o que pareceu ter aliviado minha dor de estômago —, tomar um pouco mais do que a dose recomendada de paracetamol e me maquiar. Na verdade, Helen me maquiou, pois as minhas mãos não paravam de tremer.

— Contei do almoço com Anthony? — perguntei enquanto ela passava corretivo sob meus olhos.

— Várias vezes.

— Cheguei a falar que ele disse que eu tinha muitas qualidades que não aparecem tanto no dia a dia?

— Acho que você mencionou, sim. — Helen sorriu. — Embora você não estivesse falando com muita coerência. Nunca vi você tão bêbada. Aliás, nunca vi você bêbada.

— E também fumei — declarei com orgulho.

— Você disse que deu duas tragadas e teve que se livrar daquilo.

Dei de ombros.

— Dá no mesmo. A questão é experimentar. Anthony disse que se você não experimentar coisas diferentes, não chega a lugar nenhum.

— Interessante. Eu nunca teria pensado nisso.

Dei uma risada e acabei gemendo por causa da dor de cabeça.

— Bebemos duas garrafas de vinho.

— Pronto. Acabei. Escuta, tem certeza de que tem que ir?

— Tenho — confirmei, convicta, acenando com a cabeça.

— Tudo bem. Pelo menos sua aparência está um pouco melhor agora.

Consegui dar um sorriso e saí, balançando o cabelo. Na mesma hora me arrependi do gesto, pois minha cabeça começou a latejar. Uma hora depois, após pegar o trem errado duas vezes, finalmente cheguei ao trabalho.

Assim que me sentei, Max se aproximou, e eu olhei para ele sem o menor entusiasmo.

— Tive outra ideia — disse ele logo, abrindo mão de sutilezas, como cumprimentar com um *Bom dia,* ao qual eu teria respondido: *Não, não é um bom dia.* Então percebi que esse comportamento era típico de Max: sério demais o tempo todo.

— É mesmo? — perguntei, enquanto ligava o computador.

— Sobre a pesquisa. Temos que saber a percentagem de mulheres que ganham acima de 50 mil libras por ano. O Jarvis já deve ter alguns dados, mas também seria bom saber quem ganha ainda mais; mulheres que ganham mais de 500 mil. Isso pode estabelecer uma relação positiva com as clientes, como: "essas são as mulheres que todas querem ser", esse tipo de coisa.

— Claro — falei, procurando mais analgésicos na bolsa. — Acho ótimo.

— Você se importa de fazer isso?

Olhei para ele, irritada.

— Não. Não me importo — respondi, de maneira curta e grossa. Eu precisava de café. Muito café.

— Certo. Então vou deixá-la encarregada dessa parte.

Max se afastou e suspirei, deixando a cabeça cair entre as mãos. Analisei o que ele havia dito. O que é mesmo que ele iria deixar para mim? Mulheres que ganham mais de 50 mil? O que ele esperava que eu descobrisse a respeito delas?

Aos poucos, me virei para encarar o computador.

— Tudo bem? — perguntou Marcia ao surgir diante da sua mesa, com um sorriso meigo.

— Tudo bem — respondi, sem levantar os olhos. — Tudo muito bem.

— Eu soube que você almoçou com Anthony.

— Pois é — disse, sorrindo. — Almocei.

— Ao que parece, ele gostou.

— É mesmo? — indaguei empolgada, e logo me contive. — Quer dizer, que bom.

— Ah, é?

Marcia me olhava com curiosidade, e fiquei tensa.

— Algum problema?

— Não! De jeito nenhum.

Ela observava meu rosto, e eu me senti ainda mais nervosa.

— O que foi? — perguntei.

Ela me dirigiu um olhar inocente.

— Nada. Quer dizer, se você arranja tempo para almoçar e beber com Anthony e ainda administrar uma conta importante, fico feliz por você. Se o Projeto Bolsa está sob controle, então tudo bem.

— Está. O Projeto Bolsa está completamente sob controle.

— Então ótimo.

Fazendo o possível para não me irritar, apanhei meu caderno e virei as páginas para procurar as anotações da reunião com

Max. Por que, de repente, todo mundo estava tão obcecado por trabalho? Será que eles não sabiam que havia outras coisas na vida? Passei os olhos pelo caderno, enquanto virava as páginas, e logo me assustei.

Pulp Fiction, descobri, escrito com a caligrafia desleixada. *Só trabalho e nenhuma diversão faz de Max um bobão.*

Um pouco mais abaixo, eu tinha desenhado uma bolsa.

E só.

Essas eram as minhas anotações da reunião.

Certo, talvez eu não estivesse tão concentrada.

Então fui até a sala de Max e, hesitante, abri a porta.

— Sim? — perguntou ele de forma direta.

— Oi, Max. Eu estava pensando. Sabe a reunião de ontem?

Ele fez um gesto afirmativo de cabeça.

— Você compilou a pesquisa? Não se esqueça de que estamos trabalhando contra o tempo, Jess.

— Eu sei. Bem... Eu só estava pensando...

— Pensando em quê? — perguntou Max com ar sério. — Você não vai pedir que eu passe a sorrir mais, não é? Ou dizer que algumas pessoas valorizam o trabalho de forma exagerada?

— Não — respondi na mesma hora. — Eu só queria informá-lo de que está tudo sob controle.

— Ótimo — disse ele, voltando ao trabalho. — Fico feliz em ouvir isso.

Saí da sala, ainda insegura. A sala de Anthony ficava ao lado da de Max. Eu poderia perguntar a ele. Ele não era sisudo como Max. E, afinal de contas, era a agência dele. Ele saberia o que estava acontecendo. Então, hesitante, bati à porta.

— Pode entrar.

Assim que abri, me senti melhor ao ver Anthony sorrindo para mim. Retribuí o sorriso.

— Jess! Jessica Wild. Como está hoje?

— Bem, estou bem — respondi, contente.

— Que bom. Max veio aqui mais cedo. Estava preocupado com você.

— Preocupado? Comigo?

— Ah, nada sério. Ele achou você um pouco... estranha ontem. Óbvio que falei que ele estava imaginando coisas. Disse que nosso almoço tinha sido absolutamente sóbrio, sem bebidas.

— Jura?

— Claro. — Ele piscou. — Para o meu bem e para o seu. O que Max não entende é que é possível beber durante o expediente, voltar e executar as tarefas com perfeição. Aliás, fiz uma ótima compra de uma impressora ontem à tarde, o que comprova a minha tese. E tenho certeza de que a reunião com Max foi muito menos chata do que poderia ter sido.

— Ah, sim — concordei sem convicção.

— Em que posso ajudá-la?

— Hmm, bem... — Talvez aquele não fosse o melhor momento para perguntar o que eu deveria estar fazendo em relação à conta da Jarvis Private Banking. Então tentei pensar em alguma outra razão para ter ido até sua sala. — É que... você disse que gostaria de ir a Islington. Portanto, eu só queria dizer que se você realmente quiser, a qualquer hora, eu ficaria feliz em... servir de guia.

Então, sorri, como se tivesse cumprido a minha missão, e me virei para sair.

— Que tal sábado?

Então parei e, lentamente, me virei para ele.

— Sábado?

— Estou livre sábado à noite.

— Está? — perguntei, perplexa. — Quer dizer... está? — repeti, abafando o tom de surpresa.

— E você?

Senti um nó na garganta.

— Hmm, acho que sim — respondi, fingindo verificar mentalmente minha agenda inexistente. Eu não estava preparada para isso. Não sabia como reagir.

— Então está marcado. Pego você às oito horas.

— Marcado.

— Jess?

Parei, sentindo uma ponta de alívio. Claro. Ele devia estar apenas brincando.

— Você vai ter que me passar o seu endereço por e-mail.

Olhei para ele, desconfiada.

— Para que eu possa buscá-la.

— Para me buscar em casa — eu disse, atônita. — Está bem. Já vou mandar o e-mail.

— Certo.

Ao passar pela sala de Max, vi que a porta estava aberta e, sem querer, acabei chamando sua atenção.

— Tudo bem, Jess? — perguntou ele.

— Tudo bem? — repeti, o rosto sem demonstrar nenhuma expressão. — Claro. As coisas não poderiam estar melhores.

Capítulo 15

— NÃO POSSO ACREDITAR QUE você chamou Anthony para sair! Simplesmente não acredito!

Olhei para Helen, preocupada. Eu também não conseguia acreditar. Aliás, não conseguia acreditar que ele tivesse aceitado. Nos últimos dias, eu vinha oscilando entre a feliz perplexidade de que iria sair com Anthony Milton e o medo e desespero absolutos de que tudo não passasse de uma brincadeira, de que tudo acabaria dando errado, de tê-lo induzido a fazer isso, e ele já estar receoso. Mesmo agora, sábado à noite, diante de uma enorme pilha de roupa sobre a cama, e depois de ter me trocado quinze vezes, eu ainda não conseguia acreditar.

— Eu não planejei nada. Apenas... aconteceu. Ah, meu Deus, ele deve achar que eu estou desesperada, não é?

— Desesperada? Não! De jeito nenhum. Ele deve achar que você é confiante, uma mulher que sabe o que quer. Só não consigo imaginar você, de todas as pessoas, chamando Anthony para sair. Ivana é mesmo genial.

— Não foi bem assim... Quer dizer, foi ele quem disse: "que tal sábado?" Eu só falei que poderia levá-lo para conhecer Islington um dia desses.

— É isso que estou querendo dizer. Você montou o ataque de maneira perfeita, e ainda por cima abriu espaço para que ele marcasse o gol. Isso requer um verdadeiro talento.

Então, me permiti sorrir. Nos últimos tempos, Helen tinha passado a assistir a futebol pela televisão por causa de um programa esportivo de perguntas e respostas, do qual ela estava pensando em participar.

— Então, como estou?

— Não sei... Acho que é a saia — ponderou Helen. — Não é justa o suficiente.

— Está bem apertada. Não consigo nem andar direito.

— O objetivo de uma saia não é conseguir andar. O importante é como se fica quando você é vista de costas.

— Talvez uma saia mais comprida — sugeri, ansiosa, virando de costas para o espelho. Não me sentia confortável com uma roupa tão reveladora.

— Não, precisamos mostrar suas pernas.

— Minhas pernas? Não, não, elas ficam melhor escondidas.

— Nada disso. Qual é, Jess. Lembre-se: Jessica Wiiiiild.

Ela correu até seu quarto e trouxe uma saia vermelha godê, com botões pretos. Era curta — demais, na minha opinião —, mas pelo menos eu conseguiria sentar. Eu a vesti e então olhamos no espelho.

— Acho que ficou bom — eu disse, ainda em dúvida.

— Ficou ótimo! Quem diria!

Rapidamente, ela pegou um batom vermelho e passou nos meus lábios. Então se afastou, para verificar o resultado.

— Agora sim você está pronta — disse, orgulhosa.

— Tem certeza?

— Ponha o sapato.

Calcei o sapato alto, preto, de bico fino.

— Agora vire-se.

Obedeci.

— Dê um sorriso.

Fiz uma careta.

— Não sou nenhuma modelo idiota de estande de carro — resmunguei, sem convicção.

— Sorria para mim — exigiu ela, e eu obedeci. Então Helen ergueu um espelho e fiquei de queixo caído. Meus olhos maquiados estavam absolutamente sedutores, minha roupa tinha um decote marcante e minha cintura parecia bem fina. — Então, o que você tem que fazer?

Franzi a testa para me lembrar.

— Fazer muitas perguntas e rir das piadas dele.

— E o que não pode fazer?

— Falar de mim, discordar dele e ir embora cedo.

Helen abriu um sorriso.

— Meu Deus, acho que você está pronta — disse ela, fingindo limpar uma lágrima. — Não posso acreditar que a minha menina cresceu.

Nesse instante, a campainha tocou e nós duas ficamos paralisadas por um momento. Helen pegou meu casaco.

— Vai dar tudo certo. Apenas sorria e arrase. E não se esqueça de que ele deve se despedir com um beijo.

— Você acha que ele vai me beijar? — O pensamento foi, ao mesmo tempo, divertido e horripilante.

— Bem, espero que sim — ponderou ela. — Quer dizer, esse é o objetivo de um encontro, não é?

— Mas eu... É que... Eu...

— Vai dar tudo certo. É como andar de bicicleta — disse Helen com desdém.

— Nunca aprendi a andar de bicicleta — consegui dizer, mas ela já não estava prestando atenção.

— Lembre-se: você é maravilhosa. Você é Jessica Wild.

Ela fez uma pequena imitação de Ivana ao dizer o meu nome, e eu me esforcei para sorrir.

— Jessica Wild — repeti, tensa. — Só espero que você saiba o que está fazendo.

Quando desci, Anthony estava apoiado na parede.

— Então, Jessica Wild. Aonde você vai me levar? — perguntou ele, sorrindo.

— Bem, Islington — respondi. Eu me sentia nervosa, idiota. A autoconfiança que havia construído durante os anos tinha como base o princípio de que eu era uma pessoa inteligente e séria; um ser independente que sabia o que queria da vida. Saindo com uma saia godê em um encontro me fazia sentir um peixe fora d'água, como se a qualquer momento fosse ser desmascarada e ridicularizada.

Anthony, entretanto, não parecia inclinado a zombar de mim. Seu sorriso era de malícia, não de zombaria, e senti meus ombros relaxarem.

Ele riu com a minha resposta.

— Isso eu já imaginava — disse, estendendo o braço. — O que quero saber é se vamos a algum lugar específico ou se vamos apenas ficar parados em uma esquina qualquer?

Olhei para ele e senti meu rosto corar.

— Ah, sim. Bem, tem um barzinho interessante na Upper Street. Podemos ir lá. Se você quiser.

— Interessante?

Fiquei com o rosto ainda mais vermelho. Eu não fazia a menor ideia de como era o bar. Helen tinha me dado uma lista de lugares, em cuja maioria eu nunca tinha ido. E nunca quis ir.

— Deve ser muito bom. Minha amiga me recomendou. Mas podemos ir a outro lugar, se você preferir...

— Não! Vamos testar a opinião da sua amiga — disse ele, ainda com o braço estendido. Achei que ele queria que eu o segurasse, portanto, assim o fiz, e um frisson atravessou meu corpo.

Segundos depois, descíamos a rua. Eu e Anthony Milton, como se fosse a coisa mais natural do mundo. — A propósito, adorei sua saia. Nada como um pouco de vermelho, não é? Remete a uma tourada.

— É mesmo? Você gostou? É... obrigada. Quer dizer...

Eu não sabia o que dizer. Era tão difícil me lembrar de ser a nova Jessica Wild, a garota que sabia como receber um elogio.

— Achei maravilhosa — confirmou Anthony.

— É da minha amiga — esclareci, e logo tive vontade de me dar um soco na cara pelo comentário estúpido.

— Pelo visto temos uma dívida de gratidão com sua amiga por esse encontro — disse ele, com uma piscadela. — E onde fica o barzinho? Você é quem vai me guiar.

A dívida de gratidão foi esquecida no momento em que entramos. O lugar estava lotado, a música era alta demais e não havia onde sentar. Também não dava para ficar de pé, porque as pessoas empurravam, como se você estivesse obstruindo o caminho. Depois de levar vários empurrões por vinte minutos, deixamos nossas bebidas para lá e fomos embora. Helen tinha sugerido um restaurante chamado Figos, que era considerado moderninho; o típico "lugar para ver e ser visto", mas, ao olharmos pela janela, vimos que também estava lotado. Além disso, havia um porteiro na entrada, que analisava as pessoas de cima a baixo, como um leão de chácara.

— Essa também é uma das sugestões da sua amiga? — perguntou Anthony, afastando o olhar da janela com ar de espanto.

— É. Acontece que ela é mais... bem, ela costuma sair mais do que eu — expliquei.

— Você não sai com muita frequência?

— Eu... Nem sempre tenho tempo — respondi sem convicção. — Quer dizer, tenho muita coisa para fazer no trabalho e...

— Muito trabalho e nenhuma diversão deixa qualquer um bobão — lembrou Anthony, sorrindo. — Digo isso a Max o tempo todo, mas ele não me ouve, e veja só o resultado. Ele não saberia se divertir nem se você o levasse a um clube de stripper e empurrasse várias notas de 50 libras na mão dele!

Olhei para ele, surpresa.

— Um... clube de stripper?

Ele piscou.

— É apenas uma força de expressão, só isso — logo corrigiu-se. — Odeio esses lugares. Mas você entendeu o que eu quis dizer sobre Max? O cara é um total workaholic. E se a pessoa trabalha em uma indústria de criação, como a nossa, além de trabalhar, precisa curtir a vida. Ela precisa de estímulos externos para obter inspiração. Precisa ver pessoas se divertirem para saber o que elas estão buscando, para aprender como vender produtos a essas pessoas.

— Então para você sair é uma espécie de pesquisa? — perguntei, séria.

Ele riu.

— Exatamente. Pesquisa. Aliás, eu deveria colocar na conta da firma esse nosso encontro!

Eu não sabia se ele falava sério ou não, por isso não disse nada. Ele, entretanto, olhou ao redor, com ar pensativo, e perguntou:

— Que tal... se formos a um lugarzinho aqui perto, que eu conheço? Pelo que eu saiba não há nenhum DJ, mas a comida é excelente e a carta de vinho, extensa.

Concordei, sentindo-me aliviada, mas logo percebi algo estranho.

— Pensei que você não conhecesse Islington.

— E não conheço. Quer dizer, não muito. Mas vim aqui uma vez, com uma garota... uma amiga. — Ele se corrigiu imediatamente. — Tenho quase certeza de que o restaurante fica por aqui.

— Você tinha uma namorada em Islington?

Anthony deu de ombros.

— Não era bem uma namorada. Nada sério. E foi há muito tempo.

É claro que ele havia tido uma namorada em Islington. Ele provavelmente tivera uma namorada em cada bairro de Londres. Não demorei a me lembrar da garota que estava com ele, no carro; a de óculos escuros, mas me esforcei para evitar pensar nela. Não valia a pena ficar remoendo isso; o que importava é que, naquele momento, ele estava comigo.

— Por que não era sério? — As palavras saíram antes que pudesse me conter.

— Por quê? Só Deus sabe. Acho que ela não era o meu tipo.

Fiz que sim com a cabeça, e houve um breve silêncio. *Fazer perguntas*, lembrei. *Fazer mais perguntas.*

— E qual é o seu tipo?

— O meu tipo? — Anthony sorriu. — Boa pergunta. Sabe de uma coisa, acho que não sei. Quer dizer, não sei se poderia expressar em palavras. E às vezes as pessoas surpreendem a gente. Você não imagina que elas são o seu tipo, até que algo acontece e você muda de opinião.

— Muda de opinião?

— Isso mesmo. — O braço dele estava sobre o meu ombro, e senti o calor daquele contato. Por mais que eu visse com desdém o comportamento de algumas mulheres que depositavam em um homem a razão de sua felicidade, consegui entender claramente a força desse magnetismo. — Espero que você esteja com fome, porque acabamos de chegar.

Ele abriu a porta do restaurante e nós entramos. O lugar era bem pequeno, tinha apenas umas dez mesas, quase encostadas umas nas outras, e os garçons deslizavam entre elas. E parecia haver mais funcionários do que clientes.

Imediatamente, um homem baixinho veio na nossa direção.

— Não temos reserva — declarou Anthony, desarmando o homem com um sorriso. — Mas eu estava justamente dizendo a Jess o quanto seu restaurante é maravilhoso. Estive aqui há mais ou menos um ano. Se fosse possível arranjar uma mesa, isso salvaria a nossa noite.

O homem sorriu e se virou para examinar o local.

— Não será fácil — respondeu ele com um sotaque italiano. — Mas vamos ver o que podemos fazer, está bem?

— Não falei? É o melhor restaurante de Londres — disse Anthony em voz alta, de propósito, piscando para mim. Segundos depois, uma mesa foi trazida e acomodada ao lado da janela.

— Por favor — disse o maître, puxando a minha cadeira.

Então eu me sentei e me lembrei do conselho de Ivana. *Demonstre gratidão; valorize o que ele faz. Faça-o sentir-se o máximo.*

— Nossa! Isso foi incrível!

Anthony sorriu.

— Pode-se conseguir muita coisa elogiando as pessoas — disse ele, com sabedoria. — Nunca se esqueça disso.

— Não vou esquecer — falei, com um leve sorriso. — Jamais.

Os cardápios foram trazidos e, enquanto eu tentava decidir o que pedir, meus olhos vagaram pelo restaurante. Era o tipo de lugar onde você mal toma um gole do seu vinho e o garçom enche a taça novamente; onde o cliente é tratado por "senhor" e "senhora" e elogiam sua escolha quando você pede um vinho só porque gostou do nome.

Quando fizemos os pedidos, Anthony disse:

— Fale sobre Jessica Wild. A verdadeira, não aquela que se comporta como a Velha Jessica no trabalho, toda quietinha e reservada.

— A Velha Jessica? — perguntei, confusa.

— É, a Jessica que eu conhecia. — explicou ele. — Você parece sempre tão séria, tão preocupada. Mas agora estou começando a conhecer uma outra Jessica, e estou adorando.

— Que outra Jessica?

— Essa Nova Jessica. — Ele sorriu. — A Jessica que faz apresentações excepcionais, que bebe uma garrafa inteira de vinho no almoço, que finge não ser uma baladeira de primeira, mas conhece os bares mais moderninhos de Islington. Fale mais sobre ela.

— Ah, bem, não sei... — balbuciei, constrangida. Eu precisava mudar de assunto, pois aquele era um barril de pólvora. *Não fale sobre você. Não discorde dele.* — Bem, não há muito o que dizer. Mas você... você deve ter muitas histórias para contar. Para começo de conversa, sobre todas essas namoradas.

Ele riu.

— Você não está interessada em saber das minhas namoradas.

Na verdade, não, pensei.

— Claro que estou — retruquei. — Estou, sim.

— Tem certeza? — perguntou ele, incrédulo. Então resolveu falar. — Muito bem, vou contar — disse ele, com os olhos brilhando. — Mas isso só reforça a minha opinião a seu respeito, Nova Jessica. Você é diferente de qualquer mulher com quem já tive o prazer de jantar. Bem, devo começar do começo até chegar os dias de hoje, ou pelo caso mais recente e retroceder?

— Como você quiser — respondi, sorrindo, mas "sem mostrar os dentes". — Para mim tanto faz.

Ele passou todo o jantar falando de suas aventuras amorosas. Parei de contar quando cheguei na quadragésima segunda, mas devo ter deixado de contar uma ou duas.

— E você nunca quis ficar com nenhuma delas? — perguntei, começando a ficar interessada. — Nem mesmo para ver como seria?

Anthony negou.

— Eu ficava enquanto achava que o relacionamento valia a pena. Mas para que assumir compromisso? Você faria isso, Jess?

— Assumir compromisso? Eu... não, quer dizer, eu... — Comecei a ficar nervosa. Eu sempre tive a certeza de que nunca assumiria compromisso; sempre estive decidida a nunca me casar.

Ele me olhou com atenção e pegou minha mão.

— Você aceitaria assumir um compromisso com alguém mesmo sabendo que esse alguém não era perfeito? Ou esperaria pela pessoa certa?

Engoli em seco.

— Acho que eu esperaria — respondi, com um aperto no peito. Nossa! Ele era lindo. Não que eu fosse me derreter por um rosto bonito. Eu era forte o bastante para esse tipo de coisa. Ia apenas tentar seduzi-lo, como tinha prometido que faria.

Então ele sorriu e soltou minha mão.

— Exatamente. As pessoas podem me olhar e dizer que sou mulherengo. Mas não sou. Sou um romântico incurável, isso sim. Tudo que quero é a mulher certa.

— É mesmo...? — perguntei, curiosa. — Você não quer pegar todo mundo?

A conta chegou e na mesma hora ele pegou um cartão e fez um sinal para que eu nem apanhasse minha bolsa.

— De jeito nenhum — respondeu ele, olhando bem nos meus olhos. — Eu só quero o que todo mundo quer. Alguém especial para amar. Você acha isso bobagem?

— Não sei. Hmm... não, claro que não — respondi, indecisa, e pensei: *Claro que sim. Bobagem total.* Pelo menos era o que eu achava... Opa! Espere um momento. Claro que era bobagem. Eu estava começando a me empolgar demais. A ideia de que havia um alguém especial, em algum lugar, à sua espera, era totalmente irracional. Algumas pessoas insistiam em construir suas vidas com base nessas teorias, depois não entendiam porque se decepcionavam.

— Eu também — disse ele sorrindo. — Embora eu saiba que um terapeuta diria que sou um caso perdido, e que estou tentando substituir o amor da minha mãe.

— Como assim?

— Ela faleceu.

— Ah, meu Deus, sinto muito. Eu não sabia.

Anthony deu de ombros.

— Por que deveria saber? Não é nada de mais. Meus pais morreram há muito tempo. Para falar a verdade, não éramos muito próximos.

— Por quê?

— Eles eram ambiciosos. Achavam que eu deveria crescer mais, sob o ponto de vista profissional.

— Mais? — perguntei, perplexa. — Mas você é tão bem-sucedido...

— Gentileza sua — disse Anthony, pensativo. — Mas infelizmente eles não chegaram a presenciar o crescimento da Milton Advertising. Eles... morreram muito antes disso.

De repente, senti uma afinidade com ele; como se em algum nível, eu pudesse entendê-lo.

— Meus pais também morreram. Pelo menos minha mãe morreu. Quando eu era pequena. Eu... Nunca soube quem era o meu pai.

— Sério? — perguntou ele, com ar de compaixão. — Coitadinha!

Senti um nó na garganta.

— Não sou coitadinha — retruquei na mesma hora. — Tive uma avó que me criou. Na verdade foi bom. Tive muita sorte.

— Como ela morreu? Sua mãe, digo.

— Acidente de trânsito — respondi com calma. — Ao que tudo indica, um caminhão bateu no carro em que ela estava, na rodovia. Minha avó costumava dizer que ela não tinha a menor chance de sobreviver.

Anthony ficou com uma expressão séria.

— Sinto muito, Jess. Que coisa terrível.

— É.

— E quanto a relacionamentos? Você encontrou a pessoa certa, Nova Jessica?

Fiquei meio constrangida, sem saber o que dizer. O foco da conversa estava voltado demais para mim, para o meu gosto. Eu tinha que mudar de assunto, e sem delongas.

— Não — respondi, em busca de outro assunto.

— Você quer dizer que seu namorado não é o cara certo?

Levei um susto.

— Namorado?

Anthony me lançou um sorriso tranquilizador.

— Max me contou. Tudo bem, não estou querendo julgá-la. Aliás, até gosto do fato de você ter um namorado e estar jantando comigo. Acho que faz parte da aura de mistério que envolve a Nova Jessica.

— Max disse que eu tinha namorado? — perguntei, indignada.

— E não tem?

— Não! Por que ele diria isso? Por que ele... — De repente, me lembrei do funeral. O namorado que eu tinha inventado. Por que será que eu vivia inventando namorados? — O que eu quero dizer — acrescentei depressa — é que não tenho mais.

— Não?

— Não. Nós terminamos.

— Que pena!

— Tudo bem. Foi apenas... sabe como é... coisas que acontecem.

— Então você está livre, leve e solta?

Sorri, meio sem jeito.

— Totalmente.

— Bem, isso torna as coisas ainda melhores — disse Anthony, esboçando um sorriso. — Quando sairmos daqui, você quer ir para casa? — perguntou ele em tom de expectativa. — Ou para algum outro lugar?

Sorri, nervosa.

— Hmm... para casa — respondi, como se estivesse participando de um game show: *Topa ou não topa? O vencedor leva tudo.*

— Tudo bem. O que me diz de pegarmos um táxi? Seus sapatos são muito bonitos, então suponho que não devam ser nada confortáveis.

— Você acha? Mas não precisa se preocupar, quer dizer, dá para caminhar — eu disse, embora eles estivessem me matando. — Pode pegar um táxi, eu vou andando.

— De jeito nenhum. Vamos juntos. Eu deixo você em casa.

— Mas é completamente fora do seu caminho — protestei sem convicção. — Vai ficar muito caro.

— Ainda bem que tenho meu próprio negócio, não é? — disse ele, os olhos brilhando. Então, se levantou, agradeceu o maître pela refeição deliciosa, me conduziu para fora do restaurante e fez sinal para um táxi. — Sabe de uma coisa? Adorei esse encontro — falou, apoiando-se no estofado de couro do carro, alguns segundos depois. — Espero que você também tenha gostado.

— Com certeza. — Ao olhar discretamente para ele, percebi que estava me olhando. Nossa! Como ele era lindo. Senti um arrepio de expectativa. Mas expectativa de quê? Eu estava mesmo achando que ele iria me beijar?

— Estou muito contente — murmurou.

Então me acomodei no banco, sentindo cada músculo e ligamento em estado de alerta. É claro que eu esperava que ele me beijasse, disse a mim mesma, fazendo o possível para encarar a situação de maneira racional. Queria que ele me beijasse porque esse era o plano. Era o objetivo do encontro, a etapa seguinte do Projeto Casamento. E o fato de experimentar uma ansiedade estranha, uma sensação esquisita de profundo desejo, significava que eu estava representando o papel direitinho; ou seja, estava levando o projeto realmente a sério.

Por fim, sorri meio indecisa. Anthony retribuiu o sorriso, porém se virou para olhar pela janela, deixando-me decepcionada. Mas, de repente, descobri o que deveria fazer: respirei fundo, torcendo para que Ivana estivesse certa, e rocei minha mão na dele, de leve.

— Sabe de uma coisa — sussurrei, tentando não pensar muito no que estava fazendo. — Adorei sair... com você. — Ainda sem conseguir respirar direito, peguei a mão dele e imitei, o tanto quanto pude, o toque sutil que Ivana demonstrara no Regent's Park. Então olhei para ele, ansiosa, e vi que ele encarava, de maneira fixa, meus seios. Meu Deus! Estava dando certo.

— O prazer — disse ele, com a voz baixa e rouca — foi todo meu, Nova Jessica.

Lentamente, seu outro braço, que estava sobre o banco, tocou o meu ombro. Em seguida, ele me envolveu e me puxou para junto dele. Antes que eu percebesse, os lábios dele estavam colados nos meus, e ele me abraçou com mais força, e só então me lembrei de respirar.

De repente, o carro parou e, para meu desânimo, Anthony se afastou.

— Chegamos — sussurrou ele. — Posso subir?

— Subir?

— É — confirmou ele, antes de me beijar mais uma vez. — Não quero ir embora.

— Não... não quer? — perguntei, surpresa.

— Não, não quero.

Foi uma má ideia. Eu sabia que seria uma má ideia. Eu não era esse tipo de garota. De jeito nenhum. Ia dizer "não". Era a única resposta sensata.

Só que não estava me sentindo sensata. Aliás, nunca havia me sentido tão insensata em toda minha vida.

— Você quer tomar um café?

— Café. Tudo bem... — concordou ele com um sorriso e, em um movimento único e contínuo, pagou o táxi, saiu do carro e fez sinal para que o motorista não se incomodasse com o troco.

Não tomamos café nenhum. Para falar a verdade, nem chegamos perto da cozinha. Fomos direto para o meu quarto. E minhas roupas também não ficaram muito tempo no meu corpo. Nem as dele. Era como se, de repente, eu realmente fosse Jessica Wild — não só no nome, mas na essência. Anthony Milton me beijava, e eu o beijava, como se fosse a coisa mais normal do mundo. Ser autossuficiente era muito bom, mas ser desejada assim era, de fato, inebriante.

— Uau! — exclamou ele uma hora depois, ao se recostar na cabeceira da cama e pegar um cigarro. Ele me ofereceu um, mas recusei. Então acendeu o dele e suspirou, ao exalar a fumaça. — Foi demais.

— Demais? — repeti, ansiosa. Afinal, ele quis dizer *bom demais* ou *ruim demais?*

— Com certeza. E pensar que você ia se despedir de mim.

— Quer dizer que você... gostou? — perguntei, indecisa.

Anthony riu.

— Você é muito divertida, Nova Jessica. É claro que gostei. Sabe de uma coisa, acho que você é uma das pessoas mais imprevisíveis que já conheci.

— E isso é bom?

Eu gostaria de não me sentir tão insegura. De não me sentir tão vulnerável, de repente. Eu nunca tinha transado daquele jeito na vida. Havia sido simplesmente incrível, como os filmes ou os livros sempre retratavam: um momento intenso e emocionante, em vez de algo um pouco decepcionante. Mas agora tudo que eu ouvia era a voz da minha avó ecoando na minha cabeça: *ninguém ama uma vagabunda,* dizia ela sempre que eu falava que uma garota da escola tinha namorado; ou sempre que eu insinuava que talvez saísse com alguém. "Se você não acredita, basta se lembrar do que aconteceu à sua mãe: acabou sendo abandonada grávida. Não é de admirar que ela não tenha aguentado. Provavelmente jogou o carro contra aquele caminhão de propósito." Eu odiava quando ela dizia aquilo, sugerindo que minha mãe havia me deixado de propósito. Mas a mensagem ficou gravada na minha memória: as vagabundas tinham um fim triste.

— Muito bom. — Então, ele se debruçou sobre o meu corpo e me beijou, antes de acender outro cigarro.

Franzi o nariz, me esforçando para não tossir quando me aninhei no peito dele. Disse a mim mesma que não havia necessidade de me sentir vulnerável. Minha avó estava enganada. Ela era uma velha amarga que não sabia do que falava.

— Adorei nosso encontro — sussurrou ele.

— Eu também.

Ele deu outra tragada no cigarro e acariciou meu cabelo; me apoiei em seu ombro e deslizei a mão por seu peito largo e seu abdome firme. O abdome firme de Anthony Milton. Se isso não estivesse realmente acontecendo, eu nunca teria acreditado.

— Onde fica o banheiro? — perguntou ele de repente. — No fim do corredor?

Fiz um gesto afirmativo com a cabeça, desejando que ele não precisasse se mexer, que pudesse ficar ali para sempre.

— Logo depois da cozinha.

Então ele se levantou e pegou meu roupão que estava pendurado atrás da porta. Fiquei observando e achando engraçado: Anthony Milton com meu roupão. Quem diria?

Depois voltei a me deitar, desfrutando aquele momento. As coisas não poderiam ter sido melhores. Eu não conseguia acreditar que nunca tinha notado o quanto Anthony era atraente. O cara era maravilhoso. Maravilhoso e encantador. Maravilhoso, encantador e divertido. O contrário de Max. Bem mais bacana. Muito melhor.

O toque de um celular perturbou o meu devaneio, e me assustei. Parecia o meu telefone. Logo pulei da cama e peguei minha bolsa. Mas, quando verifiquei o aparelho, não havia nada; nenhuma mensagem, nenhum correio de voz.

Dei um suspiro de alívio e voltei para a cama. E ouvi o toque de novo.

Lentamente, saí da cama e comecei a andar na direção do som. *Pode ser o alarme de incêndio*, pensei preocupada. *Ou algum outro alarme*. Então prestei atenção. Estava quase certa de que o barulho não vinha do quarto. Acabei me enrolando com um lençol e fui para o corredor. Era dali que vinha o som. Dei mais alguns passos e acendi a luz, curiosa.

E então descobri do que se tratava: era o celular de Anthony, na mesinha do hall, onde ele o tinha deixado, aproximadamente uma hora antes. Peguei o aparelho e comecei a andar de volta ao quarto. Mas algo chamou minha atenção; um nome piscava na pequena tela: MARCIA.

Achei estranho. Talvez fosse uma emergência de trabalho. Não podia pensar em outra razão para Marcia mandar um torpedo para Anthony no meio da noite.

Não que eu fosse olhar, afinal, o telefone era dele.

Imediatamente, decidi colocar o aparelho de volta na mesa. Assim que ele saísse do banheiro eu o avisaria que tinha ouvido o toque. Não era da minha conta quem mandava mensagens para ele. E certamente eu não era o tipo de pessoa patética que lia as mensagens do namorado.

Não que Anthony fosse o meu namorado.

Ou era?

O problema é que, sendo ou não meu namorado, eu queria descobrir. *Tinha* que descobrir por que Marcia tinha o número do celular dele. Por que ela havia ligado àquela hora? Nunca, em toda a minha vida, quis tanto descobrir uma coisa — precisei tanto descobrir algo.

Mas logo tentei tirar essa ideia da cabeça. Provavelmente era outra Marcia; uma prima, talvez. Ou, quem sabe, uma amiga? Com uma camada de suor cobrindo meu rosto, fui até a cozinha e sentei em uma cadeira. Marcia. Só podia ser a Marcia do escritório. Não havia tantas Marcias no mundo.

Ouvi Anthony pigarrear no banheiro, e, de repente, sem pensar, abri o telefone dele. Na mesma hora a mensagem de Marcia apareceu. Tentei não olhar, mas meu esforço foi em vão. Eu tinha de ver. Era impossível voltar atrás.

Quando acabei de ler, quase me arrependi.

Oi, querido. Tudo bem? Estou louca para ouvir os detalhes escabrosos. Bjs

Fitei a tela do aparelho por alguns segundos. Querido? Anthony era *querido* para ela? E que história era essa de *detalhes escabrosos*? Será que ela se referia a mim?

Meu coração se apertou, e, quando percebi, tinha deixado o telefone cair. *Detalhes escabrosos*. Claro. Tudo não tinha passado de uma armação. Uma armação em que eu era a piada.

— Jess? Está tudo bem?

Levantei a cabeça e vi Anthony me olhando, preocupado. Então abaixei a cabeça novamente. Minha avó bem que tinha me alertado em relação aos homens, ela estava certa. Não podia acreditar que havia sido tão estúpida.

— Seu telefone — comentei, abatida. — Estava tocando. E...

— Ah, meu telefone. Obrigado. — Ele se abaixou, apanhou o aparelho e franziu o cenho ao ler a mensagem. — Você... você leu? — perguntou ele, nervoso.

Fiz que sim com a cabeça em silêncio.

— Você devia ligar para ela — eu disse, tensa, sentindo-me retrair como um molusco se fechando. E pensar que cheguei a imaginar... Pensar que eu tinha realmente acreditado... Como eu era idiota. Como era patética. — Só que eu acho melhor você ir embora antes.

— Telefonar agora? No meio da noite?

— Tenho certeza de que ela não vai se incomodar.

Anthony empalideceu.

— Jess, isso não tem nada a ver com o que você está pensando.

Puxei os joelhos até o peito e os abracei.

— O que eu estou pensando, Anthony?

— Não sei, mas posso garantir que não há nada... de impróprio quanto a essa mensagem.

— Impróprio? — repeti, furiosa, sentindo todas as minhas defesas desmoronarem. — Suponho que depende do que você considera *impróprio*. Para mim, rir de alguém pelas costas é impróprio. E eu gostaria que você fosse embora, por favor.

— Rir de alguém? De quem? — perguntou ele com um olhar preocupado. — Marcia... — continuou, indignado — ... queria saber os detalhes escabrosos de uma reunião que eu tive hoje com um cliente. De uma das contas dela.

— Ah, claro — retruquei em tom sarcástico. — Tenho certeza de que foi isso.

— Mas foi isso — insistiu ele. — Jess, eu juro, não tem nada a ver com você. Marcia nem sabia que iríamos sair hoje à noite.

— Mas ela sabia do nosso almoço. E deu um sorrisinho irônico na sexta-feira quando me desejou um bom fim de semana.

— Um sorrisinho? — perguntou ele, com uma expressão irônica que fingia horror. — Com certeza, não foi um sorriso. — Ele tentou sorrir, mas eu o ignorei.

— Ela sabia — afirmei categoricamente. — Tenho certeza.

— Certo. Então Marcia é curiosa. Só isso.

Balancei a cabeça em negativa.

— Vá embora. Por favor.

— Tudo bem, eu vou.

Inconformado, Anthony foi até meu quarto. Alguns minutos depois, reapareceu vestido, com a camisa abotoada de qualquer maneira.

— Bem, então nos vemos na segunda-feira... — disse ele. — Você vai trabalhar segunda-feira?

Eu me limitei a concordar com um aceno de cabeça, em silêncio.

— Tudo bem — falou ele, dando de ombros.

— Até segunda — consegui dizer, mas ele não ouviu. Já havia saído, e estava começando a descer as escadas. Sem dúvida iria ligar para Marcia e contar que eu havia descoberto tudo. E eu não dava a mínima. Sempre soube que essa história de casar com Anthony Milton era uma loucura. Eu não tinha levado isso a sério. Nem um pouco.

Capítulo 16

PROJETO: CASAMENTO DIA 15

Pendências:

1. Arranjar outro emprego

Na manhã seguinte, eu queria morrer. Não era ressaca; era depressão. Sentia-me humilhada. Havia me deixado levar pela ideia de que Anthony Milton poderia, de fato, gostar de mim. Dormi com ele porque acreditei nisso, e agora sabia que minha avó estava certa, que eu tinha sido tão estúpida quanto todas aquelas garotas idiotas que eu vivia ridicularizando. Fui uma imbecil. E nunca conseguiria encarar Anthony de novo. Nem Marcia. Nem ninguém. Arrasada, saí do quarto vestida apenas com uma camiseta. Eu tinha apanhado meu roupão, mas não consegui vesti-lo.

Desanimada, fui até a cozinha e, para minha surpresa, me deparei com um ambiente doméstico típico: Helen estava diante do fogão novamente, e havia sobre a mesa caixas de cereal, ao lado de potinhos, colheres e uma jarra de leite; tudo arrumado com capricho.

— Bom dia! — saudou ela, animada. — Estou fazendo omeletes. Quer?

Olhei para ela com desconfiança.

— E qual é a razão disso tudo, exatamente?

— Fiz uma arrumação na cozinha ontem à noite — respondeu ela, antes de voltar a preparar as omeletes. — E então, como foi ontem?

— Você arrumou a cozinha? Por quê?

Helen suspirou.

— Porque estava precisando. Nossa, não é nada de mais, ok?

— Não. Só acho que, se você está com tempo de sobra, deveria procurar um emprego, em vez de ficar limpando a cozinha.

Eu estava descarregando a minha raiva em Helen e sabia disso, mas não conseguia me controlar.

— Eu procuraria emprego se houvesse algum que me interessasse — justificou-se. — Afinal, vai tomar café ou não?

— Claro. — Então suspirei. — Olha, desculpa. Se minha opinião vale alguma coisa, a cozinha está linda.

— Muito obrigada. — Helen trouxe a omelete, colocou a panela sobre a mesa e procurou uma cadeira. — Como foi ontem?

— Foi bom. Quer uma torrada? — perguntei enquanto me levantava para pegar o pão.

— Torrada? Não. Quero saber tudo sobre ontem.

— Ontem... — Coloquei duas fatias de pão na torradeira. — Foi... — Senti um nó na garganta. — Foi...

— Foi...? — repetiu Helen, instigando-me a falar.

— Não foi muito bom.

— Vocês não se entenderam? — perguntou ela, preocupada.

— Não é isso. Nós nos entendemos muito bem. Pelo menos... Olha, a verdade é que tudo não passou de uma armação. O Projeto Casamento já era, Hel. Acabou.

— Como assim acabou? — questionou ela, confusa. — Você vai ter de me explicar tudo direitinho. Do começo.

Hesitei por um instante. Quando as torradas ficaram prontas, eu as retirei da torradeira, passei manteiga nelas e voltei a me sentar.

— Tudo começou bem — expliquei, mantendo um tom de voz neutro e tentando contar a história de maneira indiferente. — Quer dizer, tomamos alguns drinques e depois ele me levou a um restaurantezinho...

— Restaurantezinho? Não recomendei nenhum restaurantezinho.

— Era um lugar que ele conhecia, um pouco mais tranquilo.

— Ah, bom. — Ela se conformou, embora um tanto chateada.

— Enfim, o jantar foi bom...

Não consegui terminar a frase, ao me lembrar da noite anterior, do encanto que pareceu nos envolver a noite toda, até... então, fiz uma careta.

— E? — perguntou Helen.

— Então pegamos um táxi e...

— E? — Os olhos dela estavam quase penetrando os meus, e eu fiquei tensa.

— E ele veio para cá — acrescentei calmamente.

— Veio para cá? — perguntou ela, perplexa.

Acenei com a cabeça da forma mais imperceptível que pude.

— Sua safadinha! — exclamou ela, esfregando as mãos. — E depois?

Senti o rosto arder de constrangimento.

— Nós... — Abaixei a cabeça e olhei para minhas mãos, que estavam entrelaçadas no meu colo.

— Não me diga que vocês transaram!

Fiz que sim com a cabeça em silêncio.

— Ah, meu Deus. E como foi? Não foi bom? Quer dizer, supondo que vocês fizeram... ou houve algum problema?

— Não, não teve problema nenhum. O sexo foi bom. — Engoli em seco. — Aliás, muito bom.

— Então qual é o problema? O que aconteceu?

— O que aconteceu é que... — Eu me esforcei e contei a ela sobre a mensagem de Marcia.

Helen me lançou um olhar sério.

— Você disse algo a ele?

— Eu disse para ele ir embora.

— E?

— Ele tentou me enganar dizendo que ela havia mandado a mensagem para saber detalhes de uma reunião com um cliente. Mas eu sabia que era mentira. E ele foi embora. E agora está acabado. Tudo acabado.

Helen digeriu essa informação por alguns segundos, e então respirou fundo.

— Acho que o mais importante é não entrar em pânico — ponderou ela, após algum tempo.

— Não estou entrando em pânico. Só estou acabando com a Jessica Wiiiild. É mais fácil ser a antiga Jessica.

— Ah, coitadinha.

— Não sou coitadinha — retruquei, aborrecida, lembrando que Anthony tinha usado a mesma expressão, e lembrando também o quanto ele havia enfraquecido minhas defesas. — Eu estou bem. Estou muito bem sozinha. Não preciso de Anthony e não preciso do dinheiro de Grace. Já tomei minha decisão.

— Você não pode desistir agora — contestou Helen, balançando a cabeça. — O que você está sentindo é só "ansiedade da manhã seguinte". É perfeitamente normal.

— E uma mensagem da Marcia também é perfeitamente normal?

Helen ficou sem resposta.

— Talvez não. Mas isso não significa que temos de desistir do plano.

— Claro que significa. Tanto Anthony quanto Marcia, obviamente, pensaram que seria muito engraçado se ele saísse comigo. Eles devem estar rindo agora.

Helen não se conformou.

— Você está fazendo tempestade em um copo d'água. — Em seguida, se levantou e apanhou o telefone.

— Você não estava lá para saber como foi.

— Tudo bem, mas fala sério, Jess, tem muita coisa em jogo para ser descartada assim — replicou, discando um número. — Precisamos de uma ajudinha, só isso.

— Por favor, não ligue para Ivana — pedi, na mesma hora. — Não consigo vê-la hoje, apenas não vou conseguir.

— Se tiver uma ideia melhor, desligo agora mesmo.

— Preciso de mais torrada — falei, após uma pausa. — E, com certeza, de mais café.

Cerca de uma hora depois, Helen e eu olhamos da janela e vimos um Mini Cooper amassado parar em frente à nossa casa e Ivana saltar do banco do carona. Um vestido dourado de lamê realçava suas curvas generosas. Estava usando um batom vermelho brilhante, da mesma cor que o sapato de verniz, de salto de couro. Logo depois, um cara magricelo, de uns 30 anos, saltou do lado do motorista e a seguiu em direção à nossa porta. Nesse instante, o celular da Helen tocou.

— Alô? Sim, claro. Vou abrir o portão.

Ergui os olhos, prostrada, quando Ivana entrou, acompanhada de seu amigo magricela. Ele tinha uma mecha de cabelo loiro que caía sobre o rosto e cobria seus olhos azuis. Ele sorriu meio sem graça e Ivana me fitou, com uma expressão confusa.

— Você não parece bem — disse ela.

— Obrigada — respondi, aborrecida.

— De nada. Você precisar de mais conselho? Conselho para "cassamento"?

— Eu preciso é esquecer tudo sobre casamento — retruquei, mas Helen fez um gesto para que eu parasse de falar e logo contestou:

— Sim, ela precisa de conselhos. Precisamos de uma nova estratégia.

Ivana fez que sim com a cabeça e empurrou o cara magricelo para a frente.

— Bem, este ser o meu amigo Sean. Ele faz "cassamento". Ele saber como homem se comporta, entende? — Sean esboçou um sorriso tímido e pôs as mãos no bolso. Concordei novamente, dessa vez um pouco insegura. Será que ela quis dizer que Sean fazia cerimônias de casamento para ganhar a vida, ou que ele iria fazer o meu casamento se realizar? E o que ele saberia sobre homens? Só por que ele era do sexo masculino?

— Bem, alguém quer chá? — ofereceu Helen, apressando-se para pegar as jaquetas de Ivana e de Sean. — Café.... Suco de laranja?

— Café prrreto — disse Ivana.

— Chá, por favor — pediu Sean. — Com leite e dois torrões de açúcar. Obrigado, querida.

O sotaque dele era uma mistura estranha: um terço do Leste Europeu e dois de Manchester. Ele sorriu novamente e eu retribuí o gesto; depois os conduzi até a sala, onde Sean sentou no sofá, com seu corpo desengonçado, enquanto Ivana permaneceu de pé, examinando a estante de livros, como se procurasse pistas.

— Bem — disse ela quando o chá e o café foram devidamente servidos. — Vamos começar.

Lancei um olhar apreensivo para ela.

— Começar?

— Isso mesmo. Você ter que contar tudo o que aconteceu.

Eu contei tudo. E depois, atendendo a seu pedido, falei sobre Marcia. E não a descrevi de forma muito lisonjeira.

Quando terminei, ela deu um assobio e se virou para Sean.

— Que você achar? — perguntou.

Ele fez uma expressão confusa.

— Difícil de saber.

— Não é difícil. Aliás é bem fácil — retruquei. — Anthony deve ter contado a Marcia que ia sair comigo, como se fosse uma piada ou algo assim. Nunca me senti tão humilhada em toda a minha vida.

— É mesmo? — perguntou Sean dando de ombros. — É possível que ele tenha dito a verdade e ela tenha mandado uma mensagem para saber de alguma coisa de trabalho. Ou, pode ser que Marcia tivesse ficado sabendo do encontro e achou que fosse brincadeira, mas Anthony não. Ela pode apenas estar com ciúmes.

— Você acha? — perguntei com um vislumbre de esperança, mas logo tentei ignorá-lo.

— O sexo foi bom? — perguntou Sean.

Senti meu rosto corar e, apesar de todos os olhares voltados para mim, não consegui evitar o sorriso que começava a surgir no meu rosto.

— Sim. Quer dizer, acho que sim.

— E ele não queria ir embora?

— Não, mas... — Não consegui terminar a frase. — Olha, eu vi a mensagem. Ela o chamou de *querido.*

— Sim. Sim, eu ouvi. Preste atenção, acho que você tem que dar uma de difícil por um tempo — sugeriu ele de maneira categórica. — Acho que as coisas podem seguir por dois caminhos.

— Quais exatamente? — Agora eu é que estava confusa.

Sean olhou para mim de um modo estranho, achando completamente óbvio o que havia acabado de dizer.

— Bem — disse ele lentamente, como se estivesse falando com uma criança —, mesmo se ele estiver saindo com essa tal de Marcia, ele, com certeza, gosta de você. Certo?

— Você acha que ele e Marcia estão saindo? — perguntei, perplexa. Eu não tinha sequer considerado essa hipótese. Ah, meu

Deus! Provavelmente era verdade. Ele deve ter transado com todas as mulheres do escritório. Afinal, ele teve quarenta e duas namoradas.

Sean balançou a cabeça, e sua franja frouxa foi de um lado para o outro.

— Talvez não — disse ele de forma tranquilizadora. — Mas, de qualquer maneira, você tem que agir com inteligência, com naturalidade, e ele vai esquecer dela. Tem que se fazer de difícil para que ele deseje você ainda mais. Está entendendo?

— Não muito bem.

— Você tem que mostrar que não dá a mínima para ele — explicou, com um sorriso complacente. — Fazer jogo duro.

— Jogo duro? — Eu nunca imaginei que amor e relacionamento fossem tão complicados.

— Mas como ela faz isso? — perguntou Helen.

Sean sorriu.

— Bem, isso é fácil. Você o ignora por um tempo. Depois dá mole para ele; ou seja, se aproxima e se afasta.

— Você quer dizer... ignorar Anthony? Mas não posso. Eu trabalho com ele.

— Melhor ainda. É mais fácil ignorar uma pessoa quando ela está bem à sua frente. Não fale nada sobre o encontro. Saia com outro cara. Faça com que ele veja que não deve brincar com você.

— Como eu posso fazer isso? — perguntei, confusa.

— Seja difícil.

— Menos quando eu estiver dando mole para ele, certo?

— Exatamente. — Sean sorriu, ignorando o meu sarcasmo.

Olhei para ele, desconfiada.

— E como você sabe de tudo isso? Quer dizer, o que é mesmo que você faz?

— Sean sabe das coisas — replicou Ivana na hora. — Trabalha com cassamentos. Mas não é por isso que ele sabe das coisas. Ele sabe porque é homem, porque sabe tudo sobre amor e cassamento. — Ela olhou para mim e para Helen, então deu de ombros. — Ele sabe porque é cassado comigo.

— Com você? — perguntei, espantada.

Ivana ergueu as sobrancelhas.

— O carro dele precisa de conserto — prosseguiu ela, impassível. — O radiador novo custa 800 libras.

Eu me perguntei se isso fazia parte da experiência dele com casamentos, e, caso contrário, qual seria a relevância dessa informação.

— Você quer dizer que esse é o valor que ele cobra? — perguntou Helen.

— Isso. Se não conseguir o objetivo, não precisa pagar — esclareceu ela, com um sorriso. — Se não entrar na igreja vestida de noiva e trepar com esse homem, nada de conserto de carro. Entende?

— Certo — concordou Helen com firmeza. — Então, Sean, vamos repassar tudo só mais uma vez...

Capítulo 17

PROJETO: CASAMENTO DIA 16

Pendências:

1. Mostrar todo o meu charme.
2. Ser difícil.
3. Colocar produto para limpar computador nas plantinhas de Marcia.

Segunda-feira, cheguei cedo ao trabalho. Para meu imenso alívio, Marcia não estava na sua mesa, e, pelo visto, Anthony também não estava na sala dele. Mas toda vez que eu ouvia a porta se abrir, estremecia. E toda vez que notava alguém se aproximando, ficava tensa.

— E aí, tudo pronto para a reunião na próxima segunda-feira? — perguntou Max, surgindo diante da minha mesa, de repente, me pegando de surpresa.

— Está tudo certo — respondi, nervosa, temendo que ele soubesse de algo. — Está tudo sob controle.

— Ótimo, porque, como você sabe, essa vai ser uma reunião muito importante. Para você e para a agência. É a sua chance, Jess. Então, se precisar da minha opinião para qualquer coisa, é só falar.

Suspirei. Anthony estava certo em relação a Max. Ele era um total workaholic.

— Pode deixar — eu disse, de maneira seca.

— Ótimo! — Ele sorriu, e eu o fitei desconfiada. Max nunca sorria. Será que Marcia tinha mandado a mensagem para ele também? Será que agora eu era motivo de chacota para todo mundo?

— O que foi? — perguntei. — O que há de tão engraçado?

— Nada! — O sorriso desapareceu do rosto de Max na mesma hora. — Só estava sorrindo. Você tinha me falado que eu deveria sorrir mais, se lembra?

— Não. Não me lembro.

Max pareceu um pouco decepcionado.

— Bem, então vou voltar a ser como era. Você tem certeza de que está bem?

— Por quê? Eu pareço tão mal assim? — perguntei, desolada.

— Não. De jeito nenhum. Apenas um pouco... cansada, talvez. Diferente do seu comportamento habitual.

— Bem, talvez eu não queira mais ter meu comportamento habitual — retruquei, furiosa. — Talvez eu já esteja farta do meu comportamento habitual.

— É mesmo? E por quê? — Max pareceu completamente confuso. — Seu comportamento é... legal.

— Bem, isso é muito gentil da sua parte, mas não é você que é obrigado a aturar o meu "comportamento" o tempo todo, não é?

Max pensou por um momento.

— Bem, estamos falando sobre comportamento como uma espécie de ego, sob a ótica de Durkheim? Ou estamos falando da teoria metafísica do "comportamento"? Eu achei interessante a forma como você separou seu comportamento de você, como se fossem duas partes componentes de um todo. Ou você tem uma tremenda teoria a revelar ao mundo, ou está à beira da esquizofrenia.

— Esquizofrenia? — repetiu Marcia de repente, aparecendo ao lado de Max. — Sabe de uma coisa, se vocês dois se concentrassem no trabalho durante o expediente, em vez de ficarem discutindo psicologia, não precisariam trabalhar até tarde, nem nos fins de semana. Já pensaram nisso?

Nervosa, fitei a tela do computador.

Max se virou para ela.

— Sem dúvida, Marcia. E se você não passasse o dia todo marcando hora para fazer limpeza de pele, poderia vislumbrar uma carreira brilhante.

Marcia deu um sorriso amarelo.

— Eu tenho uma carreira, não se preocupe com isso, Max. E você, Jess — disse ela, olhando para mim —, como foi o encontro?

Eu a encarei, perplexa.

— Encontro? Foi bom, obrigada. Mas suponho que você já saiba todos os detalhes escabrosos.

Ela me lançou um olhar inocente.

— Detalhes escabrosos? Quer dizer que não foi bom? Falei ontem com Anthony por acaso, sobre uma reunião com um cliente da RightFoods, e ele parecia ter gostado bastante do encontro.

Os olhos de Max se arregalaram.

— Encontro com Anthony?

— Pois é — respondeu Márcia, sorrindo. — Você não sabia? Jess e Anthony estão saindo juntos.

— Não, não estamos — neguei apressadamente. — Apenas tivemos um encontro. Só isso. — Então me virei para Marcia. — Você falou com ele sobre... a RightFoods?

— Falei. Aliás, que pesadelo de clientes — disse ela, com ar de impaciência. — Anthony esteve com eles na sexta-feira à noite e eu queria saber como tinha sido a reunião, porque tenho que telefonar para eles hoje.

Tentei controlar meu espanto.

— Ah, sei.

— Mas não consegui falar com Anthony porque ele tinha saído com a Jess — prosseguiu Marcia, sorrindo de maneira inocente para Max, e fiquei desconfiada.

— Bem, a conversa está boa, mas tenho que ir. Tenho trabalho me esperando... — justificou-se Max, ansioso.

— Eu também — disse Marcia com ar de resignação. — Aliás, muito trabalho, na minha opinião.

— E você tem certeza de que o Projeto Bolsa está sob controle? Tem certeza de que não precisa de ajuda, ou de uma opinião?

— Não, Max, está tudo certo — respondi, seca.

Então Anthony estava falando a verdade? A mensagem tinha sido mesmo sobre trabalho?

— Ótimo. Muito bem — disse ele, antes de se afastar, e eu senti o coração disparar quando olhei para Marcia.

— E então... como foi? — perguntou ela.

Eu queria sorrir, pular de alegria, mas consegui me controlar.

— Foi bom.

— Só isso? Enfim, vou tomar café. Você quer?

Fitei-a indecisa. Marcia nunca me ofereceu café. Nunca tinha feito isso antes.

— Café? — repeti.

— É. Aquela bebida quente que contém cafeína. — Marcia ergueu uma sobrancelha e jogou o cabelo para trás. — Olha, Jess, eu sei que não somos tão íntimas, mas gostaria de ser... sua amiga.

— Você? — Observei-a, espantada. — Por quê?

Ela riu.

— Bem, em primeiro lugar, porque trabalhamos juntas. Em segundo, porque, pelo visto, nosso chefe é louco por você, portanto é do meu interesse que tenhamos uma boa relação. E terceiro... — Ela pensou por um momento. — Terceiro, porque acho você uma pessoa legal. Sabe, quando a gente passa a conhecer você melhor...

— Certo. Entendi. — Anthony era louco por mim. Eu tinha ouvido direito? Como é que ela sabia? Será que ele tinha dito alguma coisa? Então esbocei um sorriso tímido. — Bem, nesse caso, acho que podemos. Ser amigas.

— Ótimo. Então, quer café?

— Não. Obrigada. Mas agradeço por oferecer.

— Tudo bem. — Assim que ela foi para a cozinha, vi que Anthony se aproximava. Naquele instante comecei a digitar feito uma louca, sentindo o rosto ficar cada vez mais quente à medida que ele chegava mais perto, até ele parar bem do meu lado. Louco por mim. Marcia achava que ele era louco por mim.

— Eu... hmm... Queria saber se você tem um tempinho — disse ele em voz baixa. — Para conversar...

Respirei fundo.

— Conversar? — perguntei, sem parar de digitar. Era tudo que eu podia fazer para não me jogar nos braços dele e beijá-lo. Dar uma de difícil seria quase impossível. — Tudo bem. Mas estou um pouco... ocupada. Pode ser depois?

— Você não tem um tempinho agora? — A sua voz era suave e séria, ao mesmo tempo. Eu quis tomar a mão dele, pedir desculpas por tê-lo expulsado daquela forma e sugerir que fôssemos direto para o meu apartamento, para retomarmos do ponto no qual havíamos parado...

Mas, em vez disso, pigarreei.

— Desculpe — consegui dizer. — É que eu tenho muita coisa para acabar. Talvez mais tarde, se você puder.

— Mais tarde — repetiu ele, indeciso. — Acho que pode ser.

— Que bom. Então a gente se fala depois.

Voltei a digitar.

— À que horas exatamente?

Eu fitava a tela do computador o mais concentrada possível, esforçando-me para não olhar para ele.

— Bem...

Porém, antes que eu pudesse terminar a frase, Gillie, a recepcionista, entrou de repente. Ela carregava um buquê tão grande que cobria seu rosto por completo.

— Jess! — exclamou ela. — Isso acabou de chegar. Para você. Agorinha!

Fitei-a confusa.

— Para mim?

— É! Que maravilha! É o buquê mais bonito que já vi. E vou dizer uma coisa: você deveria ficar com o cara que mandou essas flores. Devem ter custado uma fortuna!

— É. Obrigada, Gillie — falei, pegando o buquê; e me assustei ao perceber o quanto era pesado. Havia sido ideia de Anthony. Tinha que ser.

— Quer que eu pegue um jarro para você? — perguntou Gillie, tentando ler o cartão preso ao buquê.

— Sim, por favor. Obrigada. — Fitei Anthony com um enorme sorriso, mas seu semblante era inexpressivo.

Gillie estalou os dedos e Marie, a outra recepcionista, chegou com um jarro cheio d'água.

— Já tínhamos um prontinho — explicou Gillie, sorrindo. Nesse instante, Marcia voltou para descobrir o motivo de tanto alvoroço. — Vamos, abra o cartão. Queremos saber quem mandou.

— Ah, claro. — Com as mãos um pouco trêmulas, abri o pequeno envelope branco, de onde tirei um cartão igualmente pequeno. Na parte da frente, havia um coração.

Então, lentamente, sentindo-me emocionada, eu o abri e li o seguinte:

Jess, você é muito especial. Por favor, reconsidere a minha proposta. Eu nunca mais permitirei que fundos de hedge controlem minha vida — você é a única coisa que importa para mim. Sean.

Olhei para o cartão sem entender nada.

— Sean — suspirou Gillie, lendo o bilhete, por cima do meu ombro. — É o seu namorado?

— Hmm... — Eu ainda estava completamente confusa.

— Você tem namorado? — perguntou Marcia ao retornar com seu café. — Eu não sabia que você tinha namorado — acrescentou com um olhar hostil.

— Ex-namorado — corrigiu Marie. — Ele quer que ela reconsidere o relacionamento.

— Isso mesmo — confirmou Gillie, na hora. — Ex-namorado. E a Jess é a única coisa que importa para ele. Ahhh! Que lindo!

Concordei, meio encabulada.

— Fundo de hedge é coisa de gente que tem muita grana, não é? — perguntou Marie, com um suspiro. — Anthony, você entende disso. É ou não é coisa de gente rica?

Anthony parecia confuso.

— É. Acho que sim.

— Um ex cheio da grana que só se preocupa com você — disse Gillie de maneira romântica. — É de um namorado assim que estou precisando.

— Você e eu — acrescentou Marie.

— Ah, todo mundo sabe que gerente de fundo de hedge é muito chato — contestou Marcia.

— Bem — ponderei, tentando esconder minha decepção. Claro que o buquê não tinha sido enviado por Anthony. Que ideia maluca! — Isso tudo é muito bacana, mas acho melhor voltar ao trabalho. Enfim... obrigada. Pelo jarro. Vou... colocá-lo aqui. — Desloquei o buquê à direita do meu computador, de forma que ele bloqueasse meu ângulo de visão em relação a Anthony.

— Tem razão. Melhor voltar para a recepção — disse Gillie com relutância, ao se afastar acompanhada de Marie, virando diversas vezes para admirar as flores.

— Não se esqueça. Hoje à tarde, certo? — lembrou Anthony.

Fiz que sim com a cabeça e sorri timidamente para ele.

— Certo. Então... conversaremos depois — disse ele, antes de voltar para a própria sala.

Capítulo 18

PROJETO: CASAMENTO DIA 17

Pendências:

1. Continuar exibindo meu charme.
2. Fazer o possível para reanimar as plantinhas de Marcia...

Segui o conselho de Sean à risca e não arranjei um minuto sequer para falar com Anthony na segunda-feira à tarde. Toda vez que ele se aproximava, eu inventava uma desculpa para me levantar da mesa. Mesmo quando não conseguia escapar, nossas curtas conversas eram invariavelmente interrompidas pelo toque do meu telefone, e eu pedia desculpas a ele, antes de dizer ao "Sean" que precisava de tempo para pensar.

"Sean" podia ser Helen, Ivana ou o próprio Sean. Pelo visto, eles tinham decidido não me falar das flores porque queriam que eu ficasse realmente surpresa ao recebê-las, não confiavam muito na minha capacidade de atuar. Nem eu. Toda vez que desligava o telefone, olhava ao redor, nervosa, achando que todo mundo sabia que não havia ex nenhum, que tudo não passava de uma encenação ridícula. Mas eu estava errada. Gillie e Marie continuavam a vir até a minha mesa, só para admirar as flores, e Marcia se mostrava completamente chocada só de olhar para elas; por fim, eu estava quase acreditando que o "Sean" era real.

Terça-feira foi dia de reunião geral na Milton Advertising, quando todos os funcionários se reuniam no saguão para discutir sobre os pontos positivos (novos clientes), os negativos (clientes perdidos, reuniões de prospecção de contas que furaram) e questões administrativas (a decisão de substituir as duas chaleiras da cozinha por um aquecedor de água embutido estava causando muita consternação e debate). Em geral, eu aproveitava essas reuniões para anotar tudo e elaborar pelo menos uma pergunta inteligente e relevante, e ficava preparada para fazê-la, mas sempre acabava desistindo ao pensar que, se fosse em frente, todos olhariam para mim. Também porque, provavelmente, eu gaguejaria; ou quando a fizesse em voz alta, ela não pareceria tão importante assim. Hoje, entretanto, eu não tinha nenhuma pergunta pronta. Em vez disso, eu faria uma apresentação, algo que, em circunstâncias normais, teria me deixado empolgada e ansiosa, com um misto de emoções. Porém, eu me sentia alheia a tudo a meu redor.

Anthony abriu a reunião, com sua energia e seu entusiasmo habituais, enumerando os clientes conquistados, os clientes perdidos e as próximas campanhas. Então foi a vez de Max discutir o problema da chaleira, além da recente mudança das regras do plano de aposentadoria da agência, e, como era de se esperar, todo mundo deixou de prestar atenção e começou a verificar mensagens no celular. Por fim, chegou a minha vez.

Nervosa, eu me levantei e comecei a falar:

— Na verdade eu só queria dizer que a conta Jarvis, o Projeto Bolsa, é uma campanha realmente importante para a Milton Advertising — eu disse, forçando um sorriso. — E ela de fato nos dá a chance de deixarmos a nossa marca no mercado publicitário. Há muito trabalho pela frente, mas muitas possibilidades também. Então, se alguém tiver qualquer ideia ou sugestão, adoraria que me procurassem.

Olhei ao redor, para ver se alguém queria perguntar algo. Diante do silêncio geral, voltei a me sentar.

— Perfeito. Obrigado, Jess — disse Anthony. Nossos olhares se cruzaram por um momento, e, quando notei sua hesitação, me forcei a sorrir novamente.

— Bem, e agora — prosseguiu ele —, temos ótimas novidades no departamento de criação. Fomos indicados para o prêmio de Melhor Design de Propaganda na *Advertising Today*. A cerimônia só vai acontecer daqui a seis meses, mas considero isso uma imensa conquista, que realmente demonstra o nosso compromisso de estarmos sempre à frente...

Ele parou no meio da frase e enrugou a testa.

— À frente...

Anthony estava olhando para a entrada, para a porta principal.

— Desculpe — disse ele, confuso — Posso ajudá-los?

Todo mundo virou de costas: quatro homens com paletós listrados de branco e azul-marinho tinham acabado de entrar no saguão.

— Jessica Wild trabalha aqui? — perguntou um deles.

No mesmo instante, estremeci.

— Sim — respondeu Anthony. — Você quer falar com ela?

— Na verdade, viemos cantar para ela.

Totalmente envergonhada, eu me levantei.

— Sou... Sou Jessica Wild. No momento estou no meio de uma reunião. Vocês poderiam voltar um pouco mais tarde?

— Infelizmente nossa agenda está lotada o dia todo.

— Bem, olhe, talvez vocês possam cantar depois, por telefone — sugeri. Todo mundo estava me olhando, e eu senti meu rosto ficar cada vez mais vermelho. Então respirei fundo e forcei um sorriso pouco convincente.

— Somos pagos para fazer apresentações ao vivo — explicou o homem. — Temos que fazer as coisas direitinho, senão nossa reputação vai para o brejo. Não é nada demorado. Prometo.

— Quanto tempo? — perguntou Anthony. As pessoas começavam a dar risadinhas e as minhas mãos estavam pegajosas.

— Três minutos, no máximo.

— Tudo bem. Um pouco de entretenimento para o pessoal — disse Anthony. Ele sorria, mas percebi que não estava muito à vontade. Éramos dois.

— Ótimo. Obrigado, amigão. Jessica, isso é de Sean. Do fundo do coração dele.

O homem cantarolou uma nota, em seguida os outros começaram a cantar.

— ... *Dum dum dum dum*
Minha Jess querida
Dum dum dum dum
Ah, essa briga
Acaba com minha vida
Minha Jess querida
Dum dum dum dum
Dum dum dum dum
Você é o amor da minha vida
Não consigo suportar sua partida
Minha Jess querida
Dum dum dum dum
Não fique aborrecida
Dum dum dum dum
Sua ausência não me passa despercebida
Por favor, seja a mim comprometida,
Minha Jess queeeeeriiiiida!

Por um momento, houve um silêncio constrangedor. Algumas pessoas do departamento de criação começaram a aplaudir, e logo outras se juntaram ao coro. E, antes que eu me desse conta, todos estavam aplaudindo os cantores. Até ouvi alguém gritar "Bis". Anthony me fitou sem compreender o que estava acontecendo.

O líder do grupo sorriu.

— Desculpe, não podemos cantar mais — justificou-se. — Mas obrigado por ouvirem. — E, após um gesto de agradecimento, se retirou, seguido dos outros cantores, deixando-me sem palavras.

— Bem — disse Anthony, olhando para mim por um momento e desviando o olhar. — Isso foi muito... divertido. Alguém mais tem uma banda e planeja fazer uma apresentação? — Apesar do seu sorriso, notei uma leve irritação em seu tom de voz.

Ninguém se manifestou.

— Certo — prosseguiu. — Então, como eu dizia, o evento da *Advertising Today* é daqui a seis meses e nós teremos uma mesa na cerimônia, portanto, aguardem por mais notícias. Agora só falta a situação da chaleira para ser resolvida. Como Max acabou de explicar, o novo aquecedor embutido está dentro das normas de saúde e segurança, e realmente não deve fazer nenhuma diferença na qualidade do chá que pode ser feito... — Ele deu outra olhada em direção à porta. — Sim? — disse, com um suspiro. — Posso ajudá-lo?

— Entrega para Jessica Wild.

Eu — assim como todas as outras pessoas — me virei, e vi um homem com um enorme buquê de flores.

— Obrigado. Você poderia deixá-lo na recepção, por favor? — pediu Anthony, com um sorriso amarelo.

— Precisa de uma assinatura — retrucou o homem.

Na mesma hora me levantei e fui até a porta. O entregador tinha uma enorme franja desengonçada que cobria quase todo seu rosto. Uma enorme franja desengonçada que eu jurava ter visto antes. Então olhei com mais atenção. Eu tinha visto esse homem antes! Era Sean, que viera pessoalmente trazer as flores.

— Bem, de volta ao aquecedor. Acho que, se pudermos experimentá-lo por cerca de um mês, estaremos em melhor posição para avaliar...

— Foi seu namorado que mandou, não foi? — perguntou Sean, com um sorriso por trás do cabelo irregular, em um tom de voz que ecoou no teto alto do saguão.

Fiz que sim com a cabeça, em silêncio, segurando uma risada.

— Na verdade, ex-namorado — consegui dizer.

— Ex? Nossa! Nada mal para um ex. Ele está tentando reconquistar você, não é?

Anthony pigarreou:

— Bem, um mês será o suficiente para avaliarmos os prós e os contras. Acho que isso encerra a reunião por hoje...

— Ele está tentando — eu disse, baixinho.

— E você vai voltar com ele, não vai?

Percebi que Sean falava alto de propósito. Anthony podia ter encerrado a reunião, mas ninguém tinha ido embora.

— Eu... Estou pensando — respondi, inibida.

— Ele é um cara bonito — continuou Sean, apresentando um recibo de uma loja de motos para que eu assinasse. — Se é o cara que foi na loja... Alto. Moreno. É esse?

Acenei com a cabeça, sorrindo involuntariamente.

— Pelo visto, é ele mesmo — respondi.

— E que carrão! — disse Sean, com um assobio. — Qual era mesmo? Um Aston Martin?

— Provavelmente — respondi, séria. Estava começando a me divertir. — É o favorito dele.

— Bem, parabéns pelas flores — concluiu Sean, com uma piscadela. Eu sorri e peguei o buquê, antes de voltar ao saguão.

Na mesma hora, como se tivessem sido pegos em flagrante, todos começaram a voltar às suas mesas.

— Seu ex-namorado tem um Aston Martin? — perguntou Marcia, aproximando-se sorrateiramente. — Ele acha que é o James Bond?

Sorri.

— Acho que sim. Algo do gênero.

— O problema é que — disse Marcia, balançando a cabeça em sinal de reprovação — ele pode querer voltar agora, mas é um pouco tarde, não acha?

Ela sentou e perguntei confusa:

— Você acha mesmo?

— Claro. Se ele não estava pronto para assumir um compromisso antes, se eu estivesse no seu lugar não ia querer mais nada com ele.

— Só porque você o quer para você — interpôs Gillie, ao se aproximar com um jarro nas mãos. — Toma. Achei que talvez você fosse precisar disso — disse ela, sorrindo.

— Obrigada, Gillie. Você é um amor.

— Então, vai voltar com ele? — perguntou ela, com os olhos brilhando.

— Eu... — Hesitei. Anthony estava vindo na minha direção, e encarei as flores. — Não decidi ainda — concluí, após um momento.

— Será que ele mesmo escreveu aquela música? — indagou ela com um suspiro.

— Talvez. Ele tem muito talento musical.

— É mesmo? — perguntou Gillie em tom sonhador. — Nossa! Ele é bonito, rico, tem talento musical e não tem medo de compromisso. É o homem perfeito.

— Duvido — contestou Marcia na mesma hora. — Flores e música, tudo muito bonito, mas, cá entre nós, acho tudo isso bastante brega.

— Você não acharia brega se fosse para você — retrucou Gillie, aborrecida. — Vá em frente, Jess, volte com ele. Ou pelo menos o convide para vir aqui para que possamos conhecê-lo! — Anthony estava bem perto de nós, e eu percebi que ele podia ouvir. Então olhei para ela, indecisa, e falei, séria:

— A questão é que não sei se posso confiar nele. Esse desejo de assumir compromisso é recente. Quer dizer, esse foi o motivo principal da nossa separação: ele não queria compromisso sério.

— Mas agora ele percebeu o erro que estava cometendo — ponderou Gillie, empolgada. — Ele amadureceu. E isso é tão gracinha. Sabe, sempre senti atração por homens casados.

— Gillie! — exclamei, surpresa. — Mas homem casado é... casado!

— Exatamente — confirmou Gillie. — Comprometido. Leal. O tipo de pessoa ideal para se ter um caso...

— Gillie, você não deveria estar na recepção?

Ela se virou e deu de cara com Anthony, bem atrás dela. Logo me virei para o computador.

— Tudo bem — respondeu ela. — Mas me mantenha informada — sussurrou e me deu uma piscadela antes de se afastar, rebolando.

— Oi, Anthony — disse Marcia, sem parar de piscar e cruzando os braços, como sempre fazia quando queria exibir o decote. Nos últimos tempos eu havia começado a prestar atenção a esse tipo de comportamento. — Vou deixar vocês para que possam conversar, está bem? — Ela levantou-se e sorriu. — Ah, quando você tiver um tempinho, gostaria de mostrar uns recursos visuais que estou fazendo para o TheSupermarket.com.

— Certo — disse ele tranquilamente. — Pode ir à minha sala, já vou para lá.

— Ótimo! — Ela apanhou alguns papéis e se afastou.

— Então — disse Anthony olhando para mim. — Flores e um grupo de cantores, hein?

Sorri, constrangida.

— Sim, desculpe. Vou falar com Sean.

— Está bem. E...

Ele não terminou a frase e eu o fitei, ansiosa.

— Sim?

— Olha, nós não tivemos oportunidade de conversar. Eu estava pensando se podíamos sair hoje, mais tarde, para beber alguma coisa.

Ele me olhou com atenção. Então me fiz de durona.

— Hoje... ah, desculpe. Não posso.

— Amanhã, então?

Hesitei. "Você tem de dar mole e dar gelo", insistira Sean. Bem, eu tinha sido bem enfática na parte de dar gelo. Com certeza era hora de dar mole.

— Que tal sexta-feira? — sugeri. — Acho que estarei livre.

— Perfeito — concordou ele, sorrindo de repente e me fazendo ruborizar de prazer. — A gente se vê então.

Capítulo 19

EXISTE UMA LEI MUITO ESTRANHA da natureza que diz que, quanto mais você repele algo, mais você o atrai. No dia seguinte, ganhei uma orquídea num vasinho, e Anthony sugeriu que trocássemos o drinque por um jantar. Na quinta-feira à tarde, ganhei vinte cupcakes, que dividi com o pessoal do escritório; Anthony passou pela minha mesa quinze vezes e me enviou nada menos que vinte e seis e-mails, sendo apenas a metade relacionada a trabalho. Eu, por minha vez, estava finalmente curtindo essa brincadeira de dar mole e dar gelo. Toda vez que ele começava uma conversa comigo, eu sorria com charme, respondia ao que ele tinha dito e logo arranjava uma desculpa para me afastar quando ele estava falando. Aliás, a desculpa era quase sempre a mesma, e, por fim, até Marcia perguntou se eu tinha algum problema na bexiga. Mas a estratégia estava funcionando. Por mais que eu não conseguisse acreditar. E não era só Anthony que de repente parecia interessado em mim. Metade dos homens do escritório passou a conversar comigo. Homens com quem eu mal falava antes apareciam na minha mesa perguntando detalhes sobre a conta Jarvis, ou me convidando para beber alguma coisa depois do trabalho. Eu era a gostosa da vez, o sucesso do momento. Era desejada. Pelo visto, eu estava me tornando Jessica Wiiiild.

— Vamos? — Eram seis em ponto. Sexta-feira. Anthony estava diante de mim, com um sorriso ansioso.

— Claro. — Sorri. — Só preciso de um minutinho para terminar uma coisa. Encontro você na porta, daqui a cinco minutos.

Ele não pareceu muito satisfeito, mas acabou aceitando.

— Cinco minutos — advertiu.

Rapidamente voltei ao computador e ri com a página que Helen tinha feito para mim no Facebook. Garota Perigosa. A única foto era de um par de sapatos de saltos altíssimos. Eu já tinha cinquenta solicitações de amizade.

Cliquei em uma das mensagens. *Dan Kelly. Oi, Garota Perigosa. Adoraria conhecê-la. Amei o sapato.*

Adoraria me conhecer. Alguém chamado Dan adoraria me conhecer. Tudo bem que ele só dispunha de um nome fictício e uma foto de um par de sapatos, mas não tinha problema. O importante é que eu era desejada. Era popular. Era...

— Facebook? Está falando sério? — Eu me virei apressada e dei de cara com Max olhando por cima do meu ombro. — Por favor, diga que isso é para a pesquisa.

Senti o rubor tomar conta do meu rosto. Max e eu sempre concordávamos sobre a futilidade das redes sociais, como Facebook; sempre compartilhávamos a irritação diante do tempo desperdiçado com essas coisas.

— Ah, sim, quer dizer... — Tentei achar um modo de justificar a página aberta bem na minha frente.

— Francamente, alguém que tem tempo para desperdiçar com amigos virtuais não merece ter um emprego — declarou Max, sem me dar tempo para explicar. — E quem é essa tal de Garota Perigosa? Que tipo de nome estúpido é esse? Se ela fosse realmente perigosa, você acha que ela teria tempo para ficar diante do computador? — Ele balançou a cabeça, com um sorriso irônico.

— Na verdade, a Garota Perigosa é bem popular — retruquei, semicerrando os olhos. — E você só odeia o Facebook porque não teria nenhum amigo, caso se cadastrasse. — Eu sabia que tinha sido ríspida; sabia que estava irritada. Mas já estava farta da constante superioridade dele, da sua atitude *"Sou o único que leva o trabalho a sério nesse escritório"*. Ele era tão sisudo o tempo todo, tão certo a respeito de tudo. Era o único no escritório que não tinha ficado impressionado com as minhas flores e cupcakes; o único que interrompera minhas histórias sobre Sean para perguntar como estava o Projeto Bolsa. Como se não houvesse coisas mais importantes do que fundos de investimento para mulheres.

— Nossa — disse ele, erguendo uma sobrancelha. — Bem, talvez você esteja certa. Mas, para ser sincero, acho que amigos reais valem mais que os virtuais. Ou realidade é coisa que ultimamente não interessa a você, Jess?

Nossos olhares se cruzaram e me senti desconfortável. O que ele quis dizer? Será que sabia de alguma coisa? Por que ele tinha sempre que ser tão complicado?

— Jess, cinco minutos já se passaram há muito tempo. Você vem ou eu terei que arrastá-la daí?

Anthony vinha na minha direção. Aliviada, levantei e desliguei o computador.

— Não vai ser preciso me arrastar — eu disse, olhando para Max. — Se é para curtir bebida real e comida real, estou pronta para ir, agora mesmo.

— Bebida e jantar — disse Max em tom malicioso. — Parece ótimo. — Então olhou para Anthony. — E isso vai entrar na conta do Chester também, ou é apenas um jantar de diversão?

Anthony estremeceu, em seguida fez uma careta de impaciência:

— Max, você não tem nenhuma campanha para examinar ou algo assim? — perguntou ele, estendendo o braço para mim com um floreio. — Jess e eu estamos atrasados para um compromisso muito importante.

— Tudo bem — falou Max, afastando-se.

— Desculpe por isso — disse Anthony quando saímos do prédio. — Às vezes, Max é tão obsessivo, tão fixado pelos detalhes, que não consegue ver o todo.

— Eu sei.

— Ele precisa muito se soltar um pouco. Quer dizer, é como se ele não tivesse vida do lado de fora do escritório. Ele é um amigão, mas de vez em quando tenho vontade de sacudi-lo e avisá-lo que está se tornando um fracassado.

— Isso mesmo — confirmei. Fracassado. Por passar muito tempo no escritório. Totalmente diferente de mim.

— Você e eu. Somos pessoas que sabem se divertir, não é? Trabalhamos muito, mas nos divertimos muito, também. Temos vidas. Damos risadas. Mas o Max não. O cara nunca sai. Nunca!

Sorri, sem muita convicção.

— Com certeza. É preciso se divertir, não é?

— Claro. Senão qual é a graça da vida? Você se torna um chato. Como o Max.

— Certo — concordei, começando a sentir uma pontada de culpa diante desse ataque injusto. — Embora ele seja um excelente profissional. E trabalhar muito não é algo *negativo*...

Anthony me abraçou enquanto andávamos.

— Você é muito bondosa, Jess, mas vamos ser francos. Você não ia querer ficar presa no elevador com Max nem por um minuto, não é?

Uma breve imagem de Max veio à minha mente. Eu me lembrei de nossas longas conversas; de fazê-lo rir, algo que eu tinha feito poucas vezes, mas havia ficado satisfeita justamente por ter sido tão difícil; de recostar no seu ombro para um cochilo, no dia seguinte após ter ficado até tarde no escritório... Então expulsei essas imagens da cabeça. Helen tinha razão: Max era um chato e eu só me apaixonei por ele porque não me atrevia a sonhar um pouco mais alto. Agora eu o via como era de verdade. Agora eu tinha Anthony. E agora eu era Jessica Wiiild.

— Vai querer champanhe? — perguntou Anthony ao entrarmos em um restaurante perto do escritório.

Aceitei feliz e me dirigi à uma mesa vazia.

— Cá está — disse ele ao voltar do bar, alguns minutos depois, carregando com dificuldade uma garrafa de champanhe, um balde de gelo e duas taças. Então ele abriu a garrafa e piscou quando a rolha pulou. Em seguida, encheu as taças e me entregou uma delas. — A perda do cara do fundo de investimentos de hedge é o meu ganho.

— Com certeza — admiti, erguendo a minha taça.

— Então está tudo acabado? Quer dizer, não teremos mais grupos de cantores e flores?

A voz de Anthony era despretensiosa, mas sob aquele tom superficial havia um ar de seriedade.

— Você está se referindo ao Sean? Bem, não posso fazer nenhuma promessa, mas...

— Mas vai mandá-lo para algum lugar, caso ele tente se aproximar de você, não é? Vai deixar bem claro que tem outros objetivos agora?

Olhei para ele, confusa. Ainda não conseguia acreditar que ele estivesse mesmo tão interessado em mim. Afinal, ele podia ter a mulher que quisesse.

— Bem — comecei a responder devagar. — Eu acho...

— Acha? — Anthony pousou sua taça na mesa e se serviu de mais champanhe. — O que você quer dizer com "acho"?

— Quero dizer... — Enquanto tentava lembrar das instruções de Sean, tomei um gole do meu champanhe. — É... bem, Sean e eu tínhamos um relacionamento sério. Até terminarmos. Então, quero agir com cuidado, antes... acho que quero ter certeza, é isso.

— A meu respeito?

— E a respeito das suas intenções.

— Minhas intenções — repetiu ele com um sorriso malicioso. — As minhas intenções, Jessica Wild, não são nada respeitáveis.

Meu rosto corou.

— Era isso que eu imaginava — eu disse, pousando a taça. Nada respeitáveis? Até que ponto?

— Mas quanto ao meu compromisso — continuou ele —, é total.

— Como assim, total?

— Estou mesmo nessa — respondeu com um gesto afirmativo de cabeça.

— Está mesmo nessa? Em mim? — Eu estava me afastando do roteiro de Sean, mas precisava saber o porquê. — Quando você pode ter qualquer garota em Londres.

— Por que eu iria querer outra garota? — Os olhos de Anthony brilhavam e a mão dele deslizou sobre a minha perna.

— Mas... — Fitei-o, perplexa, dividida entre o desejo de entender por que ele estava interessado em mim e o desejo de que sua mão não parasse o que estava fazendo. — Por que eu?

— Porque ninguém mais me deixa assim tão descontrolado, Jessica Wild — disse, deslocando sua cadeira para mais perto da minha. — Porque, diferentemente desse tal de Sean, não pretendo desperdiçar as minhas chances.

A voz dele era um sussurro; sua boca avançou até o meu pescoço, provocando descargas elétricas por todo o meu corpo. Parecia que eu estava vibrando.

Então percebi que era meu celular no bolso.

— Desculpe — eu disse, me afastando com um sorriso.

Era uma mensagem de Helen. *Tá tomando um drinque agora? Sean telefonou para lembrar o que você tem que fazer: dar mole e dar GELO. Vá embora cedo, bjs*

Eu não queria ir embora cedo. Estava me divertindo.

— Enfim — continuou Anthony, voltando a explorar meu pescoço, enquanto eu colocava o celular na bolsa. — Você me fascina, Jessica Wild. Tenho a impressão de que não sei nada sobre você. Você é um mistério. E eu gosto disso.

— Você... gosta? — perguntei, me lembrando de inspirar e expirar.

— Gosto. Me deixa sempre alerta.

— Certo. Sempre alerta.

— Vamos para o meu apartamento?

— Sim... Quer dizer... Quando? Agora?

Anthony olhou para mim, sorrindo.

— Tenho comida na geladeira. E mais champanhe. Vamos?

Pigarreei. *Dar mole e dar gelo.* Acho que devia me concentrar somente em dar mole essa noite. Talvez o gelo pudesse esperar até amanhã. Ou depois de amanhã. Ou...

— Anthony? — Alguém o chamou. Procurei a pessoa e Anthony se afastou de mim.

— Tamara. — Ele sorriu com ar tranquilo. — Como vai?

— Bem. Obrigada. — Tamara era uma loira alta e elegante, que se dirigiu a mim de maneira um tanto antipática. Entretanto, para Anthony, ofereceu um enorme sorriso. — Não vejo você há séculos. Onde tem se escondido?

Ele sorriu.

— Ah, sabe como é. Muito ocupado. — Ele tomou a mão dela de uma forma brincalhona. — Essa é Jessica. Jessica Wild. Jess, esta é Tamara.

Sorri com educação. Apesar do breve encontro, decidi que não gostava dela; o que parecia ser recíproco.

— Prazer — disse ela, com uma expressão que sugeriu tudo, menos o que havia dito.

— E você, Tam? — perguntou ele, evidentemente ignorando a antipatia entre nós duas. — O que tem feito?

Tamara balançou o cabelo.

— Nada de especial. Saindo, ficando em casa, fazendo alguns trabalhos aqui e ali. Enfim, estou indo a uma festa na casa da Selina, se você quiser ir... Vai todo mundo.

— Festa? — Os olhos de Anthony se iluminaram, e ele se virou para mim. — O que acha, Jess?

— Festa! — repeti, tentando parecer entusiasmada, mas desejando que Tamara desaparecesse num piscar de olhos. — Acho legal. Mas não sei. Quer dizer, acho que seria melhor eu... nós...

Anthony fez uma cara de culpado.

— Não precisamos ficar muito tempo. Só dar um "oi" ao pessoal...

Esbocei um sorriso.

— Eu acho...

— Ótimo! Tam, por que não nos ajuda a terminar esse champanhe?

— Claro — concordou ela, agindo de maneira calorosa pela primeira vez, enquanto se sentava ao lado de Anthony, que me ofereceu um sorriso do tipo: "o que se pode fazer?" e acenou a um garçom pedindo mais uma taça.

— Bem, Gill, não se prenda por minha causa. Se você tem que ir a algum lugar... — disse Tamara com um sorriso amarelo, e eu senti meu rosto queimar de raiva.

— Jess. Meu nome é Jess — consegui dizer. Em seguida toquei a mão de Anthony, da forma como Ivana tinha me ensinado, e cruzei os braços. Na mesma hora ele olhou, interessado, para meu decote.

— Ela não vai a lugar nenhum — disse ele, apertando a minha mão.

— Sabe — comentou Tamara, inclinando-se para a frente. — Marc me contou que você está com uns planos bem ousados. Um plano de ganhar muita grana. É mesmo? Fiquei curiosa.

Anthony se mostrou surpreso.

— Ah, não é nada. Apenas trabalho, sabe como é.

— Ah, é? — disse ela, decepcionada. — Ele achava que você tinha algum plano muito engenhoso.

— Bem, sinto muito, mas você vai ficar desapontada — disse Anthony, com uma piscadela. — Não é nada disso. Apenas um novo negócio.

— Um novo negócio? — perguntei. *Eu tinha que fazer perguntas.* — Que tipo de negócio? Algum projeto de expansão?

Anthony deu de ombros e sorriu.

— Algo parecido. Olha, eu realmente não devia estar falando sobre isso. Não é nada de mais. É...

— Trabalho é sempre chato — disse Tamara, fingindo um bocejo. — Como esse lugar. Vamos embora?

— Não acho que trabalho seja chato — retruquei, de propósito. — Aliás, acho bem interessante. — Olhei para Anthony esperando uma expressão de apoio, mas, em vez disso, ele reagiu com impaciência.

— Não tem nada de interessante. De jeito nenhum. Mas Tamara tem razão, esse lugar também não é interessante. Vamos à festa.

— Agora? — perguntei, hesitante. Eu não queria ir à festa, ainda mais se os convidados fossem como a Tamara. — Por que não ficamos um pouco mais? Nós nem terminamos o champanhe.

— Ah, não! — contestou Tamara, arregalando os olhos. Então ela deu uma risada irônica. — Acho que se você olhar a garrafa mais de perto, vai ver que isso não passa de espumante. Não sei se estou disposta a ficar aqui só por uns golinhos desse lixo.

— Certíssima — confirmou Anthony, levantando-se. — Vamos sair daqui. Que tal pegarmos um táxi até a casa da Selina?

— Já? Quer dizer, nesse instante? — perguntei, ansiosa. O que será que Ivana faria nesta situação? Partiria para uma queda de braço com Anthony?

— Claro que podemos pegar um táxi — respondeu Tamara, me ignorando por completo. — Você sabe que detesto andar, a menos que seja absolutamente necessário. — Ela me olhou de cima a baixo quando me levantei. E não pareceu muito impressionada.

E não fiquei muito impressionada quando Anthony ofereceu o braço a ela.

De repente, decidi que estava na hora de dar gelo. Melhor que isso: um iceberg. E dessa vez eu nem estava fingindo.

— Acho que vou para casa. Eu... tenho algumas coisas para fazer.

— Para casa? — Anthony se virou para mim com os olhos arregalados. — Por quê? Estamos indo a uma festa. E depois da festa... — Ele sorriu de forma maliciosa. — Temos planos, não é?

Hesitei. Talvez eu tivesse reagido de forma exagerada. Talvez ele estivesse apenas sendo gentil com Tamara.

— Olha — falei, puxando-o para mais perto. — Que tal esquecermos essa história de festa e partirmos para os nossos planos? — sugeri com a voz mais sedutora possível, e com olhar expressivo.

— Você não pode perder a festa — retrucou Tamara. Era evidente que ela tinha um ouvido apuradíssimo. — Todo mundo vai estar lá.

Forcei um sorriso.

— Não sei se conheço todo mundo — justifiquei.

— Vai passar a conhecer, se for — insistiu Anthony, com uma cara de cachorrinho abandonado. — Vamos, Jess. Você vai gostar.

— Vai gostar muito — enfatizou Tamara, demonstrando que eu não iria gostar nem um pouco.

— Não estou muito em clima de festa — expliquei. Eu queria que Anthony dissesse a Tamara que deixaríamos para uma próxima vez; estava torcendo para que ele fosse embora comigo, não com ela.

— Mas não vai ter graça nenhuma sem você — lamentou ele. Quer dizer que ele iria. Independentemente de eu ir ou não. Mas é claro. Como fui pensar que ele recusaria?

— Bem, vamos combinar assim — eu disse, respirando fundo. — Vou deixar para uma próxima oportunidade. Podemos retomar nossos planos outro dia. Está bem? — Então, antes que eu pudesse mudar de ideia, dei um "tchauzinho" para ele e me afastei.

Quando cheguei à porta, ouvi alguém atrás de mim, e, ao me virar, dei de cara com Anthony, com uma expressão confusa.

— Jess, o que foi? Não fuja assim. Fique.

Fiz um gesto negativo de cabeça.

— Anthony, pensei que fôssemos jantar essa noite, não que iríamos a uma festa. Então estou indo para casa.

— Mas nós... Eu... Olha, não vou mais — disse ele rapidamente. — Vou falar com a Tamara que... Bem, vou pensar em alguma desculpa. Se é o que você quer. Você é quem manda.

— Se isso fosse verdade — falei, calma, enquanto abria a porta diante de mim —, você já teria dito a ela. Tchau, Anthony.

Desci a rua com meu salto alto, o mais rápido possível. Percebi que estava quase me tornando a Jessica Wiiild.

— Jess? — Eu me virei na direção da voz, assustada, e parei quando vi quem havia me chamado. Era Max. Eu tinha esquecido que estava a poucos metros da Milton Advertising.

— Oi, Max. Saiu agora do trabalho?

Eu deveria estar trabalhando essa noite, pensei. Ainda não tinha sequer começado a trabalhar no Projeto Bolsa e, do jeito que as coisas iam, talvez ele fosse mais importante que o Projeto Casamento, pelo simples fato de o Projeto Bolsa ter alguma chance de dar certo.

— É, acabei de sair. E você? Pensei que fosse jantar com Anthony. — A expressão no rosto dele era incompreensível.

— É, nós estávamos num restaurante. Eu... Enfim, uma tal de Tamara apareceu. Eles vão a uma festa — expliquei, sem conseguir esconder o tom de irritação.

— Ah, a Tamara — comentou ele, mostrando que já a conhecia. — É uma alta, burra e chata para caramba?

Sorri.

— Você a conhece?

— Conheço e posso entender por que você não ficou lá. As amizades de Anthony são meio duvidosas, na minha opinião.

— É... Você é amigo dele — lembrei.

— Acho que sim. E para onde você está indo? Para casa? Posso acompanhar você até o metrô?

Olhei para ele em dúvida. Max e eu realmente não tínhamos conversado muito nos últimos tempos. Pelo menos, desde que comecei a sair com Anthony. Desde que eu tinha decidido que Max era antissocial e workaholic.

— Claro. Obrigada.

Começamos a caminhar e, na mesma hora, fez-se um profundo silêncio. Um silêncio constrangedor.

— E a campanha, como está indo? — perguntou ele depois de alguns segundos.

— O Projeto Bolsa? Ah, tudo bem. — A verdade é que há dias eu mal me preocupara com o projeto; tinha andado muito ocupada dando mole e dando gelo, e recebendo presentes de "Sean".

— Que bom.

Continuamos caminhando; a tensão tornava-se cada vez mais desconfortável. Enfim, chegamos à estação.

— Você... vai pegar o trem? — perguntei, hesitante.

— Não, eu vou... — Ele fez um sinal de que seguiria adiante, e concordei com um aceno de cabeça, em silêncio.

— Tudo bem, então a gente se vê — falei, tentando sorrir.

— Está bem — concordou ele. Então, mudou de ideia. — A não ser que...

— A não ser o quê? — Olhei para a catraca, em seguida para ele.

— A não ser que você... queira beber alguma coisa — sugeriu ele de repente. — Se não tiver que ir para casa. Quer dizer, rapidinho, se tiver outras coisas...

Refleti por um momento.

— Eu gostaria. Muito.

— Que bom! — O rosto de Max se iluminou. — Que... bom.

— Só uma coisinha — eu disse, tombando um pouco para o lado.

— O quê? — Max fez uma expressão séria.

— Você se importa de dar uma passadinha no escritório para eu trocar de sapato? Esses saltos estão me matando.

— Claro que não — respondeu, aliviado. — Não entendo por que as mulheres insistem em usar essas coisas.

— Faz com que nossas pernas pareçam mais longas — expliquei, quando começamos a fazer o caminho de volta.

— Mas suas pernas já são longas o bastante — disse ele, envergonhado. — Para andar — emendou, na hora. — O comprimento delas é prático, na minha opinião. É... Bem, o que eu quero dizer é que suas pernas...

— Obrigada, Max — falei, satisfeita, mancando ao lado dele. — Eu sei o que você quis dizer. Então, aonde iremos?

— Tem um barzinho legal virando a esquina — respondeu ele, sorrindo. — Não é nada sofisticado, mas eles servem um ótimo *bitter*.

— *Bitter*? — perguntei, com implicância. — Isso não é bebida de velho careta?

— É mesmo. E você? Pelo visto não gosta muito de *bitter*, não é?

— Prefiro uma taça de vinho, obrigada.

Ele fez que sim com a cabeça enquanto andávamos. Então, de repente, parou.

— Quer dizer que a história com Anthony não é nada sério?

Eu parei, também. Não estava preparada para aquela pergunta. Ainda mais vindo dele.

— Nada sério? Como assim?

Ele não olhava para mim; continuava olhando para frente.

— Quer dizer, vocês estão em um relacionamento sério? Algo que possa ir a algum lugar?

Só se for à igreja, pensei. Mas isso nunca aconteceria. Não no mundo real.

— Acho que não — respondi com calma. — Não, eu diria que não estamos num relacionamento sério.

— Isso é bom.

— É? — perguntei, ansiosa.

— Não, não que seja bom. Bem, mais ou menos. Quer dizer... — Max passou a mão pelo cabelo, meio sem graça. — É bom para os relacionamentos no trabalho. Sabe como é, sem nenhuma complicação. Política da companhia, esse tipo de coisa.

— Ah, sei — concordei com um aceno de cabeça, um pouco decepcionada. Decepção era um sentimento que parecia me atormentar sempre que Max estava por perto. A essa altura, eu já deveria ter aprendido.

Então ele parou, de novo.

— Para falar a verdade, não fui sincero com você.

— Não?

— Eu... Marcia já tinha me dado o manual de redação — confessou.

— Manual de redação? — perguntei, confusa. — Que manual...? — E então percebi o que ele quis dizer. Do que achava que ele quis dizer. — Ah, sei. Então você foi...

— Isso. Para ver você.

— Por quê...? — Eu mal conseguia respirar.

— Porque eu esperava ter coragem, talvez, para... Mas não consegui, claro. Como sempre, acabei guardando para mim. Mas às vezes a pessoa tem que ser corajosa, você não acha?

— Acho — respondi, com a voz quase inaudível. — Acho que sim.

— Por isso estou feliz. Com essa história entre você e Anthony.

— Certo — eu disse. Ele voltou a andar e eu o segui, com a cabeça agitada. Ele estava feliz. Ele tinha ido ao enterro de Grace para me ver. E só admitiu agora. Por quê? Por que ele não falou antes? Então entendi. Ele não disse nada pela mesma razão que levara Anthony a ficar interessado em mim: porque outra pessoa também estava. Anthony estava com ciúmes de Sean; Max estava com ciúmes de Anthony. Embora ciúme não fosse uma coisa ruim, nem sempre.

Max parou de novo.

— Eu queria saber se você... se...

Eu parei também. Nossos olhares se encontraram, e nenhum dos dois conseguia desviar o rosto. Os lábios dele estavam perto dos meus; se eu inclinasse um pouquinho a cabeça nós nos beijaríamos. Era o que eu desejava desde que o conheci; desde que o vi na Milton, no dia da minha entrevista.

De repente percebi uma coisa: aquilo não era o que eu desejava, não exatamente. Se nós nos beijássemos, tudo iria mudar. Eu perderia a herança de Grace. E o mais importante: ficaria vulnerável a mais decepções. Muito vulnerável. E tudo por um homem que, provavelmente, só estava interessado em mim por ciúmes.

Então me enchi de coragem e me afastei.

— Não — eu disse, com a voz quase inaudível. — Não... — E, reunindo todas as minhas forças, me virei e corri pela rua, em direção ao metrô.

Capítulo 20

PROJETO: CASAMENTO DIA 21

Pendências:

1. Hmm...

Na manhã seguinte, acordei com um barulho. Coloquei o travesseiro sobre a cabeça e fiz o possível para ignorá-lo. Sonolenta, na minha confusão mental, percebi se tratar da campainha, e, portanto, pouquíssimo provável que fosse para mim. Eu já estava voltando a um sono delicioso, quando, alguns minutos depois, senti o travesseiro sendo puxado da minha cabeça.

— É para você — disse Helen, com a voz estranha e fraca.

— Para mim? O que é para mim?

— A campainha. Você tem visita.

— Para mim? — perguntei de novo, parecendo uma idiota. — Quem é? Não é o Dr. Taylor, é? — perguntei, ansiosa.

Então, em um movimento agitado, coloquei as pernas para fora da cama e abaixei a cabeça sobre os joelhos.

— Diga que não estou aqui. Fale que ainda estou fora do país.

— Fora do país? Quando você viajou, para começo de conversa? — perguntou Helen.

— Eu disse a ele que ficaria fora uma ou duas semanas. Por favor, Hel. Diga que não sabe onde estou. Não consigo lidar com ele agora. Realmente não consigo.

— Não é o Dr. Taylor — disse ela, me puxando da cama e ajeitando meu cabelo. — Mas vista algo primeiro — sugeriu, enquanto examinava o meu armário. Em seguida, pegou umas peças de roupa. — Aqui, coloque isso.

Helen me entregou uma calça e um bonito casaco de lã de caxemira, e olhei para ela, desconfiada.

— Por quê?

— Apenas obedeça! — disse, irritada. — Rápido!

— Se for Ivana com alguma nova atividade, eu não vou fazer — retruquei de mau humor. — Não vou mesmo. Aliás, tenho que falar com você sobre o Projeto Casamento. Eu andei pensando e acho que não vai dar certo. Sério.

— Tudo bem. Mas se arrume. E vá até a porta.

— Você não se importa? — perguntei, surpresa. — Não se incomoda se eu desistir de tudo?

— De jeito nenhum — disse Helen de uma maneira vaga. — Tudo o que você quiser. Mas faça um favor e atenda à porta.

Curiosa, saí do quarto e abri a porta. Nesse momento, senti meu estômago embrulhar, porque talvez fosse Max. Talvez ele não aceitasse um não como resposta e tivesse decidido me tomar em seus braços...

O corredor estava vazio. Naturalmente não era Max, o que era um bom sinal. Bem, nunca seria ele mesmo. Não sei por que imaginei isso.

— Não tem ninguém! — Suspirei confusa, olhando para Helen.

— É na porta da rua. Lá embaixo — explicou ela, me empurrando na direção da escada.

Hesitante, desci os degraus. *Pode* ser o Max. Quer dizer, era bem possível. Então, abri a porta aos poucos. E levei um susto.

— Anthony?

Ele sorriu meio sem jeito e me entregou um buquê de flores, que apanhei, indecisa. Ele tinha o hálito de vinho. Também poderia ser champanhe.

— Sei que você já tem um monte de flores, mas não sabia o que comprar.

Eu o fitei, perplexa.

— Você comprou isso para mim?

— Sim. É que...

Ele não terminou a frase.

— Acontece — começou ele novamente — que eu pensei no que aconteceu ontem à noite. Depois que você foi embora.

— Ah, é?

Ele sorriu.

— É. Bem, a festa estava horrível, como sempre, e eu comecei a refletir sobre a minha vida.

— Sua vida — repeti, apertando os olhos contra o sol da manhã. — É sempre bom fazer isso.

— Exato! E, para falar a verdade, sobre a sua vida, também.

— Como assim, sobre a minha vida?

— Você não quis ir à festa ontem e apenas foi embora. Nunca consigo fazer isso. Se houver uma festa, eu tenho que ir. É uma fraqueza.

— Talvez você goste de festa — sugeri.

— Eu gosto! — admitiu, com os olhos brilhando. — Mas nenhuma atende às minhas expectativas. Essa é a questão. Nada me completa. Exceto você.

— Eu? — perguntei desconfiada.

— É. Você é melhor do que eu pensava. Entendeu? Melhor, não pior.

— Ah, sei — eu disse, sem saber se ficava lisonjeada ou ofendida.

— Então eu pensei em Sean. O cara dormiu no ponto e agora está todo arrependido. E cheguei à conclusão: dia desses eu posso acabar sendo esse cara. Correndo de festa em festa, dormindo no ponto e aí perder o barco que está bem na minha frente.

Não entendi o que ele quis dizer.

— Você está falando de perder uma festa no barco?

— Estou me referindo ao seu barco — explicou ele, emocionado.

— Mas eu não tenho barco. Sou uma pessoa comum. Olha, Anthony, por que você não vai para casa? Por que não liga para a Tamara, ou para a Selina, e conversa com elas?

— Não quero conversar com elas. Quero conversar com você.

Ele me fitava com cara de bobo, sem conseguir ficar em pé.

— Você está bêbado?

— Um pouco. Bêbado de amor.

— Você está apaixonado?

Suspirei. É claro. Ele tinha vindo aqui para dizer que estava tudo acabado. Melhor assim. Eu queria mesmo que estivesse tudo acabado. Seria um alívio.

— Estou. Por você!

— Certo. Nesse caso, adeus... — Então percebi o que ele tinha dito, e dei um passo para trás. — Você o quê?

— Estou apaixonado por você. De repente tudo ficou claro.

— Por mim? Mas por quê?

— Por quê? — perguntou ele, confuso.

— Sim. Por quê? Afinal, não sou nenhuma top model e não gosto de festas. Ontem tínhamos saído para jantar e você preferiu ir a uma festa com a Tamara.

— É isso mesmo! — confirmou ele, como se eu tivesse acabado de resolver uma equação matemática difícil. — E foi terrível. Bebi demais, fiquei tempo demais... Se eu tivesse ficado com você, estaria em casa agora, me sentindo bem, em vez de estar sofrendo com essa ressaca.

— Tem certeza de que não está bêbado?

Ele não estava sendo muito coerente. E não estava apaixonado por mim. Aquilo tudo era apenas... esquisito.

— Preciso de mais uma bebida — disse ele, piscando os olhos. — É a melhor coisa para curar ressaca. Enfim, o que você acha?

— O que eu acho? Sobre o quê? — Eu já estava começando a achar que precisava de uma bebida também.

— Sobre nós? Sobre a minha proposta.

— Que proposta? Até onde eu me lembro, você não propôs nada.

— Proposta? Ah, meu Deus. Ele pediu você em casamento? Vocês vão se casar? — Ao me virar, dei de cara com Helen correndo na minha direção, de braços abertos.

— Não — consegui dizer antes que ela se jogasse sobre mim. — Não vamos...

— Mas poderíamos! — completou Anthony de repente, os olhos brilhando.

— O quê? — perguntei horrorizada.

— Casar — repetiu ele. — É uma excelente ideia!

— Não, não é não — contestei.

— É, sim! — retrucou Helen, tampando a minha boca. — É uma ótima ideia. Uau! Que maravilha!

— Mas... mas... — balbuciei, tentando me desvencilhar do abraço de Helen.

— Não vou aceitar "mas" como resposta — disse ele, me agarrando num abraço de urso. — Sua amiga está certa. É uma ótima ideia. Não vou mais perder o barco. Vou entrar nesse barco, isso sim.

— Quer dizer que agora *eu* sou o barco? — perguntei, confusa.

— Nós somos o barco — corrigiu ele. — Casamento é o barco. Aliás, não é barco, é um *navio*.

Fiquei de queixo caído.

— Eu... Eu... Você quer mesmo *se casar* comigo?

— Claro que ele quer! — gritou Helen. — Você vai ser a Sra. Milton. Ah, mal posso esperar para contar a Ivana e a Sean.

— Sean? — perguntou Anthony. — Isso, pode contar a ele. Diga que agora ela está comprometida.

— Não estou comprometida coisa nenhuma. E você não vai contar nada a ninguém.

— Você está comprometida, sim senhora. Anthony acabou de pedir você em casamento. Eu ouvi muito bem — disse Helen, na hora. Então ela se virou para Anthony e estendeu a mão. — A propósito, sou Helen, e vou ser a dama de honra, certo, Jess?

— Acho que está faltando um pequeno detalhe nessa história: eu ainda não disse que sim.

Ambos se viraram para mim, ansiosos.

Fiz um gesto negativo de cabeça.

— Não posso... — comecei a dizer. — Não posso...

— Não pode o quê? — perguntou Helen, impaciente. — Você pode, Jess. Fala sério, aceite a verdade, pelo amor de Deus.

— Mas... — Sentia meu coração disparar. Nesse instante, Helen me agarrou e me puxou para um canto.

— Qual é o seu problema? — perguntou ela, baixinho. — Você está com a faca e o queijo na mão. Anthony Milton está pedindo você em casamento. Você vai ficar com o cara, com a grana, com a casa, e vai cumprir com a promessa que fez a Grace. Por que não vai aceitar o pedido dele?

— Porque... — Respirei fundo. — Porque isso tudo é uma mentira. Eu não sou Jessica Wiiild.

— Não, não é. Jessica Wiiild é que é você — sussurrou ela, em tom firme. — Jess, você não pode recusar. Tem certeza de que quer perder 4 milhões de libras?

— Não! — respondi contrariada. — Eu só não quero... Não quero fazer uma coisa para me arrepender depois.

— Arrepender? Jess, você só vai se arrepender se recusar. Casar com Anthony, que por sinal é um gato, é a melhor coisa que poderia acontecer. E você vai ser milionária. O que há para se arrepender?

Helen tinha razão.

— Nada, acho.

— Exatamente — disse ela, cruzando os braços. — Então?

Olhei para Anthony.

— Eu não posso... — Em seguida olhei para Helen, que me encarava, furiosa. — Eu não posso acreditar — corrigi a tempo. E não conseguia mesmo acreditar. Anthony Milton tinha acabado de me pedir em casamento. Não havia nada planejado no projeto que me ensinasse a lidar com isso.

— Pois pode acreditar — disse ele, tomando a minha mão. — Jessica Wild, quero que você seja minha esposa.

— Sua esposa — repeti as palavras, mas elas ainda soavam estranhas. A qualquer momento, eu esperava que um dos dois pulasse e gritasse: *Surpresa! É só uma brincadeira!* Mas isso não aconteceu. Pelo menos, não vi ninguém pulando. Então olhei para ele, desconfiada. — Você realmente quer casar comigo? Tem certeza?

— Absoluta. Vai ser um grande evento. Todo mundo vai ficar de queixo caído. Eu, casado. Maravilha.

Fitei-o por alguns segundos, depois olhei para o céu da manhã. Eu não podia casar. Simplesmente não podia. Ou será que podia? Talvez. Eu seria a Sra. Milton, afinal, como tinha dito a Grace. E isso poria um fim a qualquer pensamento romântico e perigoso, de uma vez por todas. Eu não o amava; não tinha nenhuma expectativa em relação a ele. Era a união perfeita. Se ele me deixasse, eu não ficaria incomodada. Estaria resguardada de decepções para o resto da vida.

— Tudo bem — fiz que sim com a cabeça, os olhos brilhando. — Seja o que Deus quiser. Vamos em frente. Vamos nos casar.

Capítulo 21

— ENTÃO ELE A PEDIU em casamento. Simples assim! — Helen se serviu de mais champanhe e olhou, triunfante, para Ivana e Sean, que estavam praticamente deitados no sofá. Era domingo à noite e, após um fim de semana bebendo champanhe com Anthony e experimentando alianças, eu estava exausta.

— Ele pediu para casar? — perguntou Ivana, surpresa.

— Tudo graças a vocês dois — logo observou Helen. — Vocês são incríveis.

— Sim — concordou Ivana. — Sim, verdade.

— E agora — prosseguiu Helen em tom receoso — só falta nos assegurarmos de que o casamento aconteça logo; tipo... em vinte e sete dias.

— Um pouco menos de quatro semanas — acrescentei, antes de beber outro gole de champanhe. Eu sentia que a minha convicção em relação a essa história de casamento era equivalente à quantidade de champanhe que eu consumia, ou seja, se esperasse muito antes de tomar um gole, todas as dúvidas e os demônios começavam a voltar.

Ivana ergueu uma sobrancelha.

— Não ser muito tempo.

— Não mesmo — confirmei, pensativa. — Aliás, é quase impossível.

— Impossível não — retorquiu Ivana. — Daremos um jeito.

— Diga a ele que está grávida — sugeriu Sean. — Ele vai se ver com a arma apontada para a cabeça.

— Arma? — repetiu Ivana, confusa. — Nós ter casamento assim na Rússia. Mas o que adianta ter gente morta aqui?

— Não é arma de verdade — explicou Helen. — Se ele pensar que ela está grávida, é mais provável... você sabe, que ele aceite casar mais rápido.

Ivana não pareceu convencida. Então me levantei.

— Não vou dizer a ele que estou grávida, de jeito nenhum.

— Tudo bem, mas você tem outra alternativa? — perguntou Helen.

Fiz um gesto negativo de cabeça.

— Diga que é romântica — sugeriu Ivana, de repente. — Diga que não quer esperar.

— Romântica? — repeti, indecisa. — Acho que não vai funcionar.

Ivana deu outra sugestão:

— Bem. Você pode dizer: "Nada de sexo até o casamento."

Sean fitou a mulher com ar de espanto:

— Você que podia tentar dizer "nada de sexo por um tempo".

— Se continuar com ciúmes, não vai ter sexo — retrucou Ivana, irritada. Então se virou para Helen. — Ele conhecer meu trabalho. Por que agora ter que ser ciumento?

Helen sorriu, compreensiva.

— Tudo bem — disse Sean, resignado. — Bem, Jess, tente perguntar a Anthony. Veja o que ele diz.

— Certo. Vou ver o que posso fazer.

— Isso. Mas, se não der certo, precisamos pensar em um plano — disse Ivana, séria. Em seguida sorriu, mostrando seus dentes de ouro que pareciam pequenas estrelas. — Sabe de uma coisa? Você não está se saindo muito mal — disse ela em tom gentil. — Melhor do que eu imaginava. Então, parabéns.

Depois, olhou ao redor da sala e levou à boca a garrafa de champanhe que tinha na mão.

— É mesmo. Parabéns — concordou Sean.

— Um brinde a Jessica Wild — disse Helen, sorrindo. — Ou melhor, a Jessica Milton.

Na segunda-feira de manhã, assim que passei pela porta do escritório, Gillie veio correndo na minha direção (pude comprovar que ela era capaz de notar uma aliança a dois metros de distância), e deu um grito:

— Sean! Você vai casar com Sean! Ele conseguiu reconquistar você! Ah, meu Deus! Foi o grupo de cantores que ajudou você a se decidir? Ou foram as flores? Ah, olha só o tamanho desse diamante. Marie, venha aqui. Rápido!

Obediente, Marie apressou-se, e ambas suspiraram, enquanto eu erguia a mão para que as duas pudessem examinar o anel.

— Na verdade, não é com o Sean — esclareci.

— Não é com o Sean? — Os olhos de Gillie se arregalaram. — Pare de esconder o jogo. Quem deu o anel a você, então? E você tem algum outro pretendente rico escondido para repassar para mim? Eu não me incomodaria de receber flores todo dia, garanto.

Eu estava nervosa. Desde domingo de manhã, quando Anthony foi para casa (ele pretendia passar o fim de semana comigo, mas dei uma desculpa; como Helen bem tinha lembrado, noivado não era casamento, e eu ainda precisava da orientação experiente de Ivana e de Sean), eu estava me preparando para, a qualquer momento, ele cancelar tudo. Imaginei que ele olharia para mim envergonhado, diria que estava bêbado quando me pediu em casamento e acabaria sugerindo darmos um tempo. Mas ele já havia mandado uma mensagem hoje, perguntando como estava sua noiva favorita. Então, supondo que o termo *favorita* fosse uma brincadeira e que ele não tinha um bando de futuras esposas escondidas por aí, parecia que o casamento estava de pé.

— Querida! — Anthony saiu da sala e me tascou um selinho. — Então, o que achou do anel? — perguntou a Gillie, com um enorme sorriso. — Lindo, não é?

Percebi o rosto de Gillie se transformar em uma careta de perplexidade.

— Você? E você? — perguntou ela, olhando para mim e para Anthony.

Não me atrevi a falar, e me limitei a fazer que sim com a cabeça.

— Sério? Você e Anthony?

Repeti o gesto.

— Vão casar?

— Isso mesmo — confirmou Anthony, sorrindo.

Gillie balançou a cabeça, atônita.

— Mas... Eu nunca... Quer dizer, você nunca... Eu não sabia!

— Faz pouco tempo que estamos juntos — tentei explicar.

— Mas já é tempo suficiente — completou ele, enquanto Gillie admirava meu anel.

Eu. Noiva. Ainda precisava me acostumar com a ideia.

Nesse momento, Marcia passou pelas portas duplas. E se mostrou curiosa quando percebeu a expressão entusiasmada de Gillie. E então viu o anel. Uma expressão de incerteza surgiu em seu rosto, porém ela sorriu e pegou minha mão.

— Você vai se casar?

— Nós vamos — corrigiu Anthony, feliz.

— Que romântico! Foi um namoro bem rápido.

Olhei para ela, surpresa.

— Foi bem rápido mesmo — concordei.

— E, acredite, foi difícil convencê-la — observou Anthony.

— Você sabia? — perguntou Gillie a Marcia. — Sabia que eles estavam juntos?

Marcia sorriu.

— Claro que sabia. Ah, querida. Não me diga que foi a última a saber, Gillie? Que coisa terrível.

— Eu sabia — contestou Gillie. — Pelo menos, imaginava.

— É mesmo? É que parece que você foi pega totalmente de surpresa — disse Marcia. — De qualquer maneira, suponho que a etiqueta nos manda dar os parabéns. Nesse caso, parabéns.

Ela sorriu mais uma vez, e a fitei. Eu não sabia bem o que esperar de Marcia, mas com certeza essa não era a reação que esperava.

— Sim, parabéns — acrescentou Gillie, na hora. — Isso é tão emocionante! Mas precisa começar os preparativos. Você quer uma festa ao ar livre ou vai se casar no inverno? Sabe que as reservas têm que ser feitas com antecedência, né? Ah! Você devia fazer como Liz Hurley. Casar em lugares diferentes. Usar três vestidos diferentes. E damas de honra? Já pensou em tudo, não é? Ah, eu adoro casamentos. Se precisar de ajuda, pode contar comigo.

— Obrigada, Gillie! — eu disse, mantendo um sorriso fixo no rosto. — Mas ainda é cedo. Quer dizer, ainda não tivemos tempo para pensar em nada. Não é, Anthony?

Ele me lançou um sorriso benevolente.

— Acho que não. Mas isso não quer dizer que não podemos começar. Você diz como quer a cerimônia e partimos daí, está bem? Quer casar no verão ou no inverno?

Eu me senti o centro das atenção e meu rosto corou. Agora era a minha chance. Mas como poderia sugerir casar em menos de um mês?

— Bem — falei, tentando conservar um tom casual e descontraído. — Podemos esperar e planejar algo para um futuro distante, ou poderíamos... talvez... fazer algo mais rápido.

— Mais rápido? — perguntou Anthony, surpreso.

— Marcar uma data próxima — acrescentei imediatamente. — Afinal, para que complicar as coisas? Vamos fazer logo de uma vez.

— Fazer logo de uma vez. Como o anúncio da Nike, "Just do it"? — Ele riu e fiquei constrangida.

— Acho uma ótima ideia — afirmou Marcia, de repente. — Casamento muito planejado é entediante.

Surpresa ao ver que Marcia me apoiava, sorri para ela.

— Exato. É muito melhor... aproveitar o ímpeto do momento.

— Agir por impulso? — disse Anthony, com os olhos iluminados de entusiasmo. — Manter o elemento surpresa?

— Isso mesmo — concordou Márcia, animada.

— Mas e quanto ao planejamento? — perguntou Gillie. — Quer dizer, de quanto tempo estamos falando? Alguns meses?

— Ou... — sugeri, hesitante. — Ou algumas semanas?

Anthony pensou por um momento, e sorriu.

— Algumas semanas. Perfeito. Podemos reservar um cartório, oferecer um jantarzinho depois... será maravilhoso.

— Um jantarzinho? — repetiu Gillie, indignada. — Anthony, você não pode casar e fazer apenas um jantarzinho. Tem que fazer as coisas da maneira correta. Fala sério! Você é Anthony Milton. As pessoas vão querer ver fotografias. Aposto que a *Advertising Today* vai colocar você na primeira página novamente.

— Você acha? — Anthony pareceu confuso por um momento, então fez que sim com a cabeça. — Sabe de uma coisa? Acho que você tem razão. Talvez fosse mais apropriado pensar grande em relação a esse casamento. Quem sabe divulgar na mídia.

— Mídia? — perguntei, contrariada. — Tem certeza? Não vai ficar muito caro? Acho que um jantar seria suficiente...

— De jeito nenhum — retrucou ele em tom firme. — E não se preocupe com os custos. Eu pago quanto for preciso. Será um investimento. Gillie, minha querida, você é um gênio. Mas como vamos organizar um casamento desses em poucas semanas?

— Poucas semanas? — Max estava saindo da sua sala e se aproximou. — O que vai acontecer em poucas semanas?

Senti o coração disparar.

— O casamento — anunciou Gillie, com impaciência. — Acorda, Max.

— Casamento? — perguntou ele. — De quem?

Anthony piscou para mim e fiquei ainda mais nervosa.

— Acabei de me lembrar de uma coisa — disse ele em tom conspirativo. — Só um segundo.

Então ele entrou na sua sala e Gillie, irritada, se dirigiu a Max:

— O casamento de Jess e Anthony, é óbvio. Você está sempre por fora, Max?

Ele sorriu.

— Gillie, um dia espero mesmo entender seu senso de humor. Enquanto isso, devo confessar que estou completamente desnorteado.

— Mas eu não estou brincando — retrucou Gillie. — Pode perguntar a ela.

— É sério, Jess? — Max me fitava confuso, e eu engoli em seco.

— Nós... vamos casar — respondi, tentando dar menos importância ao fato. — Anthony me pediu em casamento no sábado.

— É verdade, Max — assegurou Marcia de um jeito capcioso. — Eles escondem o jogo direitinho, são bem dissimulados, não são?

— Olha o anel — confirmou Gillie, apressando-se em erguer a minha mão. — Lindo, não é?

Max olhou o anel, e parecia que estava prestes a dizer alguma coisa, mas desistiu.

— A notícia pegou todo mundo de surpresa — acrescentou Gillie. — Menos eu, claro. Nada me surpreende. Nada mesmo.

— Você... você vai casar? Com Anthony? Sério? — perguntou Max olhando bem nos meus olhos. Senti o rosto arder, tive vontade de dizer: *não, não vou casar com ele,* mas me mantive firme.

— Vou.

— E você acha mesmo que é uma boa ideia? — Os olhos de Max estavam cravados nos meus e expressavam uma desaprovação tão profunda que me atingia em cheio.

— Acho — respondi de forma defensiva. — Acho que é uma ótima ideia.

— Certo. — Fez que sim com a cabeça, com uma expressão sisuda e desinteressada. — Certo. Bem, parabéns. Tenho certeza de que vocês serão... muito felizes. — Em seguida, se virou para voltar a sua sala, mas foi interceptado por Anthony, que se aproximava.

— Muito bem, soldados. Será que conseguimos organizar um casamento em três semanas? — Ele dirigiu-se a mim, com um enorme sorriso.

— Não seja ridículo — respondeu Max na hora.

— Três semanas? — perguntou Gillie, atônita. — Onde você está planejando fazer a cerimônia? No parquinho da esquina?

— Para falar a verdade, estava pensando no Hilton Park Lane. Tem uma igreja linda ali perto, para a cerimônia, e depois podemos reunir todo mundo no Hilton para uma grande recepção.

— Hilton? — perguntei, admirada. O Hilton era um dos maiores e mais elegantes hotéis de Londres. — Tem certeza?

— Tenho! — disse ele, radiante. — Eles são clientes da agência. E acabei de falar com o diretor-executivo.

— E eles têm datas disponíveis? — perguntou Gillie.

— É claro que não. As reservas normalmente se esgotam com anos de antecedência. Mas houve um cancelamento. Ao que parece uma noiva desistiu de casar. Mas a desgraça do noivo foi a nossa sorte!

— Mas três semanas? Um mês já seria pouco, imagine três semanas. Não dá para organizar um casamento nem em um mês! — exclamou Gillie. — É impossível!

— Nada é impossível — afirmou Marcia. — Não é, Anthony?

— Claro — respondeu ele, dando uma piscadela.

Max o encarou.

— Anthony, você enlouqueceu? Três semanas? Você não acha que talvez esteja apressando um pouco as coisas? Não acha que casamento é um compromisso sério que deve ser analisado, planejado, preparado? — Senti o coração disparar. Eu estava tão perto, tão perto de resolver tudo. Então por que queria que Max convencesse Anthony de que ir em frente com aquilo não era uma boa ideia?

— Não se deve perder uma chance quando ela aparece, é o que eu sempre digo — respondeu Anthony prontamente, afastando-se do amigo. Nesse momento, eu olhei nos olhos dele e percebi um ar de preocupação, mas ele logo sorriu, e deduzi que a preocupação era minha. — Jess, você não acha que estamos apressando as coisas, acha? Não tem medo de encarar o desconhecido, não é?

— De jeito nenhum — respondi, lamentando não me sentir tão segura quanto demonstrava.

— Um casamento às pressas — disse Marcia. — Que romântico!

— Não poderia haver uma definição melhor — comentou Anthony sorrindo. — Bem, Jess, você quer que o casamento seja logo. Três semanas está bom para você?

— Daqui a três semanas é uma ótima data — consegui dizer.

— Tudo bem — disse Max, tenso. — Estou muito contente por vocês. E se três semanas é o bastante para organizar um casamento, então com certeza três minutos devem ser o bastante para você se preparar para a nossa reunião do Projeto Bolsa.

Fiquei meio confusa e olhei para o relógio. Eram oito e cinquenta e sete.

— Ah, sem problema — balbuciei, ao lembrar que tínhamos uma reunião às nove horas.

— Ótimo, sem problema — disse Max antes de voltar para sua sala.

Capítulo 22

SENTEI À MINHA MESA E liguei o computador. Tudo estava acontecendo conforme o planejado. Tudo na minha vida estava se desenrolando perfeitamente. Eu estava feliz. A sensação estranha que eu sentia no estômago era felicidade, só podia ser.

— E então, está pronta para a reunião? — Ergui os olhos e vi Max se aproximando a passos largos. — Porque vamos começar agora. Para ser mais exato, nesse minuto. — Ele me lançou um olhar de expectativa e disfarcei.

— Claro. Se é que é possível estar pronta para uma reunião.

— Como assim? O que você quer dizer? É claro que você pode estar pronta para uma reunião.

Nossa! Ele não tinha mesmo nenhum senso de humor.

— Quero dizer que está tudo certo — esclareci. — Relaxe.

— Relaxar? — O rosto dele se contorceu de espanto. — Temos uma reunião com Chester Rydall e você está pedindo que eu relaxe?

— Max, pelo amor de Deus, a Jess tem coisas mais importantes com que se preocupar — disse Marcia, levantando-se de repente. — Sabe de uma coisa, Jess? Ignore-o.

Max a encarou.

— Acho que você verá que ela já sabe fazer isso muito bem — disse ele com calma e se afastou, indo em direção à sala de reunião. Então dei um suspiro e, resignada, o segui.

— Jessica Wild! — Chester, que estava ao lado de Anthony, sorriu para mim logo que entrei. — Pelo que ouvi, devo dar meus parabéns a você! — disse ele ao se levantar. Em seguida, me envolveu em um forte abraço. — Tenho certeza de que vocês dois serão um casal maravilhoso.

Forcei-me a abrir um largo sorriso.

— Obrigada, Chester. Muito obrigada.

— De nada. E preciso admitir que estou muito empolgado com a apresentação de hoje. O pessoal lá do escritório está esperando ansiosamente para ver o que vocês prepararam.

— Ah, é? — perguntei feliz, disparando um olhar triunfante para Max. — Bem, fico contente de ouvir isso.

— Podemos começar? — perguntou-me Anthony e fez um gesto para todos se sentarem. — Bem, Jess, futura Sra. Milton, apresente-nos todos os emocionantes passos do Projeto Bolsa!

Ele sorriu para mim e eu senti meu rosto ficar um pouco rosado.

— Claro. Obrigada, Anthony — falei, animada. — O que eu gostaria de fazer hoje é revisar as nossas ideias para a campanha e estabelecer de uma vez por todas o que pretendemos fazer.

Chester me lançou um olhar confuso e logo depois riu.

— Ah, é uma piada — disse ele.

— Piada? — Agora eu é que parecia confusa.

— É. Claro que você não me faria vir até aqui depois de todo esse tempo só para recapitular o que já foi decidido. Vamos lá, Jess. Sei que você gosta de um certo efeito dramático quando está fazendo uma apresentação, mas vamos direto ao ponto: pesquisas, estratégias. Estou ansioso para ouvir tudo isso.

— Ir direto ao ponto. Certo.

— Vamos, Jess — disse Anthony em tom animador. — Pode nos colocar a par de tudo.

— Claro! Está certo. Bem, estamos aqui para discutir o Projeto Bolsa, então vamos ao que interessa. Tenho alguns logotipos aqui para serem avaliados e muitas ideias a respeito da campanha em si...

Consegui encher linguiça por mais ou menos dez minutos, distribuindo os logotipos que Max havia me mostrado, sendo evasiva ao máximo. E de fato pensei que tudo estava indo bem. Afinal, eu era Jessica Wiiild. Então sorri (sem mostrar os dentes), joguei o cabelo e consegui parecer, na minha opinião, pelo menos, bastante convincente, mesmo não tendo nada a dizer, mesmo não tendo feito absolutamente nada a respeito da campanha.

— Então — eu disse, ansiosa, me dirigindo a Chester, quando terminei. — Você tem alguma opinião?

Chester esfregou o queixo.

— Na verdade, tenho — respondeu ele, franzindo a testa. — Para ser franco, não estou muito certo sobre o que consegui apurar hoje.

— Apurar? — Comecei a sentir meu estômago se embrulhar.

— Acho — disse Chester, com uma expressão um pouco angustiada — que eu esperava mais... detalhes hoje. Sabe, estatísticas e resultados.

— Estatísticas e resultados — repeti, nervosa. — Certo. Então me diga o que você gostaria de saber.

Uma expressão de alívio surgiu no rosto de Chester.

— Ah, perfeito. Você poderia dizer, em termos de gastos, qual é a proporção da publicidade impressa que está sendo planejada, em comparação com a propaganda on-line? E se há alguma perspectiva de resultado direto a partir dessa estratégia, ou se é somente um trabalho para construir a marca?

— Bem, essa é uma boa pergunta — consegui dizer sorrindo.

— E quanto à aceitação? — continuou Chester. — Quais os resultados financeiros que se espera para os dois primeiros meses, e qual seria o volume de investimento? Porque isso vai nos ajudar a reduzir drasticamente os custos.

— Hmm, outra pergunta interessante...

— Eu também gostaria de uma atualização quanto ao cachê de algumas celebridades que você mencionou na reunião anterior. Quais são as condições para que isso aconteça? — Todos me olharam, e eu senti meu rosto arder de nervosismo.

— Certo, essa é uma questão bem relevante.

— Para a qual você tem uma resposta? — acrescentou Chester com interesse.

— Sim, com certeza — falei, engolindo em seco. — Claro que tenho. Talvez eu possa mandar por e-mail para você depois?

— Mandar por e-mail? — Chester fez uma careta. — Pensei que o objetivo dessa reunião fosse para discutirmos isso agora.

— E é. Quer dizer, era. Mas... — Olhei ao redor da sala. Anthony me olhava com um sorriso ligeiramente fixo; Marcia rabiscava no bloco. Nem me atrevi a olhar para Max. Podia sentir sua irritação do outro lado da mesa.

De repente, Max empurrou a cadeira e eu me vi forçada a encará-lo.

— Chester, você levantou algumas questões importantes — disse ele, sério. — Questões que temos tentado resolver nas últimas semanas, embora sem chegarmos a conclusões concretas. A verdade é que, antes de apresentarmos os detalhes a vocês, seria muito mais proveitoso se nós ouvíssemos o que a Jarvis Private Banking pretende alcançar em termos de resultados financeiros; e então, a partir daí, poderemos planejar o *target* da propaganda. Sabemos, por exemplo, que a Jarvis busca uma curva de crescimento para os primeiros seis meses como construção da marca.

Afinal, não estamos tratando de um cartão de crédito com juros reduzidos, mas de um produto financeiro sofisticado que vai levar tempo para ser assimilado pelo público. Mas precisamos mesmo de uma orientação, de uma sugestão em relação a que rumo seguir, em números exatos.

Chester fitou-o por alguns segundos.

— Certo — concluiu ele, parecendo um pouco satisfeito. — Bem, acho que isso faz sentido. Podemos fazer uma estimativa, determinar alguns números e deixá-lo a par de tudo, se você acha necessário.

— E então teremos informações mais detalhadas sobre o logotipo e sua utilização — acrescentou Max, na hora.

— Ótimo. Perfeito — concordou Chester.

— Podemos marcar outra reunião para daqui a algumas semanas? — sugeriu Max.

Chester concordou.

— Tudo bem. Acho que está ótimo.

Imediatamente Anthony se levantou e conduziu Chester para fora da sala, seguido de perto por Marcia.

Max e eu nos olhamos, ambos hesitantes.

— Bem, isso foi um bocado intenso — comentei, tentando esboçar um sorriso. — Graças a Deus você conseguiu convencê-lo de que ele não precisava de todas as respostas agora.

— Eu não o convenci de nada. Apenas consegui demovê-lo da ideia de dispensar nossos serviços de cara — argumentou ele, nervoso.

— Dispensar nossos serviços? Não seja ridículo.

— Eu, ridículo? A única coisa ridícula hoje foi a sua apresentação. No que você estava pensando, Jess?

— A apresentação não foi ridícula. Tudo bem que não entrei em detalhes...

— Você não tinha feito nada — contestou Max, ao se levantar. — O que fez foi deixar a agência inteira numa situação delicada.

— Quem deixou a agência inteira numa situação delicada? — perguntou Anthony, ao voltar para a sala. — Max, meu amigo, cuidado com o que diz.

— Não vou ter cuidado nenhum — retrucou Max, furioso. — A apresentação de hoje foi um desastre e ela sabe muito bem disso. Você também. E eu não tenho medo de falar isso.

— Há diferentes recursos para se atingir um objetivo — argumentou Anthony, em voz baixa.

— Então você também acha que a apresentação foi um desastre? — indaguei, encarando Anthony. Maldito Max. Maldito Max.

— Não, claro que não — respondeu Anthony de pronto, aproximando-se e me abraçando. — Você foi maravilhosa. As expectativas de Chester foram...

— Não foram correspondidas, isso sim — interrompeu-o Max. — Isso tudo passou longe.

— Max, por acaso você percebe que talvez Jess tivesse outras coisas em mente? — Levantei os olhos e vi Marcia voltando para a sala. Ela sorriu para mim. — Entende que ela poderia estar preocupada, com Sean, com Anthony, com o casamento...

— Todos nós temos vida pessoal — retrucou Max seco.

— É mesmo? — perguntou Marcia em tom sarcástico. — Não pensei que você entendesse dessas coisas.

— É por isso que sua apresentação foi uma embromação total? — perguntou Max, ignorando os comentários de Marcia.

— É — respondi de maneira defensiva. — Tenho tido muitas preocupações. Acho que não consegui fazer as pesquisas como esperava, mas...

— Como você esperava? Você não tinha nada — vociferou Max.

— Max, dá um tempo a Jess, pelo amor de Deus. Marcia tem razão, é esperar demais que alguém gerencie uma conta *e* faça os preparativos de um casamento.

— Ah, não — contestei. — Quer dizer, eu posso fazer ambos. Eu só...

— Exatamente — interveio Marcia. — É muita coisa para uma pessoa. Pode deixar que eu ajudo.

— Grande ideia — disse Max com um suspiro. — Por que Marcia não fica responsável pela campanha e assim todos podemos dormir tranquilamente? Afinal, estamos falando apenas da conta mais importante que conseguimos em um ano.

— Ótimo — concordou Anthony, entusiasmado. — Marcia assume o projeto e Jess pode se concentrar na escolha do bufê, das flores, enfim, do que for preciso para o casamento.

— O quê? Não! Quer dizer, não precisa, realmente...

— Precisa, sim — retrucou Anthony com firmeza. — Jess, não quero que você fique estressada antes do casamento. Quero você deslumbrante e tranquila. Marcia, você pode assumir a campanha, não pode?

— Claro que posso — respondeu ela, resignada, mas com um leve brilho nos olhos. — Isso significa mais trabalho para mim, mas tenho certeza de que vai valer a pena.

— Mas... — Eu tentei contestar. As coisas não estavam se encaminhando como deveriam. Esse projeto era meu; Marcia iria pôr tudo a perder. Eu posso ter andado um pouco ocupada nas duas últimas semanas, mas Marcia não tinha feito nada e ponto final. Olhei para Max com uma expressão de súplica. Ele devia concordar que aquilo não era uma boa ideia. Ele odiava Marcia. Chegava a considerá-la uma inútil.

Porém, ele não olhou para mim; apenas fez que sim com a cabeça, em silêncio.

— Está decidido — resolveu ele, antes de sair da sala. — Como você mesma disse, Jess, você tem andado muito ocupada. Agora está livre para se concentrar no que é importante. Para você, pelo menos.

Capítulo 23

É CLARO QUE NÃO FIQUEI muito chateada por perder a campanha. Quer dizer, é claro que era a minha primeira conta; claro que o Projeto Bolsa tinha sido ideia minha; claro que teria sido ótimo acompanhar o processo até o fim. Mas, de um modo geral, isso não era o que importava, afinal, eu estava prestes a me tornar a Sra. Milton. Iria me tornar uma milionária feliz e casada. Ou somente milionária. Uma milionária feliz que também era casada. De um modo ou de outro, a situação era boa. Realmente muito boa.

Além disso, no dia seguinte, quando Marcia mencionou pela quinta vez o quanto estava feliz por me ajudar com a campanha, comecei a notar a quantidade de detalhes que envolviam os preparativos de um casamento. Havia os convites, o bufê, as flores, a lista de presentes, o vestido, a cor dos guardanapos; e isso não era nem a metade. Determinada, folheei as revistas que Gillie tinha colocado na minha mesa e li artigos do tipo "Contagem regressiva para o seu casamento" e "Planejamento em apenas dezoito meses". O problema é que eu dispunha de algumas semanas, não meses. Eu ia ficar muitíssimo ocupada.

— Veja isso... flores para a noiva!

Ao me virar, vi Gillie com um enorme buquê, que ela colocou no centro da minha mesa.

— Não são de Anthony — observou ela com um brilho nos olhos. — Eu verifiquei.

— Você fez o quê?

Ela ficou pálida.

— Só dei uma olhadinha, só isso.

Da sua mesa, Marcia, que parecia decidida a tornar-se minha nova melhor amiga, se esticou toda para olhar e perguntou, intrigada:

— Então são de quem?

Lentamente, abri o cartão e li o bilhete em voz alta:

— *Para minha querida Jess. Um homem melhor conquistou seu coração. Desejo que você seja sempre feliz, Sean.* — Consegui conter uma risada. — Obrigada, Gillie.

Marcia me olhou, irritada.

— Bem, pelo menos ele está a par da situação. Sério, Jess, você precisa tomar cuidado com esse cara. Acho que pode acabar perseguindo você.

Concordei com ar de prudência.

— Tem razão. Obrigada, Marcia, vou tomar cuidado.

— Olha só o que eu trouxe! — anunciou Gillie, animada. Então exibiu mais três revistas de noivas que escondia atrás de si. — Temos muita coisa para decidir. Vestido, damas de honra, local da cerimônia, bufê, agrados...

— Agrados? — perguntei, nervosa. — Mas isso não é para a... você sabe... a lua de mel?

Gillie me olhou por um momento, e logo caiu na gargalhada.

— Ah, Jess, você é muito engraçada — disse ela, secando as lágrimas dos olhos. — Agrados são as lembrancinhas para os convidados. E precisamos de um bom fotógrafo. Você vai fazer festa de noivado?

Fitei-a, confusa.

— Hmm... — Tentei dizer alguma coisa, mas Gillie não estava prestando atenção.

— Você tem que ter uma festa de noivado — afirmou ela. — E acho que deveria ser black-tie. Adoro homem de smoking, e você, Marcia?

— Com certeza. Festa de noivado é obrigatório hoje em dia. Não é, Anthony?

Eu me virei e vi Anthony se aproximando, e Gillie no mesmo instante assumiu um ar mais comportado.

— Oi, Anthony — disse ela, sorrindo. — Estávamos justamente falando sobre seu casamento! É tão emocionante. Jess tem muita coisa para resolver. E eu queria saber se vocês pretendem fazer uma festa de noivado black-tie.

— Uma festa de noivado black-tie? — Anthony sorriu. — Grande ideia! E eu conheço a empresa certa para preparar uma festa assim, a Party Party Party.

— Party Party Party? — repeti um tanto apática. Isso é algum mantra? Uma filosofia?

— São os melhores organizadores de eventos de Londres — esclareceu, animado. — São responsáveis pelos casamentos mais badalados. Falei de manhã por telefone com Fenella, uma das organizadoras de eventos, e ela me garantiu que eles podem cuidar de tudo. Quer dizer, se vamos mesmo dar uma festa, temos que fazer tudo direitinho, não acha?

— Eles vão cuidar dos preparativos do nosso casamento? — perguntei, pálida.

— Que ideia fantástica! — exclamou Marcia. — Eles são os melhores. Realmente muito bons. Minha prima usou o serviço deles no ano passado.

— É mesmo? — Os olhos de Anthony brilharam de entusiasmo. — Bem, essa é uma ótima recomendação. — Em seguida, ele me olhou e sorriu. — Ao que parece, eles também organizaram o casamento do Elton, embora não possam admiti-lo oficialmente. É perfeito, afinal, se vamos fazer uma grande festa, temos que nos certificar de que tudo seja bem-feito, não é? O que você acha?

— Mas eu faria tudo bem-feito — retruquei, indecisa. Nesse instante, tive uma ideia e logo acrescentei: — Embora talvez seja mesmo uma boa ideia contratar o serviço. Quer dizer, se eles cuidam de tudo, eu ficaria livre para me concentrar no Projeto.

Marcia riu.

— Meu Deus, Jess, você é uma figura — disse ela, em tom irônico. — É claro que não terá tempo para o Projeto. Mesmo contando com a empresa de eventos, você ainda vai ter muita coisa a resolver. Para começo de conversa, terá que supervisionar tudo que eles fizerem. Ou seja, você continua sendo a principal responsável pela cerimônia; eles são a sua equipe. Além disso, você precisa tomar muitas decisões, como a lista de presentes e o seu vestido.

— Lista de presentes e vestido — repeti, dizendo a mim mesma, pela décima vez naquele dia, que meu casamento era mais importante que um projeto bobo do trabalho.

— E as flores — acrescentou Anthony, na mesma hora. — Acho que você deveria fazer o buquê. Para acrescentar um toque pessoal à cerimônia.

— O buquê. — Forcei outro sorriso.

— É isso aí! Fenella pegou os seus dados, por isso não fique surpresa se ela ligar a qualquer momento — disse Anthony dando um tapinha no meu ombro, no instante em que Max se aproximou da mesa de Marcia. Minha reação imediata foi desviar o olhar.

— Então, Max — disse Anthony. — Vai à nossa festa de noivado? Acabei de contratar a Party Party Party para cuidar de tudo. Inclusive do casamento.

— Party Party Party? Parece um serviço caro — observou Max. — Está planejando hipotecar a agência mais uma vez?

Marcia ergueu os olhos, curiosa, e Anthony se mostrou irritado.

— Max, Max — disse ele com desdém. — Não se preocupe com dinheiro. Vai dar tudo certo.

— Tenho certeza de que sim — replicou Max em tom irônico. — Mas dessa vez tente não colocar os gastos da festa como sendo da agência. Os fiscais não gostam muito disso, por mais inconveniente que seja. Enfim. Marcia, você teria um tempinho mais tarde para falarmos sobre a apresentação? Por volta das três horas?

Marcia fez um discreto movimento de sim com a cabeça, e Max foi em direção às escadas.

— Não dê ouvidos a ele — disse Anthony, irritado. — Ele sempre se prende aos detalhes. — Em seguida, deu uma piscadela e voltou para sua sala.

Fenella telefonou vinte minutos depois. Sua voz me intimidou logo de cara. O modo como falava era elegante e confiante, que só pessoas muito bonitas, com sobrenome composto, ligado por hífen, parecem ter. E mesmo sabendo que ela estava prestando um serviço para mim, mesmo após ela afirmar várias vezes que o casamento era meu, e que seu trabalho era apenas o de "agente facilitadora", ao fim da nossa conversa, eu tinha prometido cumprir a lista proposta por ela e garantido que não a desapontaria nos preparativos. Dois segundos após desligar o telefone, recebi um e-mail:

Jess,

Foi MUITO bom falar com você agora há pouco. Tenho certeza de que esse vai ser o casamento MAIS MARAVILHOSO DE TODOS, e realmente estou empolgada por participar dos preparativos. Meu trabalho é fazer com que tudo seja perfeito para você e Anthony, então qualquer coisa que eu possa fazer para ajudá-la, é só avisar. Enquanto isso, se você me enviar, o mais rápido possível, a lista abaixo será ÓTIMO!

Um beijo,

Fen.

1. Festa de noivado — o que você acha de fazer a festa no Boasters? É um clube novo, exclusivo para sócios, na St James. Além de muito legal, está livre no próximo sábado (!) — Eles estão segurando a nossa reserva. Imagino que a bebida vai ser liberada, certo? E suponho que os convites serão mandados por e-mail. É tudo meio de última hora, não é?!
2. Esquema de cores: conforme combinamos, verde e vermelho vão ser as cores básicas desse casamento. Eu estava pensando em usar Pantone números 1805 e 3435 — você poderia confirmar se gosta desses tons? Por favor, verifique isso com cuidado, porque uma vez confirmadas as cores, vai ser extremamente difícil mudar qualquer coisa. Mas sei que você irá adorar esses tons. Tenho certeza disso!
3. Para os homens, gravata plastrão ou gravata-borboleta? Ou você prefere que eu veja esse detalhe com Anthony?
4. Seu vestido: você poderia me mandar uma amostra de tecido? Preciso me certificar de que combina com o tema da festa. Se quiser me enviar algumas opções, ficarei feliz em fornecer um feedback.
5. Véu — sim ou não? Longo ou curto? Preciso saber para poder reproduzi-lo no enfeite do bolo.
6. O jantar de ensaio — você prefere que seja traje a rigor ou traje passeio?
7. Flores: Anthony disse que você irá fazer o buquê. Só para esclarecer: você vai utilizar os serviços de um florista, certo? Mandarei por e-mail algumas recomendações. Por favor, não se esqueça de dar a ele os números dos tons Pantone, e pedir que entre em contato comigo.

* * *

Olhei a lista e senti meu coração disparar. Eu não fazia a menor ideia do que responder. Eu não tinha incluído nada daquilo no Projeto Casamento.

Na mesma hora telefonei para Helen.

— Devo escolher gravata plastrão ou gravata-borboleta? — perguntei sem fôlego.

— O quê?

— Para o casamento. Fenella quer saber, e eu não tenho a menor ideia, Hel. E ela quer uma amostra de tecido do meu vestido.

— Fenella?

— A organizadora do casamento.

— Você tem uma organizadora de casamento?

— Tenho — respondi, impaciente. — E ela está fazendo um monte de perguntas e não sei o que dizer. Você tem que me ajudar. Gravata plastrão ou gravata-borboleta? E quanto a amostras de tecido?

— Mas você não escolheu o vestido ainda. Nós só vamos fazer isso semana que vem.

— Eu sei. Mas ela quer tudo agora. E está organizando uma festa de noivado para sábado à noite.

— Sábado?

— Pois é. No Boasters. Nem sei onde fica.

— Ah, relaxa, Jess. Tenho certeza de que ela vai mandar um mapa. Enfim, lembre-se, daqui a poucas semanas você vai ser milionária. Precisa se acostumar a ter pessoas trabalhando para você.

— Ela quer que eu escolha um tom de Pantone.

— Relaxa! Você deveria contratá-la para decorar a casa de Grace, depois do casamento.

— Você acha?

— Com certeza, para deixar a casa com a sua cara. Sofás novos, cortinas novas. Jess, vai ser tão legal.

— Sofás novos... — Minha voz foi sumindo conforme minha mente era tomada por uma imagem de mim e Anthony morando na casa de Grace.

— Jess? Está tudo bem?

— Sim, claro. Tudo bem. Eu apenas...

— Apenas o quê?

— Você acha que o casamento vai dar certo? — sussurrei ao telefone. — Eu vou me casar de verdade.

— Só agora se deu conta disso? — disse Helen, rindo.

— Não, mas...

— Vai dar tudo certo. Ele é lindo, você é linda e tudo vai ser maravilhoso.

— Tem razão — eu disse, fazendo um gesto afirmativo com a cabeça e olhando a lista que Fenella havia mandado. Anthony estava gastando tanto dinheiro com o casamento; eu não poderia desapontá-lo. — Eu vou ser a Sra. Milton — declarei em tom firme. — E vou ser muito feliz.

— Assim que se fala! — disse Helen, animada. — Ah, antes que eu me esqueça.

— O quê?

— Gravata plastrão. Gravata-borboleta é coisa do século passado.

Capítulo 24

PROJETO: CASAMENTO DIA 28

Pendências:

1. Ir à festa de noivado.
2. Falar com Fenella.
3. Ser feliz...

O Boasters não era apenas um "clube novo, exclusivo para sócios". Era o lugar mais moderno e mais original de Londres. Era tão super, hiperdescolado que eu e Helen levamos meia hora para encontrá-lo; só quando Ivana chegou e apontou para a porta preta, lustrosa e sem nenhuma sinalização que a gente se deu conta de que era o local.

Bem, tenho que admitir que convidar Ivana talvez não tenha sido um dos momentos de que mais me orgulho. Porém, quando Fenella ligou, desculpando-se por não poder encontrar-se comigo pessoalmente antes da festa, pois havia muita coisa para organizar, mas que estava empolgada e que tomaríamos um café "assim que possível", ela pediu que mandasse por e-mail a minha lista de convidados. E embora eu imaginasse que todo mundo no escritório seria considerado meu convidado assim como de Anthony, eu não podia enviar só um nome: Helen. Ela poderia pensar que não tenho muitos amigos ou algo do gênero. Portanto, acabei mandando o nome de Ivana, também. E o de Sean. Pior que isso, me senti intimidada conversando com Fenella e acabei dando uma desculpa esfarrapada para justificar a minha curta lista de convidados. Falei que todo mundo que eu conhecia devia estar fora do país esquiando ou aproveitando o sol. Eu podia jurar que ela sabia que eu estava mentindo, embora Fenella tenha dito: "Ah, meu Deus, eu sei bem como é isso. Todo mundo que conheço também vive fugindo nas férias, e eu só consegui ir a Gstaad duas vezes esse ano, o que é muito injusto, mas o que há de se fazer?"

Quando nos aproximamos da porta, Ivana me parou com uma expressão confusa.

— Esta ser sua festa de noivado — disse ela, com as mãos no meu ombro. — Você não parecer feliz.

— Não? — perguntei, ansiosa.

— O seu ombro está muito curvado para a frente. Você devia estar mais empinada.

Revirei os olhos.

— Se eu não me inclinar um pouco para a frente, meus peitos ficam parecendo duas espirais pontudas — expliquei, disparando um olhar para Helen, com quem eu tinha argumentado por várias horas a respeito da minha roupa. Após uma longa discussão, ela tinha, enfim, permitido que eu usasse um vestidinho preto discreto, mas insistira em me enfiar num sutiã que parecia algo saído de uma fantasia sadomasoquista.

— Deixa ver — exigiu Ivana, e eu, obediente, lhe mostrei. — Hmm. Eu gostar do sutiã — disse ela, examinando minha roupa. — O vestido não muito. Mas você... Não. Não está bom.

— Não está bom? Por quê? Tem comida nos meus dentes?

Ivana arqueou as sobrancelhas.

— Não, mas você ter algo no olho. Eu reconheço. É medo.

— Não estou com medo. Apenas estou um pouco nervosa. Afinal, vou conhecer todos os amigos de Anthony. Tenho certeza de que ele também deve estar nervoso em conhecer... você.

— Nerrrvosa — disse Ivana, forçando o "r" um pouco demais, na minha opinião. — Por que nervosa? É sua festa. Você tem de botarrr na cabeça que é a mulher mais sexy daqui.

— Certo. — Fiz um pequeno movimento de sim com a cabeça, pensando nas Tamaras e Selinas que, sem dúvida, estariam me avaliando. — Sem problema.

Ivana balançou a cabeça em sinal de insatisfação e olhou para Sean, que deu de ombros, compactuando com o descontentamento dela.

— Isso não está bom — insistiu ela. — Não mesmo. Fique ereta, está bem?

Suspirei e, relutante, alonguei o corpo o máximo que pude.

— Está bom. Podemos entrar agora?

— Você me diga quem é — pediu ela em tom firme, bloqueando a entrada.

Encarei-a como se ela fosse louca.

— Sou Jessica Wild — respondi no tom mais baixo possível. — E estou atrasada para a minha festa de noivado. — Então olhei o relógio de maneira deliberada; já havia se passado vinte minutos da hora combinada com Anthony.

— Jessica quem? — Seus olhos emanavam um brilho ameaçador.

— Jessica Wild — sussurrei, sentindo o rosto corar. — Olha, por favor, não podemos apenas entrar? Eu estou bem, juro.

— Você não está bem. Você parecer garotinha assustada que vai para a própria festa de noivado. Quero que me diga quem você é. Repita: você é Jessica Wiiild, mulher sexy e louca.

Olhei ao redor, nervosa. Não havia ninguém por perto. Resignada, respirei fundo.

— Sou Jessica Wild — repeti lentamente, lançando um olhar de súplica à Ivana. — Uma mulher sexy e louca.

— Agora, diga do fundo do coração. Ou não vai entrar.

Ela arqueou a sobrancelha e meus ombros despencaram; na mesma hora ela desviou o olhar na direção deles até que eu endireitasse a postura.

— Certo — falei. Em seguida, joguei a cabeça para trás. — Sou Jessica Wild — disse em voz alta, confiante. — Tão perigosa quanto você quiser. Sou Jessica Wild, a mulher sexy, louca que é perigooooosa. Está bom assim?

Ivana se manteve em silêncio.

— O que foi? Não está perigosa o bastante? Louca o suficiente? — Então, remexi os quadris, numa imitação de dança. — Sou Jessica Wiiild — gritei. — Perigosa, desvairada e sexy, de Islington. Cuidado com seus filhos, porque Jessica Wild está na área. Agora podemos entrar?

— Jessica. Que bom ver você — disse uma voz de repente; e ao me virar, dei de cara com Max se aproximando.

Tentei esboçar um sorriso

— Max. Oi. É... esses são meus amigos. Helen, Ivana e... Sean.

— E eles também são perigoooosos? — perguntou ele de forma irônica, com um leve brilho no olhar. Fiquei furiosa. Isso era tudo o que eu precisava: Max zombando de mim.

— Ah, aquilo foi só... — Tentei justificar dando uma risada. — Aquilo, é... eu só estava...

— Ela estava fazendo exercícios vocais — explicou Ivana, abrindo um enorme sorriso para Max, antes de estender a mão para cumprimentá-lo. — Prazer. — Ela piscou algumas vezes, e seus enormes cílios pareceram fechar alguns segundos depois das pálpebras. Max sorriu.

— Ivana — disse ele, cumprimentando-a.

— Olha — disse Ivana, em tom baixo e grave. — Vamos entrar?

A porta preta lustrosa abria-se para uma escadaria íngreme, cujo topo tinha cinco morenas de pernas bonitas recepcionando os convidados, cada uma segurando uma prancheta com uma lista de nomes. Elas nos olharam de cima a baixo com desdém, enquanto subíamos as escadas, mas logo sorriram, amáveis, quando falei meu nome.

— Parabéns — disse uma delas com um sorriso afetado.

— Tenha uma ótima noite — desejou outra.

Sorri, mas logo estremeci quando elas abriram uma cortina para permitir a nossa entrada. Na hora avistei Anthony, de pé, ao lado de Marcia, rindo de alguma coisa. Hesitei por um momento, mas ele me viu.

— Querida! — Ele apressou-se na minha direção e me beijou no rosto. — Você chegou!

— É, eu...

— Venha conhecer todo mundo — disse ele, puxando-me pela mão. Consegui dar uma rápida olhada para Helen enquanto me afastava, e, momentos depois, eu estava diante de um enorme grupo de desconhecidos.

— Essa é Amanda — apresentou Anthony, sorrindo para uma garota alta, de vestido vermelho. — Esse é Josh, o namorado dela. Esse é Saffron, e esse é Alexis. E Meg. Charlotte. Clare. Tatiana.

Olhei em torno do mar de rostos e forcei um sorriso.

— E essa é a minha noiva, Jessica Wild — concluiu ele e me deu um beijo na cabeça. — Volto em um segundo — murmurou para mim. — Tenho que cumprimentar algumas pessoas. Não sei onde estava com a cabeça quando resolvi convidar um monte de clientes...

Ele desapareceu na multidão e me esforcei ao máximo para ser simpática com Saffron, Alexis, Tatiana e com todos os outros.

— Oi! — eu disse, sentindo-me mais constrangida do que fiquei no meu primeiro dia na escola. Todos me olhavam com ar de curiosidade e, de repente, me peguei desejando que Tamara aparecesse. Pelo menos eu poderia perguntá-la como tinha sido a festa.

— E então... como vocês se conheceram? — perguntei alguns minutos depois.

— Ah, acho que frequentamos as mesmas festas — respondeu uma delas.

— As mesmas festas — repeti, acenando com a cabeça. — É claro...

— E você conheceu Anthony no trabalho, certo? — Acho que foi Tatiana quem falou.

— Isso mesmo. Eu sou analista sênior na Mil...

— Pessoal, vamos todos para a casa do Henry depois? — interrompeu ela, antes que eu pudesse terminar de falar.

— Henry? — perguntei confusa.

— Ele vai dar uma festa — explicou ela, aparentando estar surpresa por eu não saber disso.

— Ah, sim.

— Claro que vamos — disse outra garota. Acho que foi a Saffron, mas também poderia ter sido Meg, Charlotte ou Clare. — Afinal, não vamos ficar aqui a noite toda.

Ela olhou para mim e pareceu um pouco constrangida.

— Nós adoraríamos ficar, é claro — logo acrescentou. — Mas sabe como é, não podemos abandonar o pobre Henry.

— Claro que não — concordei em tom sarcástico. — Você pode ir à festa dele a hora que bem entender.

— Oi, linda — disse Anthony aparecendo atrás de mim. — Vocês estão se entendendo direitinho?

— Com certeza — respondi, sentindo-me culpada pelo último comentário. Talvez o Henry tivesse planejado essa festa há meses.

— Que bom. Mas, de qualquer forma, eu sabia que vocês se dariam bem. Os meus amigos favoritos e a minha garota favorita!

Dei um sorriso amarelo.

Nesse momento, Tatiana se virou para mim e perguntou:

— Diga a verdade, Jess. Você está grávida? Quantos meses? Não pode estar com mais do que cinco, porque não dá para se ver nada. Mas imagino que você já esteja procurando uma bucólica casa de campo para morar, onde os seus filhinhos possam correr livremente; afinal você não pretende criar filhos em Londres, não é?

Fitei-a perplexa.

— Grávida? Não estou grávida.

— E nós não vamos nos mudar para o campo. Como vocês sabem, eu detesto o campo — retrucou Anthony, de pronto.

— Você não está grávida? — perguntou Tatiana, desconfiada. — Mas pensei... Quer dizer, quando Anthony nos disse... Deu a impressão de que...

— De que eu estava grávida? — perguntei, olhando para Anthony, indignada. — E que história é essa de que você odeia o campo?

Ele me lançou um sorriso complacente.

— Tati não é uma figura? — Em seguida se dirigiu a ela. — Não há nenhum bebê a caminho e nós também não vamos mudar para lugar nenhum. Trata-se apenas de uma paixão repentina.

— Repentina, com certeza, é o termo exato para essa situação — disse Tatiana em tom malicioso. — Pensei que você ainda estivesse com aquela outra garota. Qual era mesmo o nome dela?

— Não, não estou com mais ninguém — esclareceu Anthony no mesmo instante, antes de me abraçar e me arrastar para longe dali. — Vamos, Jess, quero que conheça outras pessoas.

— Você odeia mesmo o campo? — perguntei, confusa, enquanto ele me puxava em direção a um homem magro, calvo e com óculos enormes.

— Detesto — confessou ele, sorrindo. — É lamacento e não tem entrega em domicílio.

— Mas se fosse uma casa grande — insinuei, pensando na mansão de Grace. — Você moraria nela?

— Nem em um milhão de anos — respondeu ele, tenso. — Mas, venha conhecer uma pessoa. Ian, essa é Jess. Jess, esse é Ian, um velho amigo. Trabalha no *News of the World*, mas não o odeie por isso. Eu vou pegar uma bebida para você, Jess. Quer champanhe?

Aceitei e Anthony desapareceu. Então, hesitante, olhei para Ian. Ele usava um terno com lapelas largas, o que me levou a pensar: ou ele era muito estiloso e usava aquilo de forma irônica, ou era muito antiquado e ignorava o fato de que a moda havia mudado desde 1970. Eu não consegui descobrir qual das duas hipóteses era a correta.

— Anthony disse que vocês reservaram o Park Lane Hilton — comentou ele, balançando a cabeça enquanto falava, igual a uma marionete.

— É verdade. E quer dizer que você trabalha no *News of the World*. Que tipo de notícia você cobre?

Ian sorriu, balançando a cabeça de novo. Aquilo era um gesto quase hipnótico, pensei ao encará-lo.

— Na maior parte do tempo, celebridades, quando alguma famosa é pega com a calcinha aparecendo, esse tipo de coisa.

— Ah, sim. — Sorri, meio sem jeito. — Bem, deve ser bem... interessante.

— Não muito — admitiu, resignado. — Mas é bem lucrativo, não é mesmo?

— É? — perguntei, e me dei conta de que também estava balançando a cabeça. A qualquer momento, íamos dar uma cabeçada.

— Pois é. Foi o que eu acabei de dizer — disse ele, parecendo um pouco constrangido.

— Claro. Desculpe. — Fitei-o por alguns segundos, esperando que ele acrescentasse alguma coisa, mas percebi, um pouco tarde demais, que ele também esperava que eu dissesse algo, só que não tinha nada para falar.

— *News of the World* — comentei, distraidamente.

— É. Bem, adorei conhecê-la. E boa sorte — acrescentou, logo balançando a cabeça, antes de se virar e fugir. *Por causa de situações como essa,* pensei desesperada, *é que eu nunca vou a festas.*

De repente, um copo apareceu na minha mão.

— Querida! Cadê o Ian?

Anthony me abraçou e eu recostei no seu ombro.

— Ian? Ah, ele... ele teve que falar com alguém — respondi, calma.

— Que grosseria! Bem, você viu Fenella, não viu?

— Não. Ela está aqui?

— Você não a viu? Fique aqui. Eu vou atrás dela.

— Não — pedi, um tanto rápido demais. — Eu posso falar com ela depois. Vamos conversar um pouquinho.

— Nada disso. Você vai adorá-la. Espere aqui.

Ele logo desapareceu na multidão. Cinco minutos depois, decidi ir à procura dele. E não demorei muito para achá-lo; estava no bar, bebendo champanhe.

— Meu Deus, eu ia tentar achar Fenella para apresentá-la a você, não é? Desculpe, é que fui abordado por... — Ele olhou para o copo, constrangido. — Por isso. Desculpe.

— Tudo bem — logo respondi, embora me sentisse magoada. Meu rosto estava vermelho e o meu cabelo começava a ficar com volume. — Não preciso mesmo falar com ela agora. Vamos ficar aqui. Vou pegar um banco.

— Perfeito. — Anthony sorriu. — Venha sentar-se ao meu lado. Jessica Wild. A futura Sra. Milton. E como estão os preparativos para o casamento? Será que vamos brigar sobre como os guardanapos serão dobrados?

Eu ri, esquecendo meu nervosismo por um momento.

— Para falar a verdade, não sei se temos direito a escolha. Acho que Fenella é quem vai decidir como eles deverão ser dobrados.

— Ótimo. Uma briga a menos. Contratar uma organizadora de eventos é mesmo um investimento no nosso futuro, você não concorda?

Concordei. Ele não tinha percebido que eu estava brincando. Não que isso fizesse diferença, eu disse a mim mesma. Segundos depois, um homem de terno lançou-se na direção de Anthony.

— Anthony? Ah, é você! Eu já estava me perguntando onde você estaria escondido. Venha conhecer Gareth, o cara de quem eu tinha falado.

Anthony disparou-me um olhar de *"o que eu posso fazer?"* e se levantou.

— Richard, você já conhece a Jessica? Minha noiva?

O homem estendeu a mão para me cumprimentar.

— Prazer em conhecê-la. Parabéns. Bela festa. — Em seguida, se dirigiu a Anthony. — Ele está bem ali, no canto. Quer muito conhecer você.

Eles se afastaram e eu me virei para o bar. Havia decidido que aquele não era o pior lugar para se ficar. Afinal, eu estava precisando de uma bebida.

— Jess!

Levantei os olhos de má vontade e dei de cara com Marcia.

— Que festa maravilhosa! — disse ela. — Você está se divertindo?

— Ah, muito. Muito mesmo.

— Anthony é um cara incrível. Você teve sorte.

Fitei-a pensativa e ela se assustou.

— O que foi? Você não está indecisa, está?

— Não. De jeito nenhum. É apenas... Os amigos dele. Essa garota, Tatiana, pensou que eu estivesse grávida. Achou que por isso...

— Tatiana? — Marcia semicerrou os olhos. — Não dê ouvidos a ela. É apenas uma bruxa ciumenta.

— Você a conhece?

Marcia empalideceu.

— Eu a vi algumas vezes. Você sabe, em algumas festas.

Festas, pensei. *Será que as pessoas passavam o tempo todo indo a festas?*

— Jess! Até que enfim encontrei você! — exclamou Helen, aparecendo diante de mim. — Não sabíamos onde você estava.

Marcia a olhou de cima a baixo.

— Bem, é melhor eu voltar para o pessoal — disse, disparando-me um breve sorriso. — Até logo.

Helen a observou enquanto se afastava, em seguida olhou para mim, desconfiada.

— Não me diga. É a Marcia?

— A própria — confirmei, pousando minha bebida no balcão. — No fundo, ela até que é legal. E então, está gostando da festa?

— Acho que sim. Ivana e Sean estavam discutindo e eu resolvi vir para o bar. Quem são todas estas pessoas, afinal? Todas trabalham com você?

Eu me virei para analisar a multidão. Havia alguns rostos dos quais eu tinha uma vaga lembrança. Entre eles, avistei umas duas pessoas do departamento de criação e alguns clientes que eu tinha visto, algumas vezes, no saguão da agência.

— Bem, aquele é o Ian — eu disse, indicando ele.

— O baixinho calvo que parece um joão-bobo? — perguntou Helen, arqueando as sobrancelhas.

Eu ri.

— Isso mesmo. Hmm... — Apontei para alguns caras do departamento de criação e para Gillie. — E aquela é Tatiana, uma amiga de Anthony. Ela achou que eu estava grávida de cinco meses.

— Que vaca! — vociferou Helen. Em seguida, disse: — Olha lá, Max! — E acenou para ele. Levantei os olhos e fiquei tensa quando ele nos avistou e veio na nossa direção.

— Oi, Jess. E essa é Helen, certo?

Ela fez que sim com a cabeça, animada, e ele se virou para mim.

— Está satisfeita com a festa?

Embora estivesse sorrindo, ele estava estranho. Exibia uma expressão formal, a mesma que demonstrava nas reuniões com clientes.

— Claro. Está ótima.

— Que bom. — Então ele olhou para Helen e semicerrou os olhos. — Você mora com Jess, não é isso?

Helen fez que sim com a cabeça e jogou todo o seu charme. Na hora, Max piscou os olhos algumas vezes, como se estivesse se esforçando para refrescar a memória. Enfim disse:

— O seriado *Assassinato por escrito.* Era você que estava assistindo, não era?

Helen repetiu o movimento de sim com a cabeça e deu uma risada.

— Eu só estava assistindo como forma de pesquisa, entende? Eu trabalho com programas de televisão.

— Televisão? Que interessante. Em que área?

Comecei a ficar desconfiada. Afinal de contas, televisão não era *tão* interessante assim.

— Bem, trabalhei como pesquisadora para aquele programa sobre direitos do consumidor, o *Watchdog*, durante alguns anos.

Depois trabalhei em um documentário que contava histórias sobre os londrinos e, por fim, fiz um programa de dieta.

— E agora?

— Agora estou em um período de descanso — falou sorrindo. — Sabe como é, à espera do emprego certo.

— Por isso assiste a televisão durante o dia. Parece um modo bem sensato de gastar o seu tempo!

Notei que os olhos dele ainda brilhavam, como se estivesse paquerando Helen. Eu nunca tinha visto Max assim antes. Ele, com certeza, nunca tinha me paquerado.

— Max é o vice-diretor da Milton. Ele abriu a firma com Anthony.

— Ah, é? — perguntou Helen de boca aberta, de um jeito que eu achei muito irritante. — Uau! Isso significa que você é um empresário de verdade?

— De jeito nenhum — retrucou Max, constrangido.

— Na Rússia, só chamamos alguém de empresário se ele for multimilionário — interrompeu Ivana, aparecendo de repente.

— O que confirma minha tese — disse Max, na hora. — Sou apenas um cara que trabalha com publicidade, só isso.

— Jess, por favor, pare de falar sobre trabalho — pediu Helen, revirando os olhos. — Essa é sua festa de noivado, não uma festa do escritório. Max, peça para ela dar um tempo.

Max pareceu confuso por um momento, e, por fim, sorriu.

— Você está certa, Helen. E a culpa é minha. E você? Por que não nos conta como seria seu emprego dos sonhos na televisão?

Helen sequer teve a oportunidade de começar a responder, porque nesse instante uma morena de pernas compridas de repente se aproximou correndo e a abraçou. Seu cabelo despenteado descia pelas costas e bateu no meu rosto quando ela passou por mim.

— Você é a Jess? — perguntou ela a Helen, rebatendo os cílios postiços endurecidos por grossas camadas de rímel. Ela usava um vestido em um tom claro de cor-de-rosa que realçava braços e pernas longos e bronzeados; e as unhas estavam pintadas com esmalte da mesma cor do vestido. — É você? Nossa, eu sabia que você era linda. Todo mundo está morrendo de inveja, e com toda razão. — Então, ela puxou Helen em sua direção e beijou-a no rosto. — Oi, sou Fenella. Pode me chamar de Fen. Estou tão feliz em conhecê-la. Anthony me mandou vir até aqui. Aliás, foi muita grosseria da minha parte não ter esperado você na porta, eu sei. Mas você não faz ideia! Estou fazendo mil coisas ao mesmo tempo aqui. Agora, precisamos marcar uma data na agenda, o mais rápido possível. Temos tanta coisa para resolver. Tenho umas ideias maravilhosas, algumas bem inusitadas. Mas agora, vendo você, sei que vai adorá-las...

— Na verdade — disse Helen, conseguindo se soltar do abraço firme de Fenella —, eu sou Helen. Amiga da Jess.

— Helen? — Fenella olhou para ela, confusa, e jogou o cabelo que, de novo, bateu no meu rosto, e dei um passo para trás. — Mas Anthony apontou para você. Ele me pediu para vir aqui conhecer a...

— Acho que ele apontou para mim — interrompi educadamente.

Confusa, ela franziu a testa, pelo menos tentou. Mas seu rosto assumiu mesmo uma expressão um pouco aflita.

— Ela é a Jess — disse Helen num gesto claro.

— A... — Por fim, a ficha caiu e Fenella se virou para mim, jogando mais uma vez o cabelo; só que, dessa vez, atingiu o rosto de Max. — Jess! — exclamou, em tom bem mais alto e com um enorme sorriso plantado no rosto, mas seus olhos permaneceram frios. — Ai, que horror. Erro imperdoável. Bem, prazer em conhecê-la, também. — Ela me deu dois beijinhos, um pouco encenados demais, e, por alguns segundos, nos fitamos, sem graça.

— Bem — disse após um momento —, não vou aborrecê-la com o mesmo discurso: "Adorei conhecê-la e tudo mais." Vamos tomar um café, assim que possível — acrescentou, séria. — Temos muitas coisas para resolver. Vai ser uma cerimônia — então me olhou de cima a baixo — maravilhosa. Simplesmente incrível. Ah, você vai ser uma... noivinha linda. Creio que é a garota mais feliz do mundo nesse momento. E tem que ser mesmo. Agora eu preciso ir... — Ela disparou um olhar decepcionado a Helen, e sumiu na multidão, deixando-me sem ação.

— Que porra foi essa? — perguntou Max.

Ele parecia tão indignado que me acalmei.

— É Fenella. A organizadora de eventos.

— Fenella? Meu Deus, coitada de você. Vai ter que passar mais tempo com ela?

— É a melhor agente de eventos de Londres — argumentei, de mau humor.

— Tão boa que não sabe sequer quem são os próprios clientes? — observou ele com sarcasmo.

— Ah, ela tem muita coisa na cabeça.

— Muito cabelo, você quer dizer — disse ele, sorrindo; e eu ri. Por alguns minutos, ficamos em silêncio; nossos olhares se cruzaram algumas vezes, mas sempre que isso acontecia, desviávamos o olhar.

— Queria pedir desculpas pelo que aconteceu na reunião — falei, enfim.

— Não tem importância. Não mesmo.

— Tem importância, sim. Eu decepcionei você. E sinto muito por isso.

— Não, você não me decepcionou — retrucou ele, de imediato. — Eu agi de forma exagerada. Eu... É que eu me empolgo demais... — Ele me fitou, acanhado. — Com o trabalho. Eu me deixo levar pela emoção quando o assunto é trabalho.

— Isso é bom — afirmei, nervosa. — Trabalho é importante.

— Quer dizer que já não concorda com a ideia de que trabalhar muito não leva ao sucesso? — A expressão de Max era ilegível. Eu sorri e, nesse instante, senti alguém me abraçar. Ao me virar, me deparei com Anthony a meu lado.

— Voltei, amor. Vou pedir um favor a você: me lembre de nunca convidar clientes para coisa alguma. Exceto para o casamento, é claro! Soube que você conheceu Fenella — disse ele, entusiasmado.

— Oi! — Embora um pouco constrangida, eu também o abracei. — É verdade, estávamos conversando ainda há pouco.

— Então, o que achou? Ela não é incrível?

Sorri sem muita convicção.

— Fenella? Eu... hmm... — Encarei Max, mas ele logo desviou o olhar. — Claro! Quer dizer, ela parece ser muito simpática. Uma pessoa maravilhosa.

— Não tão maravilhosa quanto você — acrescentou Anthony. — Ela não é maravilhosa, Max? Não é apenas uma noivinha linda? — Ele cambaleou e eu o fitei, aborrecida.

— Com certeza — respondeu Max, sem emoção.

— Faltam menos de duas semanas — prosseguiu Anthony. — Duas semanas! — Ele ergueu três dedos, em vez de dois, para enfatizar o que tinha acabado de falar.

— Eu sei — concordou Max.

— E você? — perguntou Anthony, virando-se para Ivana. — Acho que não nos conhecemos, não é? — perguntou ele com a voz arrastada. Diante desse comportamento, tentei tirar a taça de champanhe da mão dele, mas ele acenou para um garçom voltar a enchê-la.

Ivana, entretanto, o fitou e jogou o cabelo.

— Eu sou Ivana. Prazer conhecer.

— Prazer conhecer, também — falou ele, jogando charme. — Você é amiga da Jess?

Ivana fez que sim com a cabeça e cruzou os braços, o que realçou seus seios e atraiu para eles a atenção imediata de Anthony.

— Ela tem rosto, sabia? — Nesse momento, levei um susto ao ver Sean surgir ao lado de Ivana, com os olhos faiscando.

— Eu sei que tem — concordou Anthony, logo levantando a cabeça. — E quem é você?

— Não importa — respondeu Sean, mal-humorado.

Anthony o olhou de cima a baixo e se virou para mim.

— Ele não me é estranho. É amigo seu?

Eu forcei um sorriso.

— Ah, sim, mais ou menos.

Nesse momento, Gillie apareceu ofegante.

— Jess! Anthony! Vocês nunca irão adivinhar quem está aqui. Eu estava falando com um cara e... — De repente ela parou de falar e ficou boquiaberta. — Ah, vocês já sabem.

— Sabem o quê? — perguntou Anthony. — De quem você está falando?

— Do Sean — respondeu Gillie.

Ela apontou para Sean e Anthony o fitou.

— Você é Sean, o gerente de fundos hedge?

Sean, que tinha puxado Ivana para longe dali, sem dúvida para brigar com ela pela atenção que havia recebido, se virou para Anthony.

— Sim. Sou eu mesmo.

— Ele estava dando em cima de mim — declarou Gillie. — E quando falou como se chamava, juntei dois mais dois e... — Ela se virou para mim e perguntou atônita: — Você convidou o seu ex-namorado para sua festa de noivado? É isso mesmo?

— Você dar em cima dela? — perguntou Ivana. — Você fica com ciúmes de mim e dar em cima garota inglesa?

— Não — respondeu Sean, irritado.

Apesar de confusa, falei:

— Eu o convidei, sim. Mais ou menos. É que...

— Ele a forçou a convidá-lo — logo interveio Helen. — Ele gosta muito dela, e acho que apenas não consegue se manter longe.

— Não consegue, é? — disse Anthony. — Pois ele pode dar o fora daqui agora mesmo.

Sean o fitou aborrecido.

— Você é quem vai dar o fora — retrucou, furioso. — Estou tentando resolver um problema aqui.

— Eu? Não vou dar fora porra nenhuma — vociferou Anthony. E se corrigiu: — Dar *o fora* porra nenhuma.

— Certo. Faça o que quiser — disse Sean antes de se voltar para Ivana.

— É isso mesmo que eu vou fazer — replicou Anthony. E, antes que eu percebesse o que estava acontecendo, ou pudesse fazer algo para intervir, ele pegou impulso, levando a mão para trás, e deu um soco na cara do Sean. Quer dizer, na verdade foi mais um empurrão. Mas com certeza pegou Sean desprevenido, porque ele caiu no chão, assustado.

— Isso vai ensinar uma lição a você — disse Anthony, satisfeito consigo mesmo.

— Mas como você se atreve! — De repente, Ivana lançou-se sobre Anthony, deu-lhe um soco no queixo e um pontapé no joelho. Ele também foi ao chão. — Como você se atreve! — repetiu ela ao se jogar sobre ele e continuar esmurrando-o, enquanto eu assistia, perplexa.

— Ivana! Não! — gritei. — Helen! Me ajude a tirar Ivana de cima dele.

Nós duas nos abaixamos e tentamos puxá-la, mas ela não cedia. Segundos depois, entretanto, ela estava imobilizada. Para minha surpresa, Max a tinha imobilizado.

— Certo — disse ele em tom firme. — Acho que algumas pessoas precisam ir embora. E como essa festa é de Anthony e Jess, creio que não devam ser eles. Concorda? Você concorda ou não?

Ivana o fitou furiosa.

— Eu queria mesmo ir embora — falou ela, com os olhos soltando faísca.

— Eu também — concordou Sean, levantando-se. — Festa de merda!

Max soltou Ivana, e ela se levantou num ímpeto, limpando a roupa com as mãos e dirigindo a Anthony um olhar de repugnância. Em seguida, agarrou Sean e ambos saíram da festa.

— Que romântico! — foi o comentário imediato de Gillie. — Você botou o cara pra correr, Anthony. Mas quem era aquela mulher? Era namorada dele ou algo assim?

— Nova namorada — respondi, olhando para Helen, que fez que sim com um gesto frenético de cabeça.

— É isso mesmo — confirmou ela. — Eles... eles começaram a sair há poucos dias.

— Bem, eles se merecem — disse Anthony enquanto se levantava, limpando a roupa com as mãos. — Louco idiota. Se um deles aparecer de novo na minha frente, eu vou... vou...

— Vai o quê? Permitir que ela jogue você no chão mais uma vez? — perguntou Max, com um sorriso.

Anthony o fitou furioso. Em seguida, espanou o terno com as mãos e anunciou:

— Preciso de uma bebida

— Quer que eu vá com você? — sugeri, nervosa.

— Não — respondeu ele sem meias palavras. — Se você não se importa, prefiro ir sozinho.

* * *

Algumas horas depois, Anthony havia desaparecido; minha cabeça doía após a ingestão de várias doses duplas de vodca, que eu havia encarado como elementos indispensáveis para fazer com que eu sobrevivesse àquela noite; e Helen estava nocauteada em uma poltrona de couro. Eu estava em uma mesa perto dela, ao lado de Max. Não sabia se por efeito da bebida ou o fato de que ele tinha evitado uma briga, mas todo o desconforto que havia entre nós parecia ter se dissipado, e tínhamos voltado a conversar como nos velhos tempos, deixando de lado assuntos triviais e falando sobre trabalho ou, para ser mais específica, decidindo se o Projeto Bolsa deveria se valer de uma celebridade como representante da marca ou de uma executiva de destaque.

— O produto é dirigido às mulheres inteligentes, determinadas — argumentou Max. — Elas não seriam influenciadas por uma celebridade fútil. Essas mulheres querem se espelhar em uma pessoa determinada e rica, como elas desejam ser.

— Mas — eu disse, erguendo um dedo e percebendo que via dois dedos — as pessoas desejam ser como celebridades, não como mulheres de negócios. Diga o nome de uma executiva famosa. Uma só.

— Anita Roddick — respondeu ele, de pronto.

— Certo. Hmm, diga outro nome, mencione uma mulher viva.

— Nicola Horlick.

Tomei outro gole da minha bebida.

— Viu? Só consegue citar dois nomes.

— Você não pediu mais nenhum. Que tal Marjorie Scardino?

— Que tal? — repeti, sem saber como argumentar. — Bem, são todas maravilhosas. Prefiro ser igual a elas a me espelhar em uma atriz desempregada. Mas ninguém compra uma revista porque tem uma executiva na capa, não é?

— Compra, se estiver na capa da *BusinessWeek*.

Revirei os olhos.

— Quem lê *BusinessWeek* provavelmente já está preocupado em cuidar de seus investimentos — retruquei. Em seguida, olhei para minha bebida, desconfiada. — O que tem nessa coisa? Eu posso acabar ficando bêbada.

— Eu também acho — concordou ele, então sorriu com timidez. — Sabe que eu estava sentindo falta dessas nossas conversas sobre trabalho?

— É mesmo?

— É. Eu gosto das suas ideias. Gosto do modo como reage, de forma dogmática, quando acha que tem razão.

Eu ri meio sem graça.

— Dogmática? Isso não é sinônimo de teimosa?

Ele sorriu.

— Você fica convencida de que tem razão. E isso é bom.

— Você acha isso mesmo?

— Claro. Seu casamento, por exemplo. Poucas pessoas mergulhariam de cabeça numa coisa dessas. Mas você, não. É destemida, sabe o que quer e não tem medo de apenas ir em frente. Eu ficaria apavorado de assumir um compromisso dessa forma.

— Você...? — perguntei indecisa.

— Com certeza. Casamento é algo muito sério. Quando me casar, quero um compromisso verdadeiro, uma união para a vida toda, amar e respeitar, todos aqueles princípios. Eu teria que saber que estava com a pessoa com a qual quero envelhecer, ao lado de quem vou querer acordar todas as manhãs, que vai rir das minhas piadas, que vai me provocar e que nunca vou me cansar de admirar. Mas você... você apenas mergulhou de cabeça. Eu admiro isso.

Pigarreei. De repente, comecei a me sentir como se meu corpo estivesse quente e desconfortável.

— Mas nem sempre casamento é uma coisa tão importante. Às vezes é apenas algo como um contrato de negócios.

— Contrato de negócios? — perguntou Max, perplexo. — De jeito nenhum. E você sabe que não é. Mas é justamente isso que eu admiro em você. Está assumindo um risco enorme e não está nem um pouco preocupada, o que acho fantástico. Se fosse eu, estaria convencido de que estava me comprometendo com algo, com alguém, para a vida toda. E aflito, cobrando de mim mesmo a convicção de estar fazendo a coisa certa. Para mim, para a outra pessoa...

— Você estaria aflito?

— Claro! Mas eu sou assim — acrescentou ele logo. — Não tenho a sua... a sua coragem. A sua autoconfiança.

— Entendo — falei, sem convicção. — Autoconfiança.

— E de qualquer maneira, quem sou eu para falar sobre essas coisas? Tenho 35 anos e sou solteiro.

Os nossos olhares se cruzaram e, pela segunda vez, nenhum de nós conseguiu desviar.

— Jess! Até que enfim encontrei você. Andei à sua procura. — Max e eu nos viramos e vimos Anthony, que se aproximava, de braços abertos.

Então, me voltei para Max

— É melhor...

— Sim, é melhor — concordou ele, baixinho.

— Até logo.

Abri um sorriso para Anthony ao me levantar. Em seguida, me arrumei e fui ao seu encontro. Ao encontro de Anthony Milton. Meu futuro marido. E estava muito feliz. Independentemente do que Max havia dito sobre casamento e compromisso, eu estava fazendo a coisa certa. Dentro de poucas semanas eu seria a Sra. Milton. Como Fenella tinha dito, eu era a mulher mais feliz do mundo.

Capítulo 25

PROJETO: CASAMENTO DIAS 29 e 30

Pendências:

1. Escolher um vestido de noiva.
2. Escolher a dobradura dos guardanapos.
3. Não pensar muito...

Na manhã seguinte, acordei na cama de Anthony com uma sensação desagradável. Ela era imensa (a cama, não a sensação) — tinha, no mínimo, dois metros de largura —, e, ao me espreguiçar, nem toquei no corpo dele, o que acabou sendo conveniente.

Olhei o relógio. Eram 9 horas. A festa tinha acabado por volta das duas da manhã, e depois Anthony tinha decidido ir à festa de Henry (pelo que me foi dito, Henry era um "cara genial", o tipo de pessoa que eu simplesmente adoraria conhecer), e eu estava com um pressentimento de que o casamento era um grande erro. Mas quando, ao chamar um táxi, ele tropeçou e caiu na calçada, acabou reconhecendo que talvez fosse mais sensato ir para casa. Então deixei minhas dúvidas de lado e o acompanhei.

Saí da cama devagar. O apartamento dele parecia saído das páginas de revista: tudo decorado de maneira harmoniosa em tons de marrom, marfim e pitadas de bege. Tentei me imaginar morando ali, visualizei meus objetos nas prateleiras. Mas, de alguma forma, não conseguia. Meus livros, minhas fotografias, meus quadros, o telefone cor-de-rosa que ganhei de presente de Helen no meu último aniversário — nada combinaria com aquele ambiente. Fui até a sala, uma área integrada com a cozinha. Na parte da "sala", suntuosos sofás de camurça rodeavam um belo tapete em tom de marfim; a cozinha, na outra extremidade, era uma combinação harmônica de aço inoxidável e vidro.

Sentindo-me um pouco perdida, tentei achar uma chaleira. Ao encontrar uma elétrica, liguei-a e comecei a procurar chá nos armários. Percebi que não sabia onde meu futuro marido guardava o chá. Aliás, havia muitas coisas que eu não sabia a respeito dele.

Por fim, encontrei duas xícaras, saquinhos de chá, umas torradas e até um pouco de geleia. Coloquei tudo em uma bandeja e voltei para o quarto para acordá-lo. Eu queria falar com ele, ter uma conversa séria, me assegurar de que estávamos fazendo a coisa certa.

— Bom dia! — eu disse, antes de pousar a bandeja na cama e abrir as cortinas para deixar entrar luz no quarto.

— Porra, que horas são?

Resolvi ir com cautela, porque a voz dele parecia um grunhido.

— Hmm, umas nove, eu acho. Trouxe chá. E torrada.

— Nove da manhã? O que você pensa que está fazendo me acordando às nove da manhã? Meu Deus!

Irritado, ele pegou um travesseiro para cobrir a cabeça, mas esbarrou na bandeja, entornando chá sobre o edredom branco imaculado.

— Merda! — gritei, tentando minimizar o estrago. Nesse momento, ele se virou para ver o que havia acontecido, e a bandeja virou por completo, fazendo a torrada também cair sobre o edredom e o restante do chá pingar no carpete marfim.

— Merda! Puta que pariu! — resmungou ele.

— Vou pegar uma toalha. E depois podemos colocar o edredom na máquina...

— Ele só pode ser lavado a seco — disse Anthony, forçando-se a se sentar.

— Certo — falei. A expressão dele era sombria e raivosa. Eu nunca o vira assim antes. — Desculpe. Só queria... Só achei que seria uma boa ideia trazer o café da manhã.

— Teria sido. Um pouco mais tarde. — Em seguida, ele se reclinou na cabeceira da cama e suspirou.

— Desculpe — repeti, nervosa. — Nunca mais faço isso.

— Não — disse ele voltando a se deitar e puxando um travesseiro sobre a cabeça, de novo. — Não vai mesmo.

— Certo — falei novamente, dessa vez para mim mesma. — Bem, eu vou embora, está bem? — Então comecei a me vestir. O sutiã que deixava meus peitos em forma de cone pareciam ainda mais ridículos às nove horas da manhã, mas concluí que, considerando tudo o que havia acontecido, aquilo não tinha a menor importância.

— Olha, você não precisa ir embora — ponderou ele, tirando o travesseiro do rosto.

— Preciso, sim — insisti, tentando passar o vestido pela cabeça, sem conseguir fazer com que descesse para meu tronco.

— Não precisa. Não fique aborrecida. Eu estou com dor de cabeça, estou cansado. Só isso. Desculpe se fui grosseiro. — Ele estendeu o braço, segurou a minha mão e me puxou para junto de si. — De qualquer maneira, você não pode mesmo ir. Não com o vestido assim. Vai acabar sendo presa.

Contive um sorriso.

— Acontece que usar o vestido na cabeça é a última moda — retruquei com sarcasmo.

— Interessante. É bom saber que você está na vanguarda da moda — observou ele, com um sorriso tímido.

Sorri também.

— Sabe de uma coisa? — comecei meio indecisa. — Casamento é um grande passo. Você tem certeza... tem certeza de que deseja mesmo ir em frente? E que é a coisa certa para nós dois? — Sabia que estava correndo um risco, mas não conseguia evitar essas perguntas.

— A coisa certa? Claro que é — respondeu ele, tranquilo. — Escute. E se eu levar você para tomar café da manhã em algum lugar?

Eu aceitei, embora um pouco hesitante. Isso era tudo? Essa tinha sido a nossa briga séria?

— Tudo bem.

— Tudo bem? Não parece muito animada. Talvez seja melhor eu voltar a dormir — disse ele, pestanejando.

— Eu estou animada, sim — retruquei, esboçando um sorriso. Concluí que uma briga, às vezes, era algo supervalorizado. E não se diz por aí que um gesto vale mais que mil palavras?

— Para tomar café da manhã ou para voltar para a cama? — perguntou ele com os olhos brilhando.

— Acho que posso ser persuadida a fazer qualquer uma das duas coisas.

— E que tal se for uma e depois a outra?

— O café da manhã primeiro? — sugeri inocentemente.

— Acho melhor abrir o apetite para o café da manhã — propôs ele, enquanto me puxava para debaixo das cobertas. — Concorda?

Não tomamos o café da manhã. Porém, mais tarde, saímos para almoçar; um almoço demorado e regado à bebida. Depois, fui para casa, cambaleando, consegui assistir ao programa *Antiques Roadshow* com Helen e caí na cama, exausta. Era inacreditável como o fim de semana tinha passado tão rápido. Era igualmente inacreditável a forma vergonhosa como eu tinha me comportado: não tinha feito nenhum trabalho, nenhuma tarefa doméstica — nada. E era maravilhoso.

Eu ainda experimentava uma sensação deliciosa na manhã seguinte, quando cheguei no trabalho vinte minutos atrasada.

— Jess! — exclamou Anthony, sorrindo. — Como vai a minha noiva favorita?

Retribuí o sorriso e beberiquei meu café.

— Nada mal — eu disse em tom de indiferença.

— Jess! — chamou Max, saindo de sua sala. — Escute, você tem um minuto? Eu queria falar com você um momento sobre o Projeto Bolsa. Talvez você tenha algumas ideias...

Ele interrompeu a frase no momento em que as portas da recepção se abriram, e uma voz familiar nos deixou perplexos.

— Anthony! Jessica! Desculpe o atraso. Tenho que me registrar para entrar ou algo assim?

Era Fenella, com seu cabelo castanho e brilhante preso em um perfeito rabo de cavalo, carregando uma pasta enorme.

— Atrasada? — perguntei, confusa. — Eu nem sabia que você viria aqui.

— Não sabia? — Ela me fitou, em seguida olhou para Anthony, desconfiada. — Mas eu combinei com Anthony na festa. No sábado à noite. Você se lembra, não é?

— Combinamos? — perguntou ele. Então fez que sim com a cabeça, lançando na minha direção um olhar de desamparo. — Ah, sim. Claro. Na festa. Com certeza. — Depois fez uma careta, como um aluno desobediente. — Nesse caso, vamos à minha sala, certo?

— Certo — concordou Fenella, desconfiada.

— Nós... conversamos depois? — perguntou Max.

— É. Acho melhor — disse, devagar. Fenella estava arrastando Anthony para a sala dele. Quando entrei, logo depois, ela já estava sentada na mesa de reunião com ar de expectativa.

— Bem — disse ela sem pestanejar. — Sobre o que você queria falar?

— Eu? Nada. Quer dizer, qualquer coisa que *você* queira falar.

— Ah, mas não depende de mim — retrucou ela, séria. — O que você tiver a dizer, deve dizer agora. Não podemos ter nenhuma surpresa depois. Estamos trabalhando com um cronograma apertado, portanto, qualquer coisa que precise ser discutida deve ser agora.

Seus olhos penetravam os meus e, na busca de algum tipo de apoio, fitei Anthony, que deu de ombros e pareceu conter uma risada.

— Certo — concordei. Então pigarreei, tentando pensar em alguma coisa, qualquer coisa, para falar. — Certo. Bem...

— Sim? — disse Fenella, ansiosa. Depois se levantou e andou até a mesa de Anthony. — Você não se importa se eu der uma olhada pela sala, não é? — perguntou ela, sem esperar por uma resposta. — É que ajuda se eu conhecer o cliente a fundo, entende. Preciso de uma inspiração para descobrir o que você está buscando. Desculpe, Jess. Você dizia...

Fiquei em silêncio enquanto ela examinava, rapidamente, o que estava sobre a mesa, arregalando os olhos diante das várias pilhas de papel. *Com certeza a mesa dela não é assim*, pensei. Ela era provavelmente uma daquelas pessoas que arrumava tudo, todas as noites.

— Bem — comecei, hesitante. — Tem muita coisa. Sabe como é... os preparativos para o casamento...

— Procurando uma casa, é? — perguntou ela, de repente, apanhando uma foto que estava sobre a mesa. — É linda. Parece perfeita para um refúgio no campo. — Então a ergueu para que pudéssemos vê-la; a foto era de uma casa cor de mel, caindo aos pedaços, emoldurada por um céu azul intenso.

Anthony se levantou e, na mesma hora, se aproximou de Fenella.

— Está falando disso? Ah, sim. É apenas uma coisa que eu andei vendo — disfarçou ele, tentando encerrar o assunto.

Atônita, perguntei:

— Como assim andou vendo? Pensei que odiasse o campo.

Ele ficou desconcertado.

— Mas você adora. Então pensei: por que não dar uma olhada em uma casa?

— É mesmo? — Fitei-o com sentimento de culpa. Mal conseguia me segurar para não lhe contar que seríamos proprietários de uma mansão em algumas semanas. — Me deixe ver! — pedi, estendendo a mão para que Fenella me passasse a fotografia. Porém, Anthony foi mais rápido.

— Quer ver? De jeito nenhum. Não antes de... — disse ele, tomando a foto das mãos de Fenella. — Era para ser uma surpresa — acrescentou, guardando-a no bolso.

— Surpresa? — Mordi o lábio. — Que fofo! É... mesmo algo inesperado.

— Faço qualquer coisa por você — disse ele com um sorriso carinhoso.

— Bem, enfim — ponderou Fenella, voltando à mesa e pegando seu bloco de anotações. — Preparativos. Você tem razão, há muito o que resolver. Podemos começar? Tenho uma lista enorme de coisas que precisam ser decididas, e, sem dúvida, você tem uma lista também. Gostaria de falar primeiro?

— Ah, não, acho melhor você falar — insisti. — E depois eu posso acrescentar alguma coisa que esteja faltando. Se houver alguma coisa...

Fenella concordou, séria.

— Bem pensado. Então, em primeiro lugar, eu gostaria de saber sua opinião a respeito da minha ideia: lírios. Milhares de lírios por todos os cantos. O que você acha? Quer dizer, o perfume, por si só, já seria maravilhoso, não é?

— Lírios — comentei, vagamente. Anthony não parava de fazer caretas para mim e tive de me esforçar para me manter séria.

— Perfeito.

— Lírio não é aquela flor que se usa em enterro? — perguntou ele, em tom de censura.

— Não — disse Fenella. — Bem, às vezes. Mas eu realmente acho que hoje em dia cada um pode...

Nesse instante, a porta se abriu, e a cabeça de Marcia surgiu por uma fresta.

— Anthony — chamou ela, abrindo um doce sorriso. — Preciso da sua ajuda. Pode vir aqui um minuto?

— Tem que ser agora?

— Tem, sim. Desculpe. Mas é sobre o Projeto Bolsa. Eu gostaria muito de ouvir sua opinião.

— Tudo bem. Acho que as senhoritas vão ter que me dar licença.

Ele sorriu para mim e olhei para Marcia.

— Se você quiser — sugeri hesitante —, posso ajudar também. Tenho certeza de que Fenella não iria se importar de esperar uns minutos...

— Não seja boba, Jess! — exclamou Marcia. — Não quero incomodar você de jeito nenhum.

— Isso mesmo — concordou Anthony. — Você fica aqui com Fenella. Não vou demorar.

— Está bem — concordei enquanto se retiravam. — Não tem problema.

— Então, ficamos com os lírios? — perguntou Fenella, com a caneta na mão. — Posso eliminar esse item da lista?

Fiz um pequeno movimento de sim com a cabeça. Lírios. Então perguntei:

— Hmm... lírio é um tipo de flor, não é?

Fenella olhou para mim, confusa.

— Sim, isso mesmo.

— Certo. Mas pensei que eu ficaria encarregada das flores.

— Ah, sei — disse ela, séria. — E você se referia a... tipo... *todas* as flores? Não somente ao buquê?

— Isso mesmo — respondi, no mesmo tom de seriedade.

— É que as flores são um pouco... bem, um detalhe essencial.

— Eu sei. Mas achei que havíamos combinado... que eu iria cuidar dessa parte — esclareci, sentindo a tensão surgir na minha voz. Não que entendesse muito de flores, mas, de repente, ter controle sobre isso era como se fosse a coisa mais importante do mundo para mim. Já tinha perdido o Projeto Bolsa; se não cuidasse dos arranjos, minha vida ficaria sem qualquer sentido. Sem qualquer sentido.

Houve silêncio enquanto Fenella analisava sua lista.

— E você tem certeza de que quer fazer todos os arranjos? Da cerimônia, da mesa, dos buquês, tudo?

— Tudo — respondi, agarrando a mesa com força. — Sem exceção.

Fenella pigarreou.

— Bem, está certo. Mas, por favor, me mantenha informada. Quanto mais eu estiver a par de tudo, mais posso me assegurar de que nenhum detalhe passe despercebido.

— Não se preocupe — afirmei, cruzando os braços, contrariada. — Os arranjos vão ficar perfeitos. Perfeitos.

— Ótimo — disse ela, forçando um sorriso. — Então posso riscar o item flores. O próximo da lista é o bufê. Tenho algumas sugestões de cardápio e destaquei em cor-de-rosa os que eu acho que seriam mais apropriados. É claro que a escolha é sua, mas os que selecionei irão, no meu ponto de vista, funcionar melhor, como um todo. E, enquanto olha os cardápios, já tem um esboço do seu vestido para me fornecer?

— Ainda não — respondi, examinando os cardápios. — Mas vou providenciar. Vou às compras hoje com a minha amiga Helen.

— Hoje? — perguntou ela, espantada. — Você ainda não encomendou o vestido?

— Ainda não — falei, deprimida ao olhar a lista e ver que o item bufê era apenas o número dois de vinte e cinco itens. — Mas, quanto antes acabarmos essa reunião, mais tempo terei para ver o vestido, então acho que isso não será um problema.

— Tudo bem — disse Fenella sem muita convicção. — E quanto à decoração da mesa...

A Wedding Dress Shop ficava perto da Oxford Street, e era parada obrigatória para toda noiva, segundo Helen. Seus anúncios prometiam o vestido certo para cada noiva, e minha amiga estava decidida a pôr essa afirmação à prova. Eu ainda estava ofegante depois de subir correndo a escada rolante do metrô; Fenella tinha conseguido falar sobre bolos de casamento durante mais de quarenta e cinco minutos, me obrigando a chegar atrasada ao encontro com Helen.

— E depois ela pegou a lista, Hel. Era tão longa! Eu quase tive um ataque.

— Mas não teve — disse Helen, abrindo a porta da loja. Ficamos diante de um grosso carpete e paredes repletas de vestidos longos brancos. — E agora estamos vendo vestidos de noiva, portanto você tem que parar de pensar naquela tal de Fenella.

— Eu sei. Mas achei que nunca fosse conseguir me livrar daquela reunião.

— Agora tente se concentrar no que interessa — mandou Helen, no instante em que uma mulher antipática apareceu, de repente, e nos olhou desconfiada. Pelo visto, sua função era checar se havia uma aliança na mão esquerda, intimidar intrusos e assegurar-se de que apenas noivas de verdade, com hora marcada, pudessem atravessar aquelas portas sagradas.

— Você tem hora marcada? — perguntou ela prontamente.

— Sim. Jessica Wild.

Helen passou direto pela mulher, deixando bem claro que não dava importância às normas do lugar.

A mulher me fitou confusa.

— E qual de vocês é a Srta. Jessica Wild?

Sorri constrangida.

— Eu.

Ela fez que sim com a cabeça e me deixou passar. Em seguida, uma outra mulher, mais gentil, de uns 50 anos, se aproximou, abrindo um enorme sorriso.

— Data do casamento?

Retribuí o sorriso e respondi:

— Daqui a duas semanas. Vinte e três de abril.

Os olhos da mulher se arregalaram.

— Daqui a duas semanas?

— Isso mesmo. A... cerimônia vai ser no Hilton Park Lane — expliquei, nervosa. — Houve um... cancelamento.

— Ah, sei — disse a mulher fazendo com a boca um som de desaprovação. — Bem, meu nome é Vanessa, e estou às suas ordens. É um prazer conhecê-la. Aqui na Wedding Dress Shop nós transformamos sonhos em realidade. Bem, Jessica, você tem alguma ideia quanto ao tipo de vestido que procura?

Olhei para ela completamente apática. Eu queria um vestido de noiva, não era o suficiente?

— Hmm, um branco, talvez. Ou creme.

Vanessa me fitou, indecisa.

— Saia rodada? Reto? Tomara que caia? De renda? De seda? — perguntou, oferecendo várias alternativas.

— Ah, entendi. Hmm, para falar a verdade, acho que não sei muito bem.

— Nada que a deixe igual a um suspiro — exigiu Helen, aparecendo ao meu lado, de repente.

— Um suspiro? — disse Vanessa, virando-se para Helen com uma expressão impassível.

— Como a Bruxa Boa do *Mágico de Oz* — esclareceu Helen.

— A Bruxa Boa — repetiu Vanessa, parecendo bastante desconfiada. — Claro. — Então ela me examinou de cima a baixo. — E seu tamanho é... quarenta? Quarenta e dois?

— Por aí. Depende do modelo...

Ela olhou meu peito grande.

— Sim, sim. Entendo. — Ela foi em direção às araras e pegou alguns vestidos, empilhando-os no braço. Alguns minutos depois, quase escondida atrás da montanha de vestidos que carregava, nos levou a um suntuoso provador, onde havia um estrado. — Para a noiva se ver melhor — explicou ela quando Helen olhou a estrutura com curiosidade.

Com extrema habilidade, Vanessa pendurou todos os vestidos em uma arara e sorriu.

— Experimente-os e veja se gosta de algum deles. A partir desses modelos vamos poder determinar o estilo que melhor combina com você.

Concordei e sufoquei um bocejo quando ela nos deixou.

— Bem, este primeiro — sugeriu Helen puxando um vestido enorme, que parecia ter a mesma quantidade de tecido que uma cortina.

Hesitei.

— Esse?

— É.

Sem muita convicção, me despi e me enfiei no vestido; dez minutos depois, Helen tinha finalmente acabado de fechar todos os colchetes, e eu me virei para olhar no espelho. Na mesma hora comecei a rir.

— O que foi? — indagou Helen, irritada. — O que há de tão engraçado?

— Está ridículo — respondi decididamente. — É grande demais, espalhafatoso demais... Olha só essas mangas... — Balancei os braços, demonstrando a falta de praticidade dos enormes "marshmallows". — Elas encostariam na comida. Um passarinho poderia entrar aqui e não conseguiria sair. Ele faria um ninho e eu nem perceberia.

— Você está experimentando um vestido de 3 mil libras, Jess. Podia pelo menos valorizar isso, certo?

Senti o sangue sumir do rosto.

— Três mil libras! Você está falando sério? Dá para comprar um carro com 3 mil libras. Isso cobriria o meu aluguel por seis meses. Três mil libras?

Helen suspirou.

— É o preço de um vestido de noiva.

— Mas eu não tenho 3 mil libras — falei, sem forças.

— Não, mas logo vai ter — lembrou Helen, impaciente.

— Não vou gastar 3 mil libras nisso. É horrível.

— Tudo bem. Experimente outro.

O outro era o tipo de coisa que Paris Hilton usaria: um vestido reto, minúsculo, que salientava o busto e tinha uns recortes, com o objetivo de exibir uma barriguinha sarada. Só que eu não tinha a barriguinha sarada; eu tinha *a minha* barriga. Até Helen fez uma careta assim que eu o vesti.

Em seguida, ela pegou um longo rendado, mas franziu o nariz.

— Este custa só 200 libras, e dá para se ver que é barato — disse ela com desdém. — A renda é áspera.

Tomei-o das mãos dela.

— Duzentas libras não é barato e a renda não é áspera — retruquei, mal-humorada, mas, no instante em que toquei o tecido com as mãos, percebi que ela tinha razão. A renda era de fato áspera e pinicava. Passei o vestido pela cabeça e ela fechou o zíper.

— Ficou bom, eu acho — comentou ela, hesitante. — Quer dizer, o feitio. Mas não é nada especial. Afinal, é apenas um vestido, não... "o vestido".

Olhei meu reflexo no espelho. Helen tinha razão. Eu parecia a noiva de um catálogo de venda por correspondência.

— Tudo bem, pode abrir o zíper. Quantos faltam?

Ela começou a contá-los.

— Dez.

Então me entregou outro. E depois outro. Nenhum caiu bem. Quando não me deixavam com um ar pálido, me engordavam, ou me deixavam com cara de quem ia fazer um teste para uma peça infantil.

— Eu nunca vou achar um que sirva — eu disse desesperada. — Talvez eu não tenha o perfil para usar vestido de noiva.

— Não existe isso — replicou ela, impaciente. Em seguida me entregou outro vestido, feito de organza, macio e suave ao toque. Embora cansada, eu o vesti. Era tomara que caia, acinturado, e a saia descia num corte enviesado.

— Eu não fico bem com saia de corte enviesado — resmunguei enquanto ela fechava os botões. — Só serve para aumentar meu quadril. — Então dei um passo para trás, diante do espelho, mas sem olhar.

— Ah, meu Deus! — exclamou Helen com os olhos arregalados.

— O que foi? — perguntei, ansiosa. — Ficou tão ruim assim?

— Não ficou ruim. De jeito nenhum.

Então me obrigou a virar de frente para o espelho, e quando ergui os olhos, suspirei. Era lindo. Realmente me deixou linda. Como uma noiva. Uma verdadeira noiva.

Nesse instante, a cortina se abriu e Vanessa deu uma espiada no interior da cabine. — Ah, esse sim. Você achou o modelo ideal — sussurrou ela. — Ah, eu adoro esse momento. Você não escolhe um vestido de noiva, entende? Ele é que escolhe você.

— Ah, meu Deus! — exclamou Helen mais uma vez.

Voltei a olhar para o espelho. Ele era maravilhoso. Maravilhoso, de verdade. Mas quando encarei meu reflexo, percebi meu rosto empalidecer. De repente notei que estava tremendo. A sensação começou pelas mãos. Então subiu para os braços, até se espalhar pelo resto do meu corpo.

— O que foi? — perguntou Vanessa, assustada. — O que foi?

Eu estava passando mal. Tinha a impressão de que iria desmaiar. As paredes começaram a girar; tudo ficou escuro, exceto a imagem diante de mim: uma noiva de vestido branco, tão cheia de esperança, tão cheia de expectativa. Tão ingênua, tão vulnerável.

— Por favor, me ajude a tirá-lo — pedi, puxando a parte de cima; Vanessa apressou-se para abrir o zíper.

— Está tudo bem? Quer um copo d'água?

Aceitei e suspirei aliviada, ao conseguir tirar o vestido.

— Água — sussurrei. — Quero, sim.

Vanessa saiu da cabine e Helen me encarou, preocupada.

— Qual é o problema? Você está linda.

— Eu... Não sei — respondi com a voz baixa e hesitante. Estava apenas de calcinha e sutiã, e, aos poucos, meu corpo escorregou até o chão, e então puxei os joelhos junto ao peito.

— Como assim não sabe?

— Eu... e se isso for um erro? E se não der certo?

— Não seja boba — disse ela com firmeza. — Você está nervosa por causa do casamento. Todo mundo fica assim. Só precisa se recompor.

— Está bem. Eu vou. Eu... — murmurei, sentindo um bolo em minha garganta.

— Jess?

Tentei sorrir, mas, em vez disso, lágrimas grossas brotaram nos meus olhos e começaram a rolar por meu rosto.

— Jess, o que foi? — perguntou Helen, preocupada. — O que aconteceu?

— Nada... Nada mesmo, está tudo bem — respondi, esfregando o rosto com as costas da mão. — As pessoas se casam o tempo todo, não é? Não é nada de mais, certo?

— Não para você. Qual é, Jess... Esse casamento é uma transação financeira. Se der certo, é uma vantagem extra.

— É. Vantagem extra. Tem razão.

— Além do mais, ele é um cara muito bonito. E você gosta da companhia dele, portanto tudo está a favor, não é?

— Acho que sim. Então você acha que casamento... quer dizer, você não acha que seja algo tão importante?

— Claro que não — assegurou-me, tentando me acalmar. — No seu caso, não.

— Você insiste com essa ideia — resmunguei, nervosa. — Por que não é importante, no meu caso?

— Porque você não liga para casamento! — respondeu, irritada. — Você sempre jurou que nunca abriria mão da sua independência. Sempre disse que se colocaria em primeiro lugar. E é logo isso o que está fazendo. Não estamos falando de um casamento no sentido convencional, por isso você não tem que encará-lo de um jeito convencional. Entendeu?

— Entendi — falei sem muita convicção. Ela estava certa. Não se tratava de um casamento normal. Todas aquelas coisas que

Max havia dito simplesmente não eram relevantes. E, de qualquer maneira, eu não acreditava em amor verdadeiro. Eu era lúcida demais para crer numa besteira dessas. Não precisava me apaixonar e ficar com alguém nos bons e nos maus momentos, na saúde e na doença. Não precisava saber que era amada, com certeza. Era verdade, não precisava.

— Então, tudo bem? — indagou Helen.

— Claro — respondi, tentando, acima de tudo, convencer a mim mesma.

— E, se não der certo, você pode se divorciar — acrescentou, no instante em que Vanessa reapareceu.

— Divorciar — repeti. — Certo. — Eu começava a me sentir mal de novo. Divorciar. Minha avó costumava dizer que *divórcio* era sinônimo de *fracasso*. Afirmava que era melhor nem casar.

— Divórcio? — perguntou Vanessa, hesitante. — Quem vai se divorciar?

— Ninguém — respondeu Helen, de imediato.

— Eu — respondi, sem pensar. — Se não der certo. Se for um casamento infeliz.

— Casamento infeliz? Que jeito é esse de falar? — retrucou Vanessa.

— O jeito realista — repliquei, sem rodeios.

— Sabe de uma coisa? — disse ela, olhando bem nos meus olhos. — Os dias que antecedem o casamento podem ser muito estressantes. Mas você vai ver que no fim dá tudo certo.

Dirigi-lhe um olhar de dúvida.

— Não tenho tanta certeza.

— Pois posso afirmar que não é tão ruim quanto pode parecer — acrescentou, com a mão no meu ombro. Em seguida foi até as araras para separar os vestidos que eu havia experimentado. — Todo mundo tem dúvidas em algum momento.

— Isso mesmo — concordou Helen. — Você só precisa parar de pensar tanto nas coisas.

— Não é isso — contestei. Todos os pensamentos e as dúvidas que antes não estavam claros mas que dominavam a minha mente agora pareciam muito reais. — A verdade é que Anthony só me pediu em casamento porque eu estava seguindo instruções; porque mudei o corte de cabelo e comecei a usar salto alto. Por causa do Sean, que é apenas uma mentira.

Vanessa se virou e me olhou confusa.

— Sean?

— O ex dela — explicou Helen.

— Não é meu ex. É o marido de Ivana que fingiu ser o meu ex — eu disse, cruzando os braços.

— Ivana? — perguntou Vanessa, com ar de espanto. — Entendi. Bem, na verdade, não entendi. Mas acho que isso não importa. E quanto a seu futuro marido? Ele ama você?

— Acho que sim — falei sem convicção. — Quer dizer, ele chegou até a procurar uma casa de campo, embora odeie a vida rural.

Ela fez que sim com a cabeça, e perguntou:

— E você? Você o ama?

Dei de ombros.

— Gosto dele. Ele é legal. Quer dizer, é um cara agradável e eu gosto da companhia dele. Mas isso é amor? Não sei. Acho que não sei muito bem o que é amor.

— Não tem problema — disse Vanessa em tom tranquilizador. — O amor é muito superestimado quando se trata de casamento.

— É?

Fitei-a surpresa, e ela concordou, como se estivesse revelando um segredo.

— Olhe, você não vai achar isso em artigos de revista, mas, na minha opinião, se é que você vai levá-la em consideração, no casamento você tem duas opções: ou você ama completamente a pessoa, ou não sente nada por ela. Se ama completamente, vai relevar tudo; se não sente nada, não cria expectativas. Não amar o outro fornece uma base sólida para o casamento. Principalmente se o outro ama você. É melhor assim.

— É mesmo? — perguntei, confusa. — Não foi isso que Max disse. Ele disse que seria a decisão mais importante da vida.

— Max?

— É... um amigo — expliquei, envergonhada, e Helen arqueou uma sobrancelha, desconfiada.

— Sei. E esse amigo... é casado? — perguntou Vanessa.

— Não.

— É conselheiro matrimonial?

— Também não. Ele sabe de casamento tanto quanto eu.

— Bem, então — disse Vanessa com ar sério. — Preste atenção no que estou dizendo. Viver em uma feliz ignorância ou em um realismo sensato, a escolha é sua. Ambos funcionam, mas por razões diferentes. Só as pessoas que não estão seguras se dão mal. Aquelas que pensam que estão apaixonadas e depois percebem que não estão. Elas não conseguem controlar as próprias expectativas, entende?

— Isso mesmo! — concordou Helen, batendo palmas. — Não há motivo para se preocupar, Jess. De jeito nenhum.

Mas não me convenci.

— Eu achava que casamento tivesse a ver com paixão, amizade verdadeira, indestrutível.

Vanessa riu.

— Esse é o problema dos livros e dos filmes românticos. Eles confundem as pessoas — disse de forma simples. — Antigamente, casamento tinha a ver com dinheiro, posse de terra, fundo genético, até diplomacia internacional. Naquele tempo, as pessoas sabiam muito bem o que esperar de um casamento, concorda?

Agora todo mundo espera estrelas e arco-íris; não é de se admirar que todos acabem tão decepcionados.

Eu estava confusa.

— É, acho que sim. Então, casar com alguém por razões erradas... não significa, necessariamente, fazer a coisa errada?

— Casar por razões certas pode ser tão arriscado quanto — respondeu Vanessa.

Concordei, pensativa.

— E então, vai querer experimentar mais alguns vestidos? — perguntou ela em tom gentil.

Eu a fitei por um momento.

— Não, acho que já fiz a minha escolha.

— O de organza? — perguntou Helen, com os olhos brilhando. — Ah, escolhe ele. É lindo. É o mais bonito de todos.

— Não. O de organza requer um casamento romântico. Vou ficar com o de renda.

— O de renda? — perguntou Helen fazendo uma careta. — Tem certeza?

— Tenho.

— O de renda... — disse Vanessa, tentando esconder sua decepção, antes de se afastar em direção à arara. Então pegou o vestido; o vestido que serviria a *uma noiva qualquer;* o vestido que me pinicava. — Esse? — perguntou com um sorriso.

— Exatamente — respondi, decidida, tomando-o das mãos dela para experimentar uma última vez. — Acho que esse vestido é bem o que quero. Acho que é perfeito.

Capítulo 26

PROJETO: CASAMENTO DIA 34

Pendências:

1. Evitar Fenella.
2. Evitar Max.
3. Evitar o Dr. Taylor.

Não consigo imaginar como alguém consegue cuidar dos preparativos de um casamento sem a ajuda da Party Party Party ou trabalhando em horário integral. O simples fato de acompanhar o ritmo de Fenella e atender suas constantes demandas por informação já era um trabalho de horário integral; eu mal via Helen e mal tinha tempo para falar com Gillie sobre suas várias ideias para o grande dia (pombos tinham sido a última. Muitos pombos brancos. Fiquei indecisa; Fenella se mostrou temerosa diante da possibilidade de cocô no local, e, por fim, o gerente do hotel bateu o pé e disse que animais não eram permitidos no prédio). A única maneira que eu tinha de manter contato com as pessoas era por meio de mensagens. Inclusive com Anthony. Quanto a Max, bem, eu não tinha tempo nenhum para falar com ele; não que o evitasse, apenas andava muito ocupada. Conforme Vanessa havia dito de maneira tão sábia, o período que antecede o casamento é muito estressante.

E estar atarefada era bom. Conseguir organizar tudo era uma sensação boa e produtiva, como se eu estivesse chegando a algum lugar, como se o casamento não fosse nada de mais, apenas o fim de uma enorme lista de tarefas. Eu já tinha me acostumado com os e-mails de Fenella na caixa de entrada, cobrando respostas, confirmações, aprovações. E não me preocupava tanto com o casamento em si, porque estava ocupada demais pensando em formas, cores, estilos, votos de casamento, cardápios, opções vegetarianas, a primeira dança...

— Você viu Marcia?

Levantei os olhos distraidamente e vi Max com uma expressão preocupada.

— Marcia? Não. — Em seguida, voltei ao computador, e vi um e-mail de Fenella que tinha acabado de chegar.

— Você sabe quando ela vai voltar?

— Não faço a menor ideia — respondi, sem tirar os olhos da tela. Fenella queria saber se eu gostaria de chegar à cerimônia num Jaguar, num Bentley ou num dos típicos táxis londrinos pretos, porém um pintado de branco para a ocasião. E com quem eu chegaria. E se o motorista deveria usar chapéu ou não.

— Tudo bem — disse Max.

Contudo, ele não se moveu. Após um momento, consegui desviar o olhar da última lista de exigências de Fenella e olhei para ele.

— Desculpe, Max — falei, com um pequeno suspiro. — Eu não sei mesmo onde ela está, mas você conhece Marcia. Algum problema?

— Sim. Quer dizer, não. Acho que não...

— Você não parece muito seguro disso — comentei, me arrependendo logo em seguida. Eu já tinha notado que quanto menos tempo passava com ele, mais feliz me sentia em relação às minhas iminentes núpcias, e vice-versa. Conversar com ele realmente não era uma boa ideia. Eu não deveria ter puxado assunto. Deveria ter deixado bem claro que não me interessava se estava ou não tudo bem.

— Chester virá aqui para uma reunião. Daqui a cinco minutos. Anthony não está aqui e eu não consigo encontrar Marcia.

— Tenho certeza de que ela vai aparecer — falei, no momento que recebi outro e-mail. Dessa vez, Fenella queria saber qual seria a cor das gravatas dos padrinhos. E se eu já tinha destinado tarefas diferenciadas a cada um, ou se preferia que ela cuidasse deles.

Max fez que sim com a cabeça, em silêncio, e me olhou com ar sério.

— Se você quer saber — disse ele —, acho que fez muito bem em se concentrar nos preparativos do casamento em vez de se preocupar com o Projeto Bolsa.

— É, também acho — concordei com um sorriso, mas logo franzi o cenho quando li o final da mensagem de Fenella. *E as flores estão definidas, suponho. Você pode me enviar por fax os projetos sugeridos para que eu possa me certificar de que tudo combina?* Na mesma hora fiquei pálida.

— E os preparativos estão indo bem?

Tive um sobressalto. As flores. Tinha esquecido as malditas flores. Eu só tinha uma função. Uma única função, e me esqueci completamente de executar.

— Os preparativos? — O pânico começou a tomar conta de mim. — Claro que sim — consegui dizer. — Está tudo muito bem. Está tudo ótimo!

Ele fez um gesto afirmativo de cabeça.

— Bem, fico feliz com isso. Casamento é sempre... bem, é...

— Um grande compromisso, uma enorme responsabilidade, já sei — falei, na defensiva, enquanto abria o Google e digitava: *flores para casamento Londres.* — E também dá um enorme trabalho para organizar tudo, portanto, se você não se incomoda...

— Claro, desculpe. Vou continuar tentando achar o seu noivo e Marcia...

— Anthony ia passar a manhã inteira em reunião com clientes — eu disse, clicando em um link para GILES WHEELER, O FLORISTA DAS ESTRELAS. Sua lista de clientes parecia uma relação das pessoas mais badaladas do mundo das celebridades. Na mesma hora, comecei a digitar uma mensagem desesperada para ele. — Mas, como eu disse, não faço ideia de onde ela possa estar.

— Tudo bem, de qualquer maneira, obrigado — agradeceu ele, e logo em seguida olhou para a recepção e perguntou: — Aquele homem não é o advogado do funeral? O que será que ele está fazendo aqui?

— Advogado? — perguntei vagamente, clicando no botão ENVIAR.

— É o Dr. Taylor, não é?

Meu coração disparou e eu me virei para olhar. Então meus olhos se arregalaram. Max estava certo. O Dr. Taylor estava bem na recepção. Falando com Gillie. Na hora, pulei da cadeira e corri até ele.

— Jess? — Max me chamou, mas não lhe dei atenção.

— Dr. Taylor — eu disse, quase esbarrando nele, tomada pelo pânico. — O que... o que o senhor está fazendo aqui?

— Ah, Sra. Milton. Eu queria falar com a senhora. A senhora é muito difícil de ser encontrada. Pensei que talvez fosse melhor a montanha ir a Maomé, como diz o ditado.

— Montanha? — perguntei, ao mesmo tempo em que negava com um gesto de cabeça, desesperado. — Não. Maomé irá ao seu encontro. Eu vou. Logo que... Assim que... — Então virei discretamente a cabeça e vi Gillie me fitando, curiosa. Eu tinha que tirá-lo do prédio o mais rápido possível. Porém, o mais importante era afastá-lo de Gillie e de outros olhos bisbilhoteiros. — Hmm, olha, por que não vamos... para a sala de reunião? — sugeri de maneira apressada.

— Ótimo — respondeu ele, empolgado, apanhando uma maleta robusta para a qual olhei assustada. Talvez a sala de reunião não fosse uma boa ideia. E se ele me pedisse documentos? E se alguém entrasse?

— Jess? — Ergui os olhos e vi Max, vindo na minha direção.

— Agora não posso — falei, ansiosa. — Eu estou... Não vou demorar. Vou para a sala de reunião.

— Mas eu vou precisar da sala de reunião — disse ele, contrariado. — Chester vai chegar a qualquer momento.

— Ah, Anthony. Que bom vê-lo novamente — disse o Dr. Taylor, animado, estendendo a mão para cumprimentar Max, que olhou para ele, desconfiado.

— Não. Eu sou...

— Muito ocupado — interrompi, puxando o braço do Dr. Taylor. Essa situação era quase um pesadelo. Pior que isso só se eu estivesse nua. — Ele é mesmo muito ocupado — acrescentei fitando Max, nervosa. Então tive uma ideia. O Dr. Taylor achava que Max era, na verdade, Anthony. Achava que éramos casados. Eu estava tão perto de conseguir alcançar meu objetivo que não poderia pôr tudo a perder agora. — Hmm, amor, porque não tenta falar com Marcia de novo e vê se ela está a caminho?

— Amor? — disse Max, confuso.

— Agora não, benzinho — eu disse num tom mais alto, e senti as mãos pegajosas de suor. — Falo com você assim que puder.

— Ele parece um tanto aflito — disse o Dr. Taylor com ar preocupado. — Ele está bem?

— Quem, Anthony? Ah, está muito bem. Está ótimo — respondi, enquanto o conduzia para a sala de reunião. Mas, nesse instante, ouvi uma voz conhecida e congelei.

— Oi, pessoal. É muito bom vê-los de novo. Oi, Jessica, como estão os preparativos? Anthony disse que você está fazendo um excelente trabalho.

Eu me virei bruscamente e dei de cara com Chester, que tinha acabado de chegar à recepção.

— Chester! — Max esboçou um largo sorriso. — Oi!

Meu coração disparou.

— Chester! Prazer em vê-lo.

— Preparativos? — perguntou o Dr. Taylor, atrás de mim. — Para quê?

— É... um lançamento — respondi logo. — Um projeto que estamos fazendo. É... desculpe, mas agora não é mesmo uma boa hora para conversarmos. Talvez fosse melhor eu telefonar para o senhor mais tarde, pode ser?

— Mais tarde pode ser tarde demais, esse é o problema.

— Não será. Eu vou telefonar o mais rápido possível. O mais rápido possível, de verdade.

Ele olhou para mim, relutante, enquanto eu o arrastava de volta à recepção.

— A senhora tem noção de que o prazo está acabando, Sra. Milton? — perguntou, quando passamos por Chester. — A senhora dispõe de pouco mais de duas semanas para preencher toda a papelada. Sabe disso, não sabe?

— Sra. Milton? Ela ainda não é a Sra. Milton — contestou Chester em tom amável, após ter ouvido, aparentemente por acaso, o que o Dr. Taylor havia dito. — Ainda falta mais ou menos uma semana, não é Jess?

Esbocei um sorriso.

— É, mais ou menos — consegui dizer.

— Ainda não? Como assim? — perguntou o Dr. Taylor, olhando para Chester, confuso.

— É que... — tentei explicar, fazendo o possível para levar o Dr. Taylor logo em direção à porta principal — Eu... não mudei o meu nome. Ainda. Mas vou mudar.

— Vai?

— Sim.

— Entendi — disse o Dr. Taylor, pensativo.

— Bem, vou ligar para o senhor na semana que vem, certo? — prometi, abrindo a porta para ele. — E obrigada por vir até aqui. Desculpe não ter...

— Jess! — Nesse momento, Anthony entrou, acompanhado de Marcia. Ambos carregando sacolas de compras. — Oi, minha linda!

Fitei-o aborrecida. Ele estava fazendo compras? Pensei que estivesse em reunião com clientes. Então voltei a me concentrar no que era importante. O Dr. Taylor estava a um passo de descobrir toda a verdade e eu me preocupava com Anthony saindo para fazer compras?

Puxei o Dr. Taylor pelo braço e tentei evitar que Anthony olhasse para mim. Mas ele me agarrou e me tascou um selinho. E, quando levantou os olhos, viu Chester. Na mesma hora me soltou e foi cumprimentá-lo com um tapinha nas costas.

— Chester. Que prazer em vê-lo! Como vão as coisas?

Os olhos do Dr. Taylor se arregalaram e Marcia passou por ele, meio titubeante, evitando olhar para mim.

— E quem é esse? — perguntou o advogado, parecendo completamente confuso.

— Hmm, é o melhor amigo de Anthony — respondi, buscando, desesperada, uma justificativa para o beijo e o tratamento carinhoso. — Ele... ele sempre me chama de linda. Ele é... gay — falei, arrematando a explicação.

— Gay? — perguntou o Dr. Taylor, num sussurro. — É mesmo? Quem diria!

— Pois é. — Tentei sorrir. — Bem. Então o senhor já pode ir, e nos veremos em breve.

— Assim espero — falou, quando eu praticamente o empurrei para fora do prédio. — Assim espero.

— Ele pensou que seu nome fosse Jessica Milton — disse Gillie alguns segundos depois, quando passei pela recepção, de volta à minha mesa. — Tentei explicar a ele que você ainda era Jessica Wild, mas acho que ele não entendeu.

— Eu sei — falei, limpando algumas gotas de suor da testa. — Ele é meio... surdo, eu acho. Meio gagá, também. Às vezes, fica confuso.

Gillie concordou com a cabeça.

— Ah, agora está explicado.

— Explicado o quê? — perguntei, nervosa.

— O fato de ele ter estranhado quando eu perguntei se ele ia ao casamento.

— Você... você perguntou isso a ele?

— Por quê? Fiz mal?

Eu engoli em seco.

— E... você disse quando seria?

— Claro que não. Não sou estúpida. Deduzi que, se ele não sabia, era porque você não quis convidá-lo.

— Isso mesmo — concordei com um suspiro.

— Então fingi que estava falando sobre o casamento da Liz Hurley.

— Jura?

— É, mas ele também não sabia quem ela era. — Gillie deu de ombros. — Para falar a verdade, acho que ele tem um parafuso a menos, se é que você me entende.

Eu me debrucei na mesa da recepção e beijei-a no rosto. Ela deu uma risada e me afastou para atender o telefone.

— Boa tarde, Milton Advertising. Sim, está. Só um momento. — Ela ergueu uma sobrancelha. — Jess, é para você. Quer atender aqui mesmo?

Um pouco relutante, eu me virei.

— Para mim? Quem... quem é?

— Um homem — sussurrou ela. — Giles alguma coisa.

— Giles? Não conheço nenhum Giles. Eu...

— Disse que queria falar com você — acrescentou, dando de ombros.

Com o coração acelerado, tomei o telefone das mãos de Gillie. Com certeza, o Dr. Taylor não se deixou enganar pelas histórias fantasiosas dela. Provavelmente era ele para me dizer que sabia toda a verdade, para dizer que o testamento de Grace tinha sido anulado e que eu iria para a prisão por falsidade ideológica.

— Alô? — Minha voz era quase inaudível. — Jessica Wild.

— Jessica Wild. Aqui é Giles Wheeler. Recebi sua mensagem. É lamentável que o outro florista tenha deixado você na mão. Não posso acreditar que alguém possa fazer uma coisa dessas. Apenas não combina com o nosso código de ética profissional.

Era o florista. Claro. O florista que acreditava que eu havia contratado outro profissional com meses de antecedência, mas que tinha fugido para as Bermudas com uma cliente, me deixando na mão. Ei, eu estava desesperada.

— Você disse código? Floristas têm um código de ética profissional?

— Claro que temos. Bem, infelizmente vou estar ocupado nessa data. Já tenho dois casamentos e uma festa agendados no mesmo dia. Mas posso dar um jeitinho de encaixar um horário, se pudermos trabalhar rapidamente. Então, você teria um tempinho para encontrar comigo ainda hoje?

Pensei por um momento. Fenella havia mandado uma mensagem pedindo para que eu reservasse algumas horas para estar à disposição dela, na parte da tarde. A mensagem dizia apenas: *Por favor, deixe seu horário livre. Vou falar com um pessoal de bufê e vou precisar entrar em contato com você.*

— À tarde, ótimo — respondi logo. — Onde fica sua loja?

— Loja? Não, eu vou até sua casa. Quero ver onde você mora, quem você é, o que você quer em termos de flores. Certo?

— Hmm, certo. Eu moro em Islington.

— Islington — repetiu ele devagar. — Sim, sim, acho que vai dar.

— Acha?

— O casamento — disse ele, ignorando minha pergunta. — Também vai ser em Islington?

— Não, não. O casamento vai ser no Park Lane Hilton.

— Hilton. Entendi. O encontro da metrópole com o *savoir faire* de Islington. Eu consigo ver isso dando certo. Na verdade, estou adorando a ideia. Bem, que tal nos encontrarmos às três?

Ele parecia tão empolgado que só me restou concordar.

— Tudo bem!

Em seguida, lhe passei meu endereço, concordei que havia "muito a ser decidido", e depois, um pouco mais calma, olhei para Gillie.

— Tenho que ir para casa — falei, aliviada, diante da perspectiva de sair do escritório. — Você poderia dizer a Anthony que eu fui ver o florista?

— Claro, sem problema — respondeu ela num tom gentil. Voltei ao computador, cancelei a hora marcada com Fenella e apanhei meu casaco.

Capítulo 27

QUANDO VOLTEI PARA CASA, MEU coração ainda estava acelerado e minha mente, repleta de perguntas. Entretanto, como repetia a toda hora para mim mesma, tudo estava indo bem. Enquanto Anthony não descobrisse nada a respeito do Dr. Taylor, o Dr. Taylor não descobrisse nada sobre o casamento, Max não descobrisse que esse casamento não era bem o compromisso romântico que ele pensava ser e Fenella não descobrisse que eu tinha esquecido por completo das flores até hoje de manhã, tudo estaria bem. Tudo estaria ótimo.

Por isso, quando Giles chegou, me olhou de cima a baixo, adentrou a sala de estar e anunciou que se conectou com o fundo da própria alma e descobriu — apenas descobriu — que seguir um estilo grego era a melhor opção para o casamento, concordei na hora. Depois, percebi que estilo grego provavelmente não era o que Fenella tinha em mente; aliás, eu tinha quase certeza de que isso não combinaria muito com o tema minimalista proposto por ela, mas compreendi que, no fundo, não fazia diferença. Ele prometia flores, e isso representava um item a menos da minha lista de coisas a fazer.

— Quando você diz "estilo grego", você se refere às togas? — perguntei curiosa, servindo-lhe uma xícara de chá. Ele estava no apartamento há apenas alguns minutos, mas já estava espalhando fotografias no chão da sala de estar. Era muito baixinho, com cerca de 1,50m, bem magro, e usava um terno de risca de giz, uma camisa rosa-shocking e botas de caubói que o faziam parecer um pouco mais alto. Então, na verdade, ele não devia chegar a 1,50m.

Ele me fitou, impaciente.

— Querida, isso não é os anos 1980. Eu me refiro a folhas de videira, decadência. Eu me refiro a maximalismo. Uvas. Vinho. Arranjos de mesa enormes transbordando e paredes sóbrias. Eu quero galhos finos, galhos altos e finos, como árvores, em volta do hall, com pequenas luzes de fadas que acendem à medida que o sol se põe. Como uma floresta encantada. Uma atmosfera mágica. Tipo *Sonho de uma noite de verão.*

Meus olhos se iluminaram.

— Eu adoro essa peça. E adoro a ideia de uma floresta encantada. — Uma imagem surgiu na minha cabeça, na qual me via como uma rainha das fadas, numa imagem etérea, como num sonho. Percebi que Giles me observava e fiquei sem graça. — Mas não é exatamente... grego, é?

Ele me olhou com ar de repreensão.

— Você tem de abrir sua mente — disse ele, indignado. — Estamos falando de estilo clássico. Mágico. Afrodite. Titânia. Eles são a mesma coisa.

— E isso faz de mim o Bottom, o personagem que é transformado em burro? — indaguei com uma risada. — Ou esse seria o meu futuro marido?

Giles ficou confuso, então voltou a assumir uma expressão séria.

— Há muito que fazer, mas, antes de começarmos, tenho umas perguntas. Por que você procurou a minha ajuda para cuidar da decoração da cerimônia quando o outro profissional deixou você na mão? Isso me ajuda a compreender o que você está buscando, entende? Você me escolheu por minha preocupação com detalhes, pela minha perspicácia? Ou foi a minha criatividade, o meu faro? E quem me recomendou? Foi Antonia Harrison? Ou Isabella Marchant?

Sorri, sem saber se deveria admitir que o tinha encontrado no Google. Mas não podia fazer isso agora, pois ele ia construir a minha floresta encantada, um palco de sonho de um casamento irreal.

— Muita gente — respondi, após um momento. — Toda vez que eu falava com alguém sobre os arranjos de flores, seu nome vinha à tona.

— Certo — disse ele, os olhos com um brilho de gratidão. — Sim, isso acontece. É uma responsabilidade muito grande, sabe? Eu transformo sonhos em realidade, e isso não é o trabalho mais fácil do mundo. Mas sempre acerto. Podemos começar?

— Claro. Vamos definir essa decoração de flores em estilo grego clássico shakespeariano mitológico.

Giles olhou para mim desconfiado por um momento, então prosseguiu.

— Bem. Vamos falar de cores. Me conte quais são as cores que você adora, que você quer ao seu redor.

Pensei por um momento. Eu ia dizer *laranja*. Laranja é a minha cor favorita. Ela é instigante, quente e acolhedora, sem ser dominante ou autoritária, nem passiva ou fraca. Mas, em vez disso, peguei a tabela de cores Pantone que Fenella tinha me enviado. Eu devia ao menos isso a ela.

— Estávamos pensando em tons de vermelho e verde — falei, sem entusiasmo. — Escolhemos na tabela Pantone.

— Tabela Pantone? — perguntou ele, desconfiado. — Você sabe que a cor de uma flor nunca é exatamente igual aos tons da tabela Pantone, não é?

— Eu sei... apenas...

— Você trabalha em publicidade, certo? — perguntou, sorrindo.

— Sim.

— É tudo que eu preciso saber — acrescentou, pegando a tabela de cores. — Farei o possível para que os tons fiquem parecidos. E enviarei alguns desenhos. Agora, me fale sobre a cerimônia e a festa. Eu preciso das dimensões dos ambientes, de fotografias, do número de convidados. E depois preciso ver o seu vestido. E o sapato. Tenho que medir seus braços. Tenho que saber que batom você vai usar. Vou transformar você em uma princesa, Jessica Wild.

— Para que eu possa viver feliz para sempre? Ter o meu final feliz? — perguntei, forçando um sorriso, fazendo o possível para ignorar o nó na garganta.

— Para que você possa viver feliz para sempre. Aliás, ter um começo feliz — corrigiu-me. — Casamento não é o fim, é o início.

— Início — repeti, baixinho e devagar. — É claro. Eu... vou pegar o vestido.

Corri até o meu quarto e peguei o vestido de renda branco no armário. Giles fez uma cara estranha quando o mostrei a ele.

— É este? Este é o seu vestido? — perguntou com desdém, com a mesma expressão que eu demonstrei, quando o vi pela primeira vez.

— É — respondi, chateada. — Bem, é bonito, não é?

— Claro! Adorei! — disse ele, na hora. — Só não é bem o que eu estava... esperando. Mas é uma graça. Uma graça... mesmo.

Ele o tomou das minhas mãos e o pendurou no gancho da parede da sala de estar. Ao olhar para o vestido, eu me lembrei da renda que pinicava e da minha imagem no espelho quando o experimentei, me sentindo uma noiva qualquer, parecendo uma anônima.

— Bem, havia vestidos mais bonitos — tentei justificar. — Mas este era bonito e...

— E com certeza veste bem — acrescentou, com um sorriso um pouco exagerado. — É muito bonito. Enfim, é o seu casamento, certo? E é o único dia da sua vida que você pode ter tudo do jeito que quiser.

— E você acha que posso parecer uma princesa das fadas com ele?

— De verdade.

Em seguida, ele mediu meus braços e examinou o conteúdo da minha bolsa de maquiagem. Depois, lhe entreguei uma pasta que Fenella havia mandado, onde se lia: PARK LANE HILTON — DETALHES, que, além de medidas e fotos do local, continha o nome de todos os funcionários, as regras em relação à música e dança e os cardápios de cada um dos restaurantes. Depois, passamos cerca de uma hora vendo fotos de flores e galhos, e eu avaliei cada uma com um "sim", "não" e "talvez". E, pela primeira vez, vi que estava apreciando tudo aquilo. Fiquei interessada nos diferentes tipos de luzes decorativas; prestei atenção quando Giles definiu os diferentes tipos de galhos e seus significados. E, quando ele estava arrumando suas coisas para ir embora, eu realmente não queria que fosse.

— Estou muito feliz por você ter entrado em contato comigo — disse ele, me abraçando e dei um relutante adeus. — Tenho uma sensação maravilhosa sobre esse casamento. Vai ser mágico. Fantasia pura.

— Fantasia — murmurei, permitindo-me um sorriso. — Sabe de uma coisa? Acho que você tem razão.

Capítulo 28

PROJETO: CASAMENTO DIAS 35, 36, 37, 38...

Pendências:

1. Qualquer coisa que Fenella mande.

A semana seguinte passou voando. Quando me dei conta, faltavam apenas dois dias para a cerimônia e Giles foi ao meu apartamento para entregar um buquê para o ensaio. Era um buquê enorme formado por rosas brancas de caules longos, muitas folhas e galhos, algumas rosas vermelhas que tinham um perfume divino e um amarrado de outras flores, cujos nomes eu não sabia, mas que nunca confessaria isso a Giles.

— É... lindo — falei com um suspiro. — Tão perfeito.

Giles sorriu.

— Ficou muito bom, mas sou suspeito para falar — disse ele, empolgado. — Agora, lembre-se: mantenha o buquê à sua esquerda quando estiver entrando na igreja.

— Certo — confirmei, séria. — Buquê à esquerda.

Então ele me lançou um olhar esquisito.

— Você está magra. Por acaso andou perdendo peso? Você não está fazendo uma daquelas dietas ridículas de noiva, está?

— Dieta? Não, claro que não — respondi de imediato. — É só estresse. Estresse de casamento.

— Saquei. Bem, talvez isso não seja tão ruim. Você sempre pode recuperar o peso na lua de mel. Comer, transar, dormir, transar, comer. Para isso serve lua de mel, não é? — indicou ele com uma piscadela, e fiz que sim com a cabeça, da forma mais entusiástica que conseguia. Ele tinha razão, a lua de mel seria ótima. É óbvio que eu e Anthony andávamos ocupados ultimamente; que nunca tínhamos tempo para conversar, mas isso era normal. Planejar um casamento em poucas semanas era estressante, e Anthony estava muito atarefado no trabalho. Não era nada de mais.

— E para onde vocês vão? — perguntou ele.

— Para onde vamos?

— Na lua de mel.

— Ah, sim. — Então recostei na parede, tentando lembrar do que Fenella tinha escrito no e-mail intitulado LUA DE MEL. — Hmm, França. Sul da França.

— Maravilha — comentou ele em tom de aprovação. — Nada estraga mais umas boas férias do que jet lag. Fazendo as coisas simples, vocês podem curtir um ao outro.

— Isso mesmo. Estou ansiosa. Vai ser apenas... maravilhoso.

— Você está bem? — perguntou ele, preocupado. — Está pálida.

— Eu? Não, estou bem. Ótima. — Forcei um enorme sorriso para demonstrar o quanto estava bem, o quanto estava tranquila, nem um pouco cansada.

— Oiiiii. — Ouvi a chave na porta e logo depois, Helen apareceu. Ela deu um longo suspiro e sentou no sofá. Então olhou para Giles, intrigada. — E esse, quem é?

— Este é Giles. Você sabe. O florista encarregado da decoração da igreja. Giles, esta é Helen, que mora comigo.

— Não, eu não sabia — disse Helen sem rodeios. — Acho que você se esqueceu de me contar.

Empalideci de vergonha.

— Jura?

— Você tem andado muito ocupada — falou ela, minimizando a situação. — Não esquenta.

— Bem, prazer em conhecê-la — disse Giles, colocando-se de pé, na hora, e, num gesto formal, tomando a mão de Helen.

— Igualmente — murmurou Helen, antes de se levantar. — Bem, alguém quer uma bebida? Chá? Gim-tônica?

Giles arqueou as sobrancelhas.

— Gim-tônica. Ótimo. Obrigado.

Após servir as bebidas, Helen se dirigiu a Giles:

— Bem, conte-me tudo sobre os arranjos. — Pude sentir uma leve tensão em sua voz, mas não dei importância. Se alguém estava tenso, esse alguém era eu, não Helen.

Os olhos de Giles se iluminaram e ele começou a explicar a Helen tudo sobre os buquês, os arranjos de mesa, a floresta encantada.

— Ele vai usar pequenas luzes decorativas nos galhos — acrescentei. — Elas vão acender quando o sol se puser.

— Legal — disse Helen, em tom de aprovação. — Vai ficar bem legal.

— Vai ficar mais do que legal — corrigiu Giles imediatamente, antes de sorrir. — Bem, você vai ver. Depois de amanhã.

Helen fungou, como se estivesse chorando.

— É mesmo, aliás, Jess, eu queria falar com você sobre isso. Eu tenho uma entrevista. Devo chegar atrasada para a cerimônia.

— Atrasada? — Senti o sangue sumir do rosto. — Mas é um sábado.

Helen ficou envergonhada.

— Sim, eu sei, mas é para um emprego... Você mesma vive dizendo que devo me concentrar na minha carreira. Farei o possível para não me atrasar muito. Só não posso garantir que estarei lá no início.

— Tudo bem. Não tem problema. Afinal, é uma entrevista de emprego. Isso é importante.

— Pois é.

Porém, resolvi insistir:

— Mas tem certeza de que você não pode apenas faltar? À entrevista, quero dizer?

Helen fez um gesto negativo de cabeça.

— É um emprego muito bom, mesmo. E você sempre fala que trabalho é importante.

Giles parecia confuso.

— Mas... — Então olhou para mim, intrigado. — Ela não é sua madrinha?

Helen negou.

— Não... não sou, não.

— Mas Jess — disse Giles num tom mais alto do que o habitual, enquanto folheava suas anotações. — Há algo errado. Você falou que queria um buquê para... para... — Então ele examinou a página e acrescentou: — Sim. Aqui está. Helen.

Helen me fitou.

— É mesmo? Achei que você não quisesse que eu fosse sua madrinha. Até cheguei a dar umas indiretas, mas você nunca disse nada...

Eu olhei para ela, sem jeito.

— Eu não tinha... É...

— Escuta, não tem problema — esclareceu ela, na mesma hora. — Não faz mal. E além disso, eu tenho essa entrevista, então...

— Você tem que ir. Hel, eu não vou conseguir fazer nada se você não estiver lá — insisti, com a voz embargada.

— Claro que vai — retrucou ela. — Quem vai ser a sua madrinha? Só por curiosidade?

— Ninguém.

— Ninguém? — perguntou Giles, assustado. — Mas por quê? Temos flores para a madrinha. Isso cria uma simetria. Sem madrinha, o estilo... não vai ter o mesmo efeito. Não vai ficar harmonioso!

— Não vou ter madrinha — acrescentei, olhando timidamente bem nos olhos de Helen. — Eu ia pedir a você para... para... — Respirei fundo. — Para me acompanhar até o altar.

— Você quer que eu acompanhe você até o altar? — perguntou Helen, surpresa.

Fiz que sim com a cabeça.

— É sério? Você jura que quer isso?

— Mas se você não puder, não tem problema — logo acrescentei. — Quer dizer, se você vai estar ocupada...

— Eu não podia imaginar — disse ela, emocionada. — Pensei que você contaria com Fenella e que não precisava mais de mim.

Fitei-a, perplexa.

— Fenella?

Helen ruborizou.

— Você só fala dela, o tempo todo. Fenella isso, Fenella aquilo... Bem, você não precisa de duas mandonas chatas na sua vida, não é?

Dei uma risada.

— Você é a única mandona chata que quero por perto! — exclamei, segurando sua mão. — Sério, Hel, você tem que estar lá.

— Bem, então parece que eu vou — concordou ela e me deu um leve soco no braço, de brincadeira. — Não posso acreditar. Por que não falou antes?

— Eu devia ter falado. Mas vivia me esquecendo, com tanta coisa na cabeça...

— E eu ia a uma merda de entrevista de emprego, tem noção disso?

— Eu sei, desculpe — admiti. — Você sabe que tudo isso só está acontecendo graças a você.

— Não é não. É graças a você, Jess. Você organizou tudo.

— Bem, você ainda precisa do buquê? — indagou Giles, indeciso.

— Claro. Um bem grande — respondeu Helen, com os olhos brilhando. — O melhor que você tiver. Quer dizer, depois do da Jess...

Giles acenou com a cabeça e limpou os olhos.

— Bem, meninas, isso está ficando um pouco comovente para mim. Tanto que eu adoraria ficar mais um pouquinho, mas tenho muito trabalho a fazer — declarou ele, com ar amoroso. — Jess, vou chegar ao hotel às seis horas da manhã, no sábado, para fazer a decoração; depois, farei os arranjos para a festa. Começa às onze da manhã, certo?

— Isso mesmo.

— Depois de amanhã, não é? — perguntou Helen, de repente.

— É. — Giles e eu respondemos ao mesmo tempo.

— Certo — disse ela. — É que, pelo que sei, você não teve despedida de solteira.

Eu fiquei desconcertada.

— Despedida de solteira? Ah, não. Não quero, obrigada.

— Mas tem que ter despedida de solteira — insistiu ela. — Daqui a dois dias você vai se mudar.

— Vou? — Senti o coração acelerar. — Ah, sim, tem razão. — Não entendi por que aquilo me atingiu como uma bomba; Anthony e eu já tínhamos decidido. Eu iria morar no apartamento dele depois do casamento. Fenella tinha inclusive se oferecido para redecorá-lo, mas tudo parecia meio surreal, como se eu estivesse falando sobre outra pessoa, sobre a Sra. Milton, não sobre Jessica Wild.

— Portanto essa é a sua última noite no apartamento — acrescentou Helen, com a voz embargada.

— Hmm, é mesmo. — Senti um nó na garganta.

— Temos que fazer uma festa. Giles, você pode ser menina por uma noite?

Giles olhou para ela meio indeciso, então deu de ombros, sorrindo.

— Claro. Precisa perguntar? Eu *sou* uma menina. Afinal de contas, sou florista.

— Jess? Alguma objeção? Não que eu vá aceitar, mas, de qualquer maneira, pode reclamar como você quiser.

Fitei-a por um momento e sorri.

— Tudo bem. Mas eu não posso ficar muito bêbada — anunciei determinada. — E nada de strippers.

— Nada de strippers — concordou ela, séria, e deu uma piscadela para Giles. Sorrindo, falou: — Giles, acho que precisamos de mais gim.

A festa não teve nenhum stripper. Mas teve Ivana. E Sean. E muito gim, Kylie Minogue e dança. Muita dança. Eu cheguei até a dançar usando o vestido de noiva. Para falar a verdade, adormeci sem tirá-lo, ao lado de Ivana. Nós duas acordamos ao mesmo tempo e, quando abrimos o olho, demos de cara uma com a outra, com nossos rostos quase se tocando. Na hora, pulamos uma para cada lado e nos entreolhamos, desconfiadas. Logo depois descobrimos o que havia nos acordado quando ouvimos o interfone tocar de novo. Sonolenta, corri para atendê-lo.

— Alô?

— Oi, Jess, sou eu — disse uma voz familiar, sem rodeios. — Aqui no carro. Está pronta?

Olhei para o relógio assustada. Já eram mais de três da tarde.

— Fenella! Oi! Preciso de um minutinho, está bem?

— Um minuto? Jess, nós não temos um minuto. Temos um montão de coisas a fazer, listas para verificar...

— Espere aí. — Desliguei o interfone e me virei. Com olhar sonolento, Helen cambaleava na minha direção.

— Quem era? — perguntou ela, bocejando.

— Fenella. O ensaio é hoje. Eu deveria estar pronta.

Ela me olhou de cima a baixo.

— Você está usando o seu vestido de noiva. Acho que não deveria usá-lo no ensaio.

Olhei para ela e fiz uma careta.

— Sim, obrigada por me lembrar. Me ajude a tirá-lo.

Vinte minutos depois, com o vestido devidamente guardado, hálito de gim, a roupa na mala, banho tomado e Ivana segura na cozinha, me despedi de Helen com um abraço.

— Tem certeza de que não pode ir ao ensaio? — perguntei com ar de súplica. Ela havia conseguido adiantar a entrevista de emprego em um dia.

— Desculpe — respondeu ela, desolada. — Mas prometo chegar cedo amanhã. E você vai se sair muito bem. Pode ter certeza.

— Obrigada, Hel. Por... por tudo.

— Ah, não seja boba. Não precisa me agradecer por coisa alguma.

— Você pode morar com a gente. Sabe disso, não é? — Minha voz estava um pouco embargada, e Helen se espantou.

— Eu esqueço que você não vai mais morar aqui — sussurrou. — Você vai se casar. Vai ser a Sra. Milton.

Com certa relutância, nós nos afastamos e desci as escadas, ao encontro de Fenella, que estava com o celular grudado no ouvido. Ela me lançou um olhar irritado, mas logo forçou um sorriso.

— Bem, temos que nos apressar, senão vamos chegar atrasadas! — anunciou, com a voz estridente.

— Desculpe. É que... sabe como é, tem sempre umas coisas de última hora — desculpei-me enquanto colocava as sacolas no porta-malas, antes de me sentar no banco do carona.

— Jess! — Eu me virei e vi Helen correndo na minha direção, pálida e nervosa. — O Dr. Taylor quer falar com você — avisou, com a voz quase inaudível. — Ele disse que é urgente.

Tive um sobressalto.

— O Dr. Taylor?

Ela confirmou com um gesto de cabeça.

— Diga que saí — sussurrei. — Diga que vou passar o fim de semana fora.

— Já fiz isso — esclareceu ela, assustada. — Mas ele apenas disse que precisava muito falar com você hoje, e que eu precisava arranjar um meio de achar você. Ele mencionou a palavra que começa com C.

— C? — perguntei, confusa.

— Casamento! — sussurrou Helen. Senti o coração disparar e tentei me afastar, para que Fenella não ouvisse a nossa conversa. Ele sabia. Ele sabia de tudo.

— Você tem que fazer alguma coisa — sussurrei, desesperada. — Tem que mantê-lo longe daqui. Ele pode pôr tudo a perder.

— Deixa comigo. Eu vou... Vou dizer a ele que o casamento vai ser em Manchester. Isso deve mantê-lo ocupado.

— Ótimo. Manchester. — Então lhe dei um último abraço. — Ou, sei lá, Escócia. Escócia é ainda mais distante...

— Boa ideia, Escócia. Claro. Pode deixar. Não se preocupe.

Capítulo 29

PROJETO: CASAMENTO DIA 42

Pendências:

1. Não pensar no Dr. Taylor.
2. Não pensar em Max.
3. Não pensar em nada.

O salão de festas estava cheio de gente trabalhando, e estava lindo. Várias mesas com toalhas de linho, branquíssimas, e cadeiras forradas de vermelho e dourado.

— Bem, preciso encontrar Anthony — disse Fenella assim que chegamos. — Há uns problemas com algumas faturas que preciso esclarecer.

— Está bem — concordei, sem prestar muita atenção, quando ela se afastou com o celular no ouvido. Eu estava imóvel na entrada, absorvendo o que acontecia diante de mim. O meu casamento. O meu casamento com Anthony Milton. Amanhã. Senti que poderia desmaiar a qualquer momento.

— Jess! Oi! — Virei-me e vi Marcia se aproximando. Ela estava usando um par de óculos escuros enormes na cabeça e tinha um sorriso plantado no rosto. — Que emoção! Aposto que você nunca imaginou que este dia chegaria.

— É mesmo — eu disse, torcendo para que, naquele exato momento, o Dr. Taylor estivesse a caminho da Escócia.

— Último dia como solteira, hein? — comentou ela, com uma piscadela.

— Pois é. — Para onde quer que eu olhasse havia gente carregando coisas, mudando outras de posição, falando sobre o evento do dia seguinte, em vozes baixas e tensas. Tudo para mim. Tudo para o meu casamento. Jessica Wild, a garota que sempre insistiu que nunca casaria, e olha só isso.

— Depois acho que tudo será diferente — prosseguiu Marcia. — Afinal, você vai ser uma mulher casada. Será a Sra. Milton... — Ela parou de falar aos poucos, mas logo sorriu. — Bem como você sempre quis, tenho certeza.

— Tem razão — concordei, fitando-a desconfiada.

— Não está nervosa, está? Não vai fugir, hein? — Seus olhos tinham um brilho estranho.

— Claro que não — respondi rápida e enfaticamente. — Por que eu faria isso?

— Ah, bom. — Então ela me encarou por alguns segundos. — Bem, vejo você mais tarde.

— Certo. — Será que eu estava mesmo nervosa? Talvez essa fosse a causa da sensação esquisita que eu sentia no estômago. Depois eu ficaria melhor, claro. Só estava preocupada com a perda da minha independência. Isso era perfeitamente normal.

— Jessica! — Voltei-me em direção da voz e de repente vi Max ao meu lado. — E aí, vamos para a igreja?

— Igreja?

— Para o ensaio — respondeu ele, com ar desconfiado. — Você está bem, Jess?

Senti as pernas um pouco bambas.

— Eu? Estou. Estou ótima. Igreja. Vamos. Só acho que eu deveria esperar por Fenella.

— Fenella? A garota que vive jogando o cabelo na cara dos outros?

Dei uma risada e percebi que me sentia melhor.

— No fundo, ela é maravilhosa. No mínimo, uma pessoa bacana. Tem a melhor das intenções.

— É mesmo? Tem certeza?

— Tudo bem, vamos — falei, sorrindo. — Acho que ela me encontrará se precisar de mim.

— Não tenho dúvida — afirmou ele, oferecendo seu braço. A igreja ficava logo depois da esquina da rua do hotel. — E aí, está animada?

— Apavorada — respondi, sem pensar.

Ele riu.

— Não deve ser tão ruim assim.

— Não, não, claro que não. Eu quis dizer que estou apavorada no bom sentido. Sabe como é, como qualquer noiva.

— É normal ficar nervosa — disse ele com ternura. — Casamento é um passo muito importante.

— Eu sei — concordei, desejando que não fosse algo tão importante assim. — E você... nunca pensou em casar?

— Não, isso não é para mim.

Então me lembrei de que costumava dizer a mesma coisa. Antes de... Bem, apenas antes.

— Você quer dizer que nunca...?

— Nunca diga nunca — retrucou. — Eu... bem, teria de estar seguro de que tinha encontrado a pessoa certa. Acho que casamento não é uma coisa para se fazer de qualquer maneira.

Ele me fitou e fiquei envergonhada.

— Não estou querendo dizer que seja o seu caso — acrescentou, na hora. — Sei que você e Anthony estão fazendo a coisa certa.

— Você acha? — perguntei, insegura.

— Acho. Acho que vão se dar muito bem.

— É mesmo?

Confirmou com um gesto de cabeça e apertou meu braço. Eu me senti tranquila e segura, como há muito tempo não me sentia. Com Anthony, às vezes me sentia impetuosa, como Jessica Wiiild, mas não necessariamente... confortável. Não relaxava com facilidade.

— Vocês vão se dar muito bem — continuou Max. — Irão apoiar um ao outro. Ajudar um ao outro. Sabe como é, todas as coisas que os casados fazem, e que os solteiros como eu fingem que não são importantes. Mas são. E muito.

— Pois é. — Senti um aperto no peito. Eu e Anthony *iríamos* nos dar bem, repeti para mim mesma. *Iríamos* apoiar um ao outro.

— Jess? Tudo bem? Jess? — Max me olhava, muito preocupado, e percebi que estava apertando demais o seu braço.

Soltei-o imediatamente.

— Está tudo bem — respondi na mesma hora. — Mas...

— Mas o quê?

— Nem todos os casamentos são iguais, não é?

— Acho que não — respondeu ele.

— Bem. Então não existe certo ou errado.

— Claro que não. Contanto que vocês se amem, as coisas vão se ajeitando, com o tempo.

— Amor. Certo. — Meu coração estava disparado, então respirei fundo.

— Jess? — Ele parou de andar. — O que está acontecendo? O que houve?

Ele me olhava com atenção e eu me senti perdendo as forças.

— O que estou querendo dizer... — murmurei, cabisbaixa — ... é que alguns casamentos são baseados em... outras razões. Entende? — *Em dinheiro,* pensei. *Em mentiras.* Então pensei em Grace. *Em não desapontar uma pessoa por quem a gente tem tanto carinho.*

— Acho que sim — concordou ele meio hesitante.

— Então — continuei, tentando convencer a mim mesma, acima de qualquer coisa. — Os fins justificam os meios, não é? Pelo menos de um modo geral?

— Talvez.

— Pois é, às vezes a pessoa faz algo que pode não parecer a coisa certa, mas no fundo é, porque se ela não fizer, aí sim estará agindo errado. Entende?

Olhei para ele, na esperança de ter conseguido explicar as minhas razões, e notei que Max estava confuso.

— Não sei bem se entendi. Dá para ser mais específica?

— Eu quero dizer que... certo e errado podem ser uma coisa só. — Engoli em seco, esforçando-me para falar de maneira clara. — E, às vezes, o que parece a coisa certa é de fato a coisa errada, e o que pode parecer errado é de fato...

— É mesmo? — Max parecia espantado. — Jess, você está tendo dúvidas?

Balancei a cabeça em um gesto negativo.

— Não, claro que não. Mas...

— O quê? — perguntou ele, fitando-me com atenção.

— Nada... Bem, talvez...

— Jess? Ah, graças a Deus, até que enfim encontrei você. Olha, o ensaio já vai começar e não sei onde está Anthony.

Era Fenella. Ao ouvir a voz dela, levei um susto.

— Fenella! Oi! — Minha voz estava alta demais para parecer natural.

— Estou atrás dele para resolver uns pagamentos; ao que parece, as faturas do hotel não foram pagas. Ele disse que ia ligar para o banco, mas desapareceu — explicou ela, tensa. — Você sabe aonde ele foi?

— Eu não o vi. Desde que cheguei.

— Era só o que me faltava! — Suspirou. — Um ensaio sem noivo.

Nesse momento, olhou para Max.

— Quem é você?

— Esse é Max — expliquei, forçando um sorriso. — Eu o apresentei a você na festa de noivado, lembra?

— Max — repetiu ela, verificando sua lista. — O padrinho, o melhor amigo?

— Eu gosto de pensar que sou — disse Max, brincando, mas Fenella não esboçou sequer um sorriso.

— Bem, Max, será que você poderia tentar achar Anthony? Talvez tenha mais sorte do que eu.

— Eu poderia... — respondeu ele, devagar, olhando para mim. — Mas...

— Mas? — perguntou ela, irritada.

Os olhos dele penetravam os meus.

— O que você estava dizendo mesmo?

— Eu estava dizendo que estou ótima — assegurei-lhe, sentindo-me tola por querer sua aprovação, por ter um momento de tamanha fraqueza. Nos últimos tempos, eu vinha tendo muitos momentos de fraqueza, sempre relacionados a Max. — Pode ir. Veja se consegue encontrar Anthony. E obrigada.

— Tem certeza de que está bem?

— Tenho.

— Minha nossa, isso está ficando mais difícil do que pensei — exclamou Fenella quando ele se afastou, indo em direção ao hotel. A ausência de Max era como se uma manta quentinha tivesse sido arrancada de mim. — Agora venha conhecer o padre. Ele... não é o que eu tinha em mente, mas acho que não temos escolha.

Ela me levou até a igreja.

— Bem, chegamos — anunciou. — Dê uma volta por aí para se familiarizar com o lugar. Aqui é o corredor, é claro; o altar, lá adiante. Há uma sala nos fundos para Anthony e o padrinho se prepararem, amanhã de manhã. Você vai entrar por esta porta e, então, o órgão começará a tocar.

Ela me mostrou, sem perder muito tempo, a igreja toda. Eu estava fazendo o possível para ir em frente, o possível para prestar atenção ao que dizia. Por fim, ela me levou até um homem baixinho, agachado, com uma enorme barba espessa, usando jeans e uma camisa de colarinho romano. *Não parece um padre*, pensei, quando ele estendeu a mão para me cumprimentar.

— Padre, essa é Jess. Jess, este é o padre.

— Jess. Prazer em conhecê-la.

— Oi! — cumprimentei-o insegura. — Você é o padre?

— Pode me chamar de Roger — anunciou, sorrindo. — Prefiro o estilo informal, se você não se importa.

— Não, de jeito nenhum. — Notei a expressão de Fenella; dava a impressão de que *informal* não era bem o que ela queria. — Por mim, tudo bem!

— É óbvio que ele vai usar batina amanhã — explicou ela, com um sorriso tenso. — Não é, Roger?

— Bem, verei o que posso fazer — disse ele em tom de brincadeira. — Quem sabe posso até mencionar a Bíblia no meu sermão. O que acha?

Fenella se assustou e olhou para a porta, por onde Max entrava, ofegante.

— Eu... Não consegui encontrá-lo em lugar nenhum.

— Como assim? — perguntou Fenella, irritada. — Você o procurou?

Max fez que sim com a cabeça.

— Ele não está no bar, nem na recepção, nem no quarto dele.

Fenella pegou o celular e discou um número.

— Anthony? É Fenella. Estamos esperando por você na igreja. Por favor, me ligue assim que ouvir essa mensagem. — Em seguida se virou para mim, com ar de repreensão. — Você sabe aonde ele se meteu? Sabe?

— Não.

— É claro que não sabe! — disse ela, nervosa. — Bem, parece que eu mesma vou ter que voltar ao hotel para procurá-lo.

— Boa sorte — disse Max, impassível. — Porque eu garanto a você que procurei bem.

— Em todos os lugares? — perguntou Fenella demonstrando incerteza.

— Em todos os lugares — garantiu ele.

— Bem, pessoal, acho que temos que pensar em um Plano B, porque temos que deixar a igreja livre para a missa — interrompeu-nos Roger, batendo as mãos para chamar a atenção de todos.

— Plano B? — Fenella olhou para ele, assustada. — Não há nenhum Plano B. Precisamos ensaiar. Temos que esperar por Anthony.

Roger franziu a testa.

— O caso é o seguinte — disse ele, desculpando-se. — A missa não pode atrasar, se é que você me entende.

— Mas precisamos ensaiar — insistiu Fenella, com a tensão evidente na voz. — Temos que dar uma passada rápida pelas coisas.

Roger deu de ombros, diante do impasse.

— Certo — disse Fenella, de braços cruzados. — Max, você vai ter que substituí-lo. Eu vou ficar do lado de fora e, se o vir, vou mandá-lo se apressar.

— Max? Substituir Anthony? — perguntei, espantada.

— Só para o ensaio — esclareceu Fenella, irritada. — Não é nada de mais. Vamos, pessoal.

Max olhou para ela, indeciso.

— Tem certeza?

— Acho que é a melhor coisa a se fazer — disse Roger. Em seguida olhou para Max. — É função do padrinho substituir o noivo se ele sumir, sabia?

Max olhou para mim e meu rosto corou.

— Está bem, então. Se eu tenho de fazer isso. Bem, e o que devo fazer?

— Fique no altar — disse Roger. — E, Jessica, você vai para a porta. Isso. Certo. Agora, ao sinal da música... — Ele começou a assoviar, desafinado, a *Marcha nupcial*, enquanto os outros tomavam seus lugares.

— Eu devo... — comecei, indecisa.

— Venha caminhando até o altar, isso — disse Roger em tom animador.

— Até o altar. — Concordei e fui em direção à porta. Queria que Helen estivesse aqui, agora, para que pudesse me apoiar nela. Queria que o corredor não fosse tão longo. Respirando fundo, comecei a andar, concentrando-me em pôr um pé à frente do outro, de maneira lenta e suave. Max estava virado de costas; poderia ser Anthony. Amanhã seria Anthony, pensei, e senti as mãos encharcadas de suor.

Então ele se virou e nossos olhos se cruzaram. Ele me lançou um sorriso confiante e a situação pareceu menos assustadora. Continuei andando e logo o alcancei. Roger começou a falar:

— Prezados fiéis, estamos aqui reunidos... — Nesse momento, me dei conta de que, afinal, as coisas não seriam tão complicadas.

"Depois — prosseguiu Roger — você tem que repetir os votos. Nós não vamos dizer todos agora, mas vamos ensaiar o primeiro, para nos certificarmos de que não estou falando rápido demais, está bem?"

— Certo.

— Vamos lá. Eu, Jessica...

— Eu, Jessica... — repeti.

— Aceito Anthony. — Roger franziu o cenho. — Bem, como ele não está aqui, omitiremos esta parte. Na saúde e na doença...

— Na saúde e na doença...

— Na alegria e na tristeza...

Eu sentia os olhos de Max pousados em mim, e meu rosto começou a arder. Eu não poderia dizer essas palavras amanhã. Não para o Anthony. Poderia?

— Na alegria e na tristeza...

— Amando-te e respeitando-te...

— Amando-te e respeitando-te...

Virei-me para Max apenas por um momento, tentei desviar o olhar mas voltei a fitá-lo, quase imediatamente. Ele também parecia constrangido.

— E assim por diante.

— E assim por... — Parei de repetir o que o padre tinha dito, bem a tempo.

— Certo — disse Roger, satisfeito. — Depois Anthony diz a parte dele. Então, se eu estiver me sentindo generoso, direi que ele pode beijar a noiva.

Eu me imaginei beijando Max e o rubor no meu rosto tornou--se mais intenso. Max também ficou corado. Queria saber se ele estava pensando a mesma coisa, mas afastei essa ideia da cabeça. Claro que ele não estava pensando nada disso. Era provável apenas que estivesse constrangido. Era provável que estivesse se perguntando o que havia de errado comigo. Eu me indagava a mesma coisa; minhas mãos estavam encharcadas de suor, e meu rosto parecia uma fornalha. Max, por sua vez, afrouxou o colarinho.

— E, depois — prosseguiu Roger —, vocês sentam ali adiante e assinam os papéis do casamento, enquanto eu deixo a congregação assustada com o meu sermão. — Ele riu. Porém, ao perceber que ninguém mais havia achado graça da piada, deu de ombros. — Bem, depois disso, está terminada a cerimônia. Vocês caminham pelo corredor, já casados e, espera-se, tem início a bebedeira. Certo?

Consegui acenar com a cabeça concordando.

— Ótimo, então você e Max podem sair descendo o altar.

Max me olhou meio inseguro e estendeu o braço; eu o tomei, igualmente insegura. O simples fato de tocar a manga do terno dele disparou pequenas correntes elétricas por todo meu corpo; quando dei o braço a ele, senti seus músculos se contraírem. Caminhamos em silêncio até chegarmos à porta, onde paramos e esperamos, embora eu não soubesse bem o quê. Só sabia que não queria me afastar dele.

— Perfeito! Ótimo. Bem, creio que podemos dar o ensaio por encerrado — anunciou Roger. — Se você estiver satisfeita.

— Sim. Sim, claro — falei.

— Foi ótimo! — disse Fenella, vindo na nossa direção. — Bem, agora vocês precisam voltar ao hotel e trocar de roupa para o jantar. Vai ser no salão de conferências, e começa daqui a quarenta e cinco minutos. Está bem?

Ambos assentimos em silêncio e seguimos andando. Saímos da igreja e contornamos a esquina. Só quando nos aproximávamos do hotel, percebi que ainda estava de braço dado com ele.

— É, acho que tudo correu bem — disse ele, ao passarmos pela porta principal. — Tenho certeza de que amanhã vai dar tudo certo.

— É. — De repente, algumas lágrimas começaram a brotar nos meus olhos e eu não sabia o porquê. Então limpei o rosto, irritada.

— Se é o que você quer — acrescentou ele, hesitante.

— Como assim?

— Se é realmente o que você quer fazer.

— É o que você quer que eu faça?

— Eu? — Ele parou de andar, e só então me dei conta do que havia dito.

— Você? Não — logo tentei me corrigir. — Não, eu não quis dizer...

— O que você quis dizer, Jess? — Max me fitava, e seu olhar parecia cada vez mais sombrio, mais intenso. Pude sentir o calor do seu corpo, embora ele não estivesse tão perto de mim. De repente, eu não queria ser Jessica Milton. Queria ser apenas Jessica Wild, ali, ao lado dele. E não sei bem quem se aproximou primeiro, mas de repente nossos corpos se tocaram, de cima a baixo. E antes que eu pudesse ter qualquer pensamento coerente, os lábios dele tocaram os meus, meus braços enlaçaram seu pescoço e isso parecia inacreditavelmente certo. Então descobri, sem a menor sombra de dúvida, que não queria casar com Anthony. E não tinha nada a ver com a aversão que eu sentia em relação a casamento, nada a ver com meu desejo de independência. Mas porque eu estava apaixonada por Max. Estava apaixonada, da mesma forma como a minha mãe se sentiu antes do meu nascimento, da mesma forma como todas aquelas garotas bobas que minha avó costumava criticar, como *eu* costumava criticar.

— Não posso fazer isso — declarou Max, afastando-se, e eu senti um baque. Em seguida me recompus. É claro que ele não podia fazer isso. Nem eu.

— É, tem razão — eu disse na mesma hora, com a voz um pouco estridente. — Não posso fazer isso também. Não consigo entender o que...

— Você não entende? — A expressão de Max era indecifrável.

— Não — me apressei em dizer. — Deve ser nervosismo por causa do casamento. Desculpe. É melhor eu ir...

Nesse momento, ouvi uma voz familiar do outro lado do hall.

— Jess! Max! — Era Anthony. — Até que enfim encontrei vocês. Desculpe ter faltado ao ensaio. Estava ao telefone. Uma pendência do escritório. Bem, vamos beber alguma coisa? Acho que preciso de algo bem forte.

— Anthony — eu disse, com sentimento de culpa. — Oi!

— Procurei você por toda parte — disse Max. Ele tentava sorrir, mas seu olhar traía seus lábios. — Tivemos que fazer o ensaio sem você.

— Bem, contanto que você não faça o mesmo no dia do casamento, acho que vou sobreviver. — Anthony sorriu.

— Fenella disse que houve um problema com o pagamento — continuou Max. Sua voz estava inexpressiva, como se nada tivesse acontecido, como se não tivéssemos grudados um no outro há poucos segundos. Então reparei em uma enorme sensação de vazio no estômago, mas fiz o possível para ignorá-la. Era apenas fraqueza da minha parte. Eu iria superar tudo isso.

Anthony deu um sorriso tranquilo.

— Max, é muita gentileza sua se incomodar, mas, acredite, está tudo sob controle. E então, vamos beber?

Eu e Max nos olhamos.

E ambos olhamos para Anthony.

— Para falar a verdade, não posso — recusou Max. — Acho que tenho que preparar o discurso do padrinho, se você não se importa. Vocês... fiquem à vontade. Se isso... — Seus olhos se voltaram para mim e desviei o olhar.

— Tem razão! Vá treinar o seu discurso — consegui dizer após um imenso esforço. — A gente se vê depois.

— Claro — concordou Max, cabisbaixo, antes de se afastar, indo em direção aos elevadores.

— Vamos, Jess — disse Anthony em tom carinhoso. — Parece que somos só nós dois nessa.

— É — concordei, olhando para ele. — Acho que sim.

Capítulo 30

PROJETO: CASAMENTO DIA 42

Pendências:

1. Casar.
2. Ah, meu Deus!
3. *Vou casar. Vou casar de verdade...*

Na manhã seguinte, quando Helen chegou trazendo Sean e Ivana a reboque, eu ainda estava na cama. Aquela seria, conforme me dei conta, a última vez que acordaria sozinha; a última vez que teria a cama toda só para mim, mesmo se fosse num hotel; e queria aproveitar ao máximo. Além disso, estava com dor de cabeça — o que era para ser apenas uma dose acabou se transformado em várias, na noite anterior. De alguma forma, parecia uma atitude apropriada, e Anthony, com certeza, tinha achado uma boa ideia. Ele ficou o tempo todo dizendo que o dia seguinte seria um grande dia, que todos os problemas desapareceriam. Embora eu não soubesse muito bem sobre o que ele falava, me limitei a concordar de maneira enfática, e dizia a mim mesma que ele tinha toda a razão.

Ivana inspecionou o quarto e demonstrou aprovação, quando viu a moderna televisão de plasma, o papel de carta timbrado do hotel, o enorme chuveiro e a imensa cama, da qual eu não conseguia sair.

— O quarrrto é bonito — afirmou ela. — Cama boa. Mas agora é hora de se aprontar. — Ela sentou-se na cama e acendeu um cigarro. Na hora, levantei e abri uma das janelas.

— E como foi o ensaio? — perguntou Helen.

— Ah, foi ótimo. — Tentei sorrir.

— Você não parece uma noiva feliz — disse Ivana, em tom inexpressivo. — Nenhum sorriso nem gritinhos de empolgação.

Dei de ombros.

— Estou gritando por dentro.

Ivana me olhou, confusa, apanhou o controle remoto e ligou a televisão. Em seguida, ela e Sean ocuparam a cama, recostando-se na cabeceira e esticando as pernas.

— Ah! — exclamou ela. — Ah! Filme perfeito. Filme de casamento. Vamos verrr.

Olhei a tela e vi Hugh Grant e Andie MacDowell em um restaurante, falando sobre o número de amantes de cada um.

— Talvez *Noiva em fuga* esteja passando em outro canal — sugeri, com um sorriso.

Helen olhou para mim, desconfiada.

— Você não está... insegura, está, Jess?

Ivana aumentou o volume da TV.

— Porque... — Helen se aproximou de mim e tomou a minha mão. — Olha, quero que saiba que se estiver em dúvida, tudo bem. Eu estive pensando... sabe... Casamento é um grande passo. Sei que não costumava falar isso, mas reconheço que é um passo importante. E odiaria pensar que fui a responsável por forçá-la a fazer algo que... não quer fazer.

— Não tem nada a ver — logo retruquei. — Essa situação fui eu que criei, não você. Você não me forçou a nada. Apenas me ajudou, só isso. E estou agradecida, você sabe disso. Agradecida de verdade.

— Tem certeza?

— Tenho. Ah, qual é? Amanhã, a essa hora, serei uma milionária! — Forcei um sorriso e tentei me sentir feliz e empolgada.

— Ah, graças a Deus. — Ela sorriu aliviada. — Bem, me deixe perguntar uma coisa. Como você se sentiria aparecendo na televisão?

— Televisão? — Olhei para ela confusa.

— Sabe minha entrevista de emprego de ontem? — perguntou ela, sorrindo. — O produtor me pediu uma ideia de um programa de televisão e eu pensei em você e no casamento e, quando sugeri, eles adoraram!

— Sugeriu o quê?

— Como transformar a sua vida em cinquenta dias.

— O quê?

Helen suspirou.

— Como você fez — explicou, com paciência. — É o seguinte: eu estava na entrevista e tive uma daquelas experiências extracorpóreas, e percebi que não queria trabalhar num programa sobre pesca, e que tinha deixado de ir ao seu ensaio.

— Sei — eu disse, hesitante.

— Quer dizer, pensei no quanto a história do Projeto Casamento tinha sido incrível. Sabe, fazer todos os seus sonhos se realizarem.

— Os meus sonhos... — repeti, pensando em Max, e logo afastando aquele pensamento.

— E?

— E sabe qual foi a conclusão que cheguei? Tudo é possível — prosseguiu Helen. — Você não está entendendo?

— Tudo é possível? — Contive um suspiro. — Não tenho certeza disso.

— É, sim! Jess, nós demos uma guinada total na sua vida, não foi?

— Tem razão. Demos. Afinal, conseguiu o emprego?

— Não — respondeu ela, empolgada. — Mas depois da entrevista, fui tomar um café e acabei sentando na mesma mesa de um produtor. E falei a ele da minha entrevista de merda, de você, e sobre a minha ideia de uma série baseada em pessoas que mudam suas vidas por completo. E ele adorou! Fechou comigo, na hora! E o melhor de tudo é que você pode ser a protagonista do nosso primeiro episódio, portanto é sucesso garantido. Quer dizer, o ideal seria filmar o casamento, mas não houve tempo para trazer uma equipe até aqui.

— Você ia trazer uma equipe aqui?

— Não sem antes perguntar se você queria, é claro — esclareceu, contrariada. — Mas foi tudo graças a você. Portanto sua presença é importante no programa. Não é?

— Posso pensar? — perguntei indecisa. — Talvez depois do casamento.

— Está certo. Quando for bom para você.

Dei um sorriso amarelo.

— Bem, é hora de se arrumar.

— Esse é o vestido de verdade? — Ivana tinha saído da cama e estava esfregando, entre os dedos, o tecido do vestido, que estava pendurado na porta — Vestido nada bom. Tecido áspero.

Respirei fundo.

— Bem, é o meu vestido. Foi o que escolhi.

Ivana deu de ombros.

— Escolha estranha, na minha opinião.

— É, mas eu não pedi sua opinião — retruquei.

— Não tem nenhum cinzeiro aqui — continuou Ivana, aparentemente ignorando a tensão na minha voz. — Onde eu apago o cigarro?

Helen resolveu agir de forma precavida.

— Ouça — disse, aproximando-se de Ivana. — Por que vocês não descem para o restaurante? Você pode fumar lá enquanto eu fico aqui, com a Jess, para ajudá-la a se arrumar.

— Lá embaixo? — perguntou Ivana, hesitante.

— Isso mesmo — confirmou Helen, puxando Sean da cama. — A gente se vê na igreja, ok?

Ivana abriu a boca para falar alguma coisa, mas desistiu.

— Vamos colocarrr o café na sua conta. Talvez até café da manhã completo.

Quando Helen fechou a porta, se virou para mim, constrangida.

— No fundo, ela não é má pessoa — disse, sem convicção. — Ele também não.

— Eu sei — falei, calma. — Mas obrigada por me livrar deles.

— Tudo bem. Vamos fazer sua maquiagem antes de você colocar o vestido.

Concordei em silêncio, olhando para a TV, que exibia *Quatro Casamentos e um funeral,* enquanto Helen espalhava cremes no meu rosto. Quando ela terminou, peguei meu vestido. Demorou um pouco para fechá-lo, mas enfim me virei para me olhar no espelho. Eu era uma noiva. Era uma noiva com um vestido que não valorizava meu corpo, desconfortável ao tato e que até uma prostituta do Soho tinha achado feio. Mas, para mim, parecia a roupa ideal. O vestido errado para o casamento errado com o homem errado.

— Comprei isso para você — disse Helen me entregando uma cinta-liga. — É azul. E, se você a devolver, significa que foi emprestada. Além disso, é nova. Portanto já completa três dos quatro itens para dar sorte no casamento.

Abracei-a e levantei o vestido para vestir a liga.

— A sua calcinha — comentou Helen.

— O que tem a minha calcinha?

— É velha não é? Quer dizer, não é nova?

Fiquei envergonhada. Eu tinha comprado algumas peças de lingerie de seda, algumas semanas antes, em uma loja que Fenella recomendara (na verdade, ela havia insistido; a certa altura pensei que ela me arrastaria até lá). Mas não sei por que, acabei esquecendo de vesti-las hoje de manhã. Uma calcinha de algodão velha, acinzentada, me pareceu mais apropriada.

— Ninguém vai ver a minha calcinha — retruquei.

— Como assim, ninguém? — perguntou Helen, intrigada.

Dei de ombros e abri bem os olhos, pois senti uma lágrima brotando e tentei evitar que ela rolasse pelo meu rosto.

— Jess, você está bem? — Helen pôs a mão no meu ombro, com uma expressão preocupada. — Tem certeza de que quer ir em frente com isso?

— Tenho.

— Jura?

— Juro. Só estou... emocionada, só isso.

— Certo. Queria apenas me certificar. — Ela ofereceu o braço e eu o tomei. — Então, está pronta?

Olhei de esguelha para a televisão e vi Hugh Grant levar um soco da noiva, diante de um grupo de familiares e amigos.

— Pronta — sussurrei.

Lentamente e em silêncio, saímos do quarto, descemos as escadas e chegamos ao hall do hotel. Em seguida, viramos a esquina até a igreja. Embora estivesse fazendo calor, eu estava tremendo.

— A futura Sra. Milton — disse Helen, dando uma piscadela. E, nesse instante, as portas da igreja se abriram, o órgão começou a tocar e, de repente, estávamos caminhando em direção ao altar.

— *Timing* perfeito! — Eu me virei e vi Fenella, bem ao meu lado. — Eu vou para o hotel para deixar tudo pronto. Boa sorte!

Ela saiu apressada; olhei para a frente, insegura, e vi Anthony de pé diante do altar. Ele se virou e piscou para mim. Max estava ao lado dele. Nossos olhos se cruzaram por um breve instante e senti um mal-estar. Ele desviou o olhar. À medida que nos aproximávamos do altar, pude ver de um lado Ivana e Sean, que ergueram os polegares em sinal de boa sorte, e do outro, Marcia e Gillie.

Helen deu um leve aperto no meu braço, se afastou e foi se sentar. Roger, que, conforme prometera, estava usando o traje completo de padre, abriu um largo sorriso. O órgão tocou outra música e logo todos ficaram de pé e começaram a entoar um hino.

Em seguida, fez-se silêncio.

— Caríssimos fiéis — anunciou Roger. — Ou melhor, senhoras e senhores. Bom dia. E que dia! Um dia de celebração. Um dia para se agradecer a generosidade de Deus, para o amor, para a devoção, para a amizade, para o apoio. Para todas as coisas que, de fato, compõem um bom casamento. Porque, como todos nós sabemos, casamento não é algo para ser feito sem reflexão, nem algo a ser feito para se fugir do tédio ou porque parece uma boa ideia. Casamento é um compromisso para a vida toda, aos olhos de Deus. E requer fidelidade, confiança, amor, compromisso, honestidade e muita dedicação. Significa usufruir dos bons momentos juntos, mas também saber lidar com os maus momentos, quando é necessário apoio mútuo. A frase que todos nós conhecemos é: *na saúde e na doença,* mas casamento é mais do que isso. É na pobreza, na incerteza, nas horas difíceis, quando a única luz no fim do túnel é a certeza de que a luz existe. Esse é o verdadeiro amor. E isto é o que vamos celebrar aqui hoje. O casamento de Jessica Wild e Anthony Milton.

Ele sorriu para mim e eu tentei sorrir também, mas sentia o mundo me sufocando.

— E assim — prosseguiu Roger, que parecia não ter notado meu olhar inexpressivo e meu rosto pálido —, deixando as formalidades de lado e indo direto ao ponto, vamos dar início à cerimônia. Entretanto, em primeiro lugar, e, por favor, desculpe a frase tradicional, devo pedir que, se alguém aqui souber de algo que impeça este matrimônio, fale agora ou cale-se para sempre.

Involuntariamente, eu me virei para ver se alguém tinha algo a dizer. Mas ninguém se manifestou. Na mesma hora, voltei-me para o altar.

Roger sorriu.

— Anthony e Jessica, os votos que vocês estão prestes a fazer devem ser feitos em nome de Deus, que é o juiz de todos nós e que conhece todos os segredos de nossos corações: por isso, se um de vocês sabe de alguma razão que impeça legalmente este matrimônio, deve declará-la neste momento.

Eu engoli em seco, e Anthony sorriu.

— Certo! — disse Roger. — Bem, é sempre um alívio quando acaba esta parte, não é? — Uma risada discreta ecoou em toda a igreja. — E agora, a parte importante: Anthony, você aceita Jessica como sua esposa? Promete amá-la e respeitá-la, na saúde e na doença, na alegria e na tristeza, todos os dias de sua vida?

— Sim — afirmou Anthony com ar sério. — Com certeza.

Mais uma vez, ouviu-se uma risada discreta por toda a igreja. Então, Roger se dirigiu a mim.

— Jessica, você aceita Anthony como seu legítimo esposo? Promete amá-lo e respeitá-lo, na saúde e na doença, na alegria e na tristeza, todos os dias de sua vida?

Ele olhou para mim com um sorriso animador, e eu me forcei a sorrir também.

— Eu... Eu... — Minha mente estava confusa e ouvia algumas vozes na minha cabeça. Podia ouvir Grace falando da importância do verdadeiro amor, Helen gritando *Topa ou não topa,* Ivana repetindo, aos berros, *Jessica Wiiiiild*. E diante do meu silêncio, o padre dirigiu-se aos convidados:

— Isso é medo de palco. Acontece o tempo todo. — Ele voltou a olhar para mim e sorriu. — Todos os dias da sua vida? — repetiu.

— Eu... — Então respirei fundo. Eu tinha de ir em frente. Por Grace. Devia isso a ela. Então, me forcei a pensar em toda a confiança que ela havia depositado em mim; forcei-me a imaginar a casa que eu iria herdar, a propriedade que ficaria sob meus cuidados, a casa que... De repente, um pensamento me veio: a casa. Eu tinha visto aquela casa em outro lugar. Quebrei a cabeça tentando me lembrar onde eu a tinha visto, mas meu esforço pareceu ser em vão.

— Jess? — perguntou Anthony. — Tudo bem?

Acenei com a cabeça e tentei prosseguir.

— Eu... — Não consegui terminar a frase. Eu sabia onde a tinha visto. Na mesa de Anthony. A foto. A casa que ele disse que tinha pensado em comprar, a foto que Fenella havia encontrado. Era a casa de Grace. Eu tinha certeza.

Olhei para ele, desconfiada.

— A foto na sua mesa — sussurrei, com a voz um pouco embargada. — É a casa de Grace.

Roger pigarreou.

— Todos os dias... — Ele começou a falar de novo, mas eu não lhe dei ouvidos.

— A casa — exigi. — Fale da casa.

Anthony se assustou.

— A casa de Grace? Não sei do que você está falando — disse baixinho, com um sorriso estranho. — Nem sei quem é essa tal de Grace. Jess, estamos no meio do nosso casamento, amor. Será que não podemos falar disso mais tarde?

Pensei por um momento. Ele provavelmente tinha razão. Eu devia estar imaginando coisas. Havia muitas propriedades como aquela, no campo. Eu estava somente procurando uma desculpa para não ir em frente

— Claro — concordei. — Claro que podemos.

— É isso aí, garota — disse Anthony. — Desculpe, padre — continuou, antes de se virar para os convidados e, com um sorriso forçado, tentar se justificar. — Foi só uma pequena discórdia por causa das flores. Tudo certo agora.

Ouviu-se uma risada geral, e Roger se dirigiu a mim, mais uma vez.

— Bem, então — disse ele, com um largo sorriso. — Jessica, você aceita Anthony como seu legítimo esposo? Promete amá-lo e respeitá-lo, na saúde e na doença, na alegria e na tristeza, todos os dias da sua vida? — Olhei para ele, e em seguida para Anthony.

— Eu... — Nesse instante, olhei para Max, que me fitava e, de repente, me senti frágil, como se fosse partir ao meio. Eu não amava Anthony. E me dei conta de que não era esse o desejo de Grace. Ela queria que eu me apaixonasse e fosse feliz, não que eu casasse com alguém só para herdar sua propriedade. E isso também não era o que eu queria. De jeito nenhum. E não me incomodava se isso fazia de mim uma romântica ridícula; não me incomodava se minha avó dissesse, contrariada: *Eu sabia! Sabia que você acabaria cedendo.* Eu estava apaixonada por Max, e, mesmo se ele não estivesse apaixonado por mim, eu não podia casar com Anthony, nem por todo o dinheiro do mundo.

Então, me virei para Anthony e respirei fundo.

— Não topo.

— Não topa? — perguntou Roger, confuso. — Como assim?

— Quero dizer que não topo. Quero dizer que não vou seguir adiante com isso. Não vou casar.

Capítulo 31

A MELHOR COISA EM RELAÇÃO aos filmes é que algo impactante pode acontecer — por exemplo, Hugh Grant levar um soco no altar —, mas a cena corta e, em seguida, ele reaparece, no conforto da casa de alguém, sendo consolado pelos amigos. Na vida real, a situação impactante acontece, porém, alguns minutos depois, você continua no lugar, sendo observada por todas as outras pessoas, que estão em choque absoluto. Anthony e Roger me encaravam, e presumi que todos os outros também deveriam estar. Então comecei a sentir um desconforto, e o meu vestido de noiva barato parecia feito de espinhos.

— Não pode? — perguntou Roger após um momento, e fiz um gesto negativo com a cabeça. Após revelar minha intenção de não casar, me sentia indiferente, como se tudo aquilo estivesse acontecendo com outra pessoa.

— É claro que pode — disse Anthony, com a irritação evidente na voz.

— Não, não posso — repeti, determinada.

— Talvez seja melhor irmos para os fundos da igreja — sugeriu Roger. — Acho que temos que conversar, não é?

Sentindo-me aliviada e grata pela sugestão, concordei; Roger se dirigiu aos convidados, com um sorriso no rosto:

— Houve um pequeno problema. Só precisamos esclarecer umas coisinhas, já voltamos.

Em silêncio, eu o segui, fazendo um enorme esforço; o caminho parecia não ter fim. Anthony andava à minha frente, com passos apressados e os ombros tensos; Max ia logo atrás dele.

— Muito bem — disse Roger, após abrir a porta da sacristia e depois de todos entrarem. — Por que, exatamente, você não pode ir em frente com o casamento?

Havia uma cadeira perto da parede, na qual me sentei.

— Porque não estou apaixonada por ele — respondi em voz baixa. — E ele não está apaixonado por mim. Ele ama Jessica Wiiild.

Anthony me fitou, intrigado.

— Mas *você é* Jessica Wild — falou ele, sem convicção.

— Não. Eu sou Jess — retruquei, de repente me sentindo tranquila. — A garota por quem você se apaixonou foi uma criação. Ela não existe. Sean, o tal do ex-namorado, também não existe. Apenas eu existo. Só a Jess.

Anthony franziu a testa, confuso, e passou a mão pelo cabelo.

— Certo. — Respirou fundo. — Olha, Jess, não sei o que está acontecendo. Talvez você precise de um psiquiatra. Talvez tenha múltiplas personalidades ou algo assim. Mas vamos, ao menos, finalizar a cerimônia. Depois lidaremos com suas... dificuldades. Está bem?

Não concordei e Anthony suspirou, exasperado.

— Puta que pariu — disse, irritado. — Jess, pare de ser tão imatura.

— Não estou sendo imatura.

— Ouçam — pediu Roger, tentando sorrir. — Vamos ver se podemos buscar uma solução para tudo isso.

— Ou continuar com a maldita cerimônia — exclamou Anthony, descontrolado. — Há pessoas esperando lá fora.

— Elas que esperem — interveio Max. — Olha, se Jess está em dúvida, não seria melhor adiar a cerimônia? Não há por que apressar as coisas.

Olhei para ele, grata, mas ele não retribuiu o gesto; embora nossos olhares tenham se cruzado por um instante, ele logo virou o rosto.

— Sim, há — retrucou Anthony, em tom firme. — E ela não está em dúvida.

— Não estou em dúvida — confirmei, sentindo-me de repente mais leve, como se tivesse, enfim, tirado um enorme piano das costas. — É o contrário. Tenho certeza de que não quero casar com você. E você não quer casar comigo. Pelo menos não para valer.

— Eu quero — replicou Anthony, aborrecido, e logo forçou um sorriso. — Jess, amor, o que é isso? Não faça um escândalo, está bem? Vamos continuar com a cerimônia.

— Não. Não amo você, Anthony. — A sensação era maravilhosa: poder finalmente falar a verdade, como se um peso fosse tirado dos meus ombros.

— Tudo bem — disse Roger, espantado.

— Você está certa. Tem razão. Você não me ama e eu não amo você. Mas que diferença faz? O amor não tem nada a ver com isso — disse Anthony, semicerrando um pouco os olhos. — Isso não importa. Ainda podemos nos casar.

Fiquei perplexa. Quer dizer que ele não me amava? Na hora me dei conta de que agora isso não fazia diferença.

— Eu pensava que não tinha importância, Anthony. Mas tem, sim — contestei, falando com tranquilidade. — E muita. Isso... — Nesse momento, olhei para Max, mas de repente, o barulho de um salto alto chamou sua atenção; segundos depois, Helen e Ivana surgiram detrás de uma coluna, com Sean a reboque, e junto deles, Marcia.

Na hora, Helen se aproximou e segurou minha mão.

— Você está bem? — sussurrou ela, ao que eu fiz que sim com a cabeça e apertei sua mão.

— O que aconteceu? — perguntou Ivana de maneira incisiva. — Viemos aqui ver casamento. Por que você não disse *sim?* — Ela olhava para mim com uma expressão de crítica, e Anthony acenou com a cabeça, como se apoiasse o comentário dela.

— Isso mesmo — disse ele. — Por que, Jess?

— Acabei de explicar — respondi ao me levantar. Então, senti as pernas bambas e me armei de coragem para continuar: — Anthony, escute. Eu não sou quem você pensa. E casamento não é algo para ser feito de qualquer maneira, às pressas...

— Você não se importou em apressar a data antes — lembrou ele, com os olhos cheios de raiva. — Aliás, se bem me lembro, foi você quem quis casar com tanta pressa. O que mudou?

— Eu mudei. — Em um movimento lento, levantei meu braço para alcançar o dele. — Anthony, estou fazendo um favor a você, juro. Casamento deve ser baseado no amor. E nós não nos amamos. De jeito nenhum.

— Amor? — repetiu ele com sarcasmo e se afastou de mim. — Ah, não seja tão ingênua. Casamento não tem nada a ver com amor. Tem a ver com conveniência e tédio, com dinheiro, propriedade, acordo entre famílias...

— Talvez para alguns, mas não para mim — contestei. Nesse instante, algo me ocorreu. — Propriedade? — repeti, mas tentei afastar o pensamento da cabeça. Eu devia estar imaginando coisas.

— Sim, propriedade — afirmou ele, com uma expressão cruel que eu nunca tinha visto antes.

— A foto — eu disse, e uma sensação de mal-estar tomou conta de mim. — A foto da casa na sua mesa. *É* a casa de Grace, não é? Você tinha uma foto da casa de Grace na sua mesa.

— Claro que não — respondeu ele desviando o olhar, como se eu fosse uma criança chata. — Você está falando um monte de bobagem.

— Era, sim. Era a casa dela. Por que não me deixou ver a foto?

— Não sei do que você está falando. Não era a casa de ninguém. Era apenas uma casa que eu tinha a intenção de comprar, e não quis que você a visse porque era para ser uma surpresa — esclareceu, furioso. — Meu Deus, Jess, o que há com você? Você está deixando todo mundo constrangido.

— Ela não está deixando ninguém constrangido — retrucou Max, em tom sério. — Anthony, o que está havendo? Que história é essa de casa?

Anthony cruzou os braços.

— Não faço a menor ideia — respondeu, tenso. — Nenhuma ideia mesmo. — Então me fitou, por alguns segundos e, de repente, seus olhos azuis já não pareciam tão atraentes. Eles eram frios, insensíveis. E, ao observá-los, percebi uma coisa. Algo que piorou ainda mais meu ânimo.

— Você sabia. Sabia do testamento. Por isso quis casar comigo.

— Testamento? — repetiu Anthony, fingindo não entender minha acusação, mas seu nervosismo traía suas palavras. — Que testamento?

— Ele não sabia de testamento nenhum — interpôs Marcia. — Digo, *não sabe* — logo se corrigiu.

Eu a fitei, intrigada.

— Afinal, o que você tem a ver com essa história?

— Eu? Nada. Só estou dizendo que ele não sabe nada de testamento nenhum — respondeu ela, com ar de culpa.

De repente, algo no topo de sua cabeça atraiu minha atenção.

— Seus óculos escuros. Eu já os vi antes.

— Óculos escuros? Jess, que história é essa? Acho que você está enlouquecendo — disse ela, jogando o cabelo para trás, mas pude notar sua preocupação.

Por fim, a lembrança que eu tentava recuperar me veio, e fiquei perplexa.

— No carro. No carro de Anthony. Na noite em que ele passou por mim. Eram vocês dois.

Marcia empalideceu.

— Não sei do que você está falando.

— Era você no carro — insisti, desesperada. — Era você. Você e Anthony...

Eu a fitei atônita, mas ela continuou em silêncio.

Então me dirigi a Anthony, a confusão me tomando por completo.

— Mas como você sabe? Como poderia saber que...

— Saber o quê? — perguntou Max, mas eu o ignorei. Minha mente estava a mil.

— Marcia! — chamei-a em tom de acusação. — Você falou com o Dr. Taylor.

— É possível. Eu falo com muita gente, Jess. Não posso me lembrar de todo mundo.

— Você falou com ele e contou tudo a Anthony. — Eu estava com a corda toda. Finalmente tinha conseguido decifrar tudo. — Só pode ser.

— Quer dizer que ele sabia? — perguntou Helen, espantada. — Isso tudo foi uma armação para pegar o dinheiro?

— Que dinheiro? — perguntou Max, totalmente confuso. — Do que vocês estão falando?

— De Grace. — A minha voz estava quase inaudível quando percebi qual era a situação. — Grace me deixou sua propriedade. O dinheiro também. E Anthony sabia. Ele só queria casar comigo porque...

Anthony me lançou um olhar frio.

— Por que você seria rica? Mas é óbvio. Por que mais eu me casaria com você?

— Seu cretino! — gritou Helen, de repente. — Seu cretino manipulador.

Max se aproximou.

— Anthony, não posso acreditar — disse ele, indignado. — Todo esse tempo, você só estava usando Jess. Imagino que esse fosse o seu grande plano para ganhar dinheiro.

— Ah, qual é, Max? — retrucou ele, furioso. — Pelo menos eu proporcionei bons momentos a ela. Transei com ela. E ela se divertiu bastante.

— Você... você... *é* mesmo um canalha — acusou Max, avançando sobre ele, os olhos injetados de raiva.

— Não consigo acreditar — disse Helen, revoltada. — Quer dizer que vocês dois bolaram esse esquema juntos?

— O quê? Algo como o esqueminha que vocês armaram, é isso? — perguntou Anthony, com um sorriso cruel. — Como é mesmo? Projeto Casamento, não é?

Senti o sangue sumir do rosto.

— Projeto Casamento? Que negócio é esse de Projeto Casamento? — perguntou Max, mas ninguém deu ouvidos a ele.

— Estava no seu computador — disse Marcia, cruzando os braços com uma expressão de vitória. — Você não o escondeu muito bem.

A minha vida estava arruinada. Eu nunca tinha sido tão humilhada.

— Pensei que você... Eu achei... — Não consegui completar a frase.

— Achou que ele estava perdidamente apaixonado por você? — perguntou Marcia com uma risada. — Ah, Jess, cai na real. Por que é que alguém como Anthony se apaixonaria perdidamente por você? Quer dizer, na boa.

— Sua vaca! — vociferou Helen. — Você não passa de uma vaca! Por que ele não se apaixonaria por Jess?

— Porque ele está apaixonado por mim — respondeu Marcia. — E, por favor, vamos manter o nível.

— Apaixonado por você? — repetiu Anthony, balançando a cabeça com desdém. E se virou para mim: — Eu transo com ela, só isso.

— Só isso? — Dessa vez, foi Marcia que olhou para ele, espantada. — Eu armei tudo para você herdar todo aquele dinheiro e agora você diz que só transa comigo? Seu cretino! Helen e Max têm razão. Você não passa de um canalha.

— Vamos esquecer quem está transando com quem, está certo? — sugeriu Anthony, olhando para mim, com atenção. — O fato é que você ainda tem de casar comigo para herdar o dinheiro. Não importa o que aconteceu. São águas passadas, agora. Apenas diga *sim* e podemos discutir a divisão de bens depois, está bem?

— Divisão de bens? — Eu não podia acreditar no que tinha acabado de ouvir.

— Eu não vou deixar você herdar tudo sozinha, não é? — Em seguida, esboçou um sorriso. — Agora, pela última vez, vamos voltar ao altar e ouvir Jess dizer *sim*. Uma palavra, Jess. Apenas uma palavra. Você consegue.

Então, respirei fundo e o encarei.

— Nunca — declarei, de maneira firme e calma. — Nem em um milhão de anos.

— Isso mesmo — confirmou Marcia. — Nem em um milhão de anos.

— Vai, sim — retrucou Anthony, ignorando-a, com a voz tensa. — Você não tem escolha. Temos muito a perder nessa história, Jess. E nenhum dos dois ganhará se você desistir. Pense nisso. Pense muito bem.

— Estou pensando muito bem.

— Então aja de maneira sensata.

— Ah, mas estou agindo de maneira sensata. Estou desistindo de casar. Sabe de uma coisa, Anthony, eu achava que amor e romantismo fossem um desperdício de tempo, um sinal de fraqueza. Mas não é nada disso. Amor falso é que é fraqueza. Casar por razões erradas é fraqueza.

— Enganar os outros também — completou Marcia.

— Não — negou Anthony em tom sarcástico. — Decepcionar os outros é fraqueza. E, Marcia, cale a boca, está bem? E, Jess, você é patética.

— Ela não é patética — defendeu-me Helen, revoltada. — Ela apenas não ama você. E, depois do que ouvi, estou aliviada. Feliz por ela não casar com você.

— Nada disso — disse Ivana, irritada. — Nada de casamento, nada de dinheiro, não se esqueça disso.

— Chega, estou cheio disso tudo. Será que alguém, por favor, pode me explicar o que está acontecendo? — ordenou Max, de repente. — Eu tinha entendido que Anthony pretendia casar com a Jess por causa do dinheiro dela. Mas por que ela precisa se casar?

— Não preciso. Pelo menos... Não quero. Não mais.

— Não mais? — Max me fitou e eu olhei para ele, constrangida.

— Eu...

— Grace, a senhorinha que era amiga de Jess, pensava que ela fosse casada com Anthony — explicou Marcia. — Então deixou a herança para a Sra. Milton. Assim, Jess tinha de casar para tomar posse da herança — acrescentou, lançando-me um sorriso, que ignorei.

Os olhos de Max se arregalaram.

— Mas por que ela achava que Jess era casada com Anthony?

Senti o sangue sumir do rosto.

— Porque ela contou a Grace que havia casado com ele, simples assim — disse Marcia com um suspiro, como se fosse do conhecimento de todos. — Acorda, Max.

— Mas... mas... isso é ridículo — disse ele, estupefato. — Você não fez isso, fez, Jess? — perguntou com ar de súplica, e lamentei, do fundo do coração, não poder justificar minha atitude, dar uma explicação que não me fizesse parecer uma perfeita idiota. Mas não consegui.

— Fiz — assumi, com ar de derrota. — Mas só porque Grace fazia questão que eu fosse feliz. Porque o conceito de felicidade para ela era...

Não consegui completar a frase. Marcia tinha razão. Eu era uma perfeita idiota.

— Bem, quer dizer que o dinheiro foi deixado para a Sra. Milton, e aí você... — Ele franziu o cenho para se concentrar. — E aí você decidiu casar com ele de verdade? — perguntou, de olhos arregalados. — Ah, meu Deus. — Nesse instante, deu um passo para trás e olhou para mim, depois para Anthony e para mim de novo, balançando a cabeça em sinal de perplexidade. — Toda aquela bobagem de ontem à noite, sobre fazer a coisa errada para fazer a coisa certa... Pensei que você estivesse falando de algo importante. Mas era isso. Sobre casar com alguém por dinheiro.

— Não seja moralista, Max — disse Anthony, impaciente. — Dinheiro é uma razão perfeitamente válida para se casar, não é, Jess? — perguntou de forma intencional. — Quatro milhões de libras. É muita grana para se ignorar.

— Tem razão — concordou Ivana, em voz alta. — Quatro milhões de libras é razão muito válida de casarrr. Diga sim de uma vez e depois vamos beberrr.

Eu não concordei.

— Hmm, desculpe, pessoal — interrompeu-nos Roger, hesitante. — Mas não sei se estou entendendo essa história.

Olhei para ele, suspirei e expliquei, com calma:

— Eu herdei uma fortuna. Só que Grace, a mulher que deixou a herança para mim, achava que eu havia casado com Anthony.

Então ela deixou a herança para Jessica Milton. Para a Sra. Jessica Milton.

Roger esfregou a testa e insistiu, nervoso:

— Ainda acho que não estou entendendo muito bem. Quem é Grace?

— Minha amiga — sussurrei. — Era minha amiga. Ela morreu.

— Sua amiga? — perguntou Anthony com desdém, antes de falar devagar: — Grace era minha mãe. Se tem alguém que deve ficar com a casa dela, sou eu, não Jess.

Todos ficaram atônitos.

— Ela era sua... sua mãe? — perguntei, a voz tremendo. — Mas como? Quer dizer... o que... Você não tem mãe. Sua mãe morreu. Você disse que ela havia morrido... E seu sobrenome é Milton. O dela era Hampton...

— O meu também era — disse ele, contraindo os lábios. — Até ela me deixar sem um centavo, só porque penhorei alguns quadros dela para conseguir algum dinheiro. Depois disso, para mim era como se ela *tivesse* mesmo morrido. Até mudei de sobrenome, pois me recusava a ter qualquer tipo de ligação com ela. Nem sabia que ela tinha morrido até ler sobre o funeral. E quando você disse que ia a um funeral, achei aquilo bem interessante. E Marcia falou com seu amigo...

— O Dr. Taylor? — perguntei, sem conseguir respirar direito.

— Isso mesmo — confirmou ele, fazendo que sim com a cabeça. — Ela me contou o conteúdo da conversa e decidimos dar uma forcinha a você.

— Forcinha? — perguntei, indignada.

— Isso mesmo — disse ele, agarrando meu braço com força, me fazendo estremecer. — Olha, esta é uma situação vantajosa para nós dois. E preciso desse dinheiro. Se não puser as mãos nele o mais rápido possível, vamos ter credores batendo na porta. É meu dinheiro. Eu sou o devido herdeiro. Vamos lá, Jess, faça a coisa certa. É só ir em frente e pronto.

— Eu... Não posso. Não posso mais casar com você. Mas vou ressarci-lo pelos gastos com o casamento. Vou fazer um empréstimo...

— Empréstimo? — Anthony bufou. — Jess, não são apenas os gastos com o casamento que estou devendo. Tenho dívidas até o pescoço.

— A agência — disse Max em tom enérgico. — Está com dívidas, também?

Anthony suspirou.

— Pensei que ficaria tudo bem. Quando minha mãe morreu... Pensei que ela deixaria tudo para mim. — Então se virou, segurou meus braços com força e insistiu, com a fala repleta de amargura: — Você tem que casar comigo. Tem que casar. Você me deve isso.

— Ei, relaxa. Ela não parece disposta a dizer *sim* — disse Sean, aproximando-se e tentando afastá-lo de mim. — Desista, está bem? Deixe-a em paz.

Anthony levou um susto, me soltou e se virou para Sean.

— Cacete, é você? O ex-namorado. — Então Anthony perguntou para mim: — Você o convidou? Você o convidou para o nosso casamento?

— Sim, e *esse* é todo o motivo do problema. Se não fosse o Sean, as coisas estariam ótimas, não é, Anthony?

— Ainda assim — disse Anthony, franzindo a testa em resposta ao meu sarcasmo. — Não tenho que tolerar a presença dele. — Então se colocou diante de Sean e ordenou em tom ameaçador: — Saia daqui. Saia, antes que eu ponha você para fora com minhas próprias mãos.

Sean arqueou a sobrancelha.

— Que foi, vai me bater de novo?

— É. Talvez. Talvez eu só... — Ele chegou a cerrar o punho, mas antes que pudesse fazer alguma coisa, Ivana lançou-se sobre ele, jogando-o ao chão, e deu vários socos no seu rosto.

— Ninguém bate no meu marido — disse ela, furiosa, com as unhas no rosto de Anthony. — Ninguém.

— Seu... marido? Mas ele é o ex-namorado da Jess... — Anthony conseguiu dizer, antes de Ivana arranhá-lo.

— Não é nada disso — confessei enquanto Roger e Max tentavam separá-los. — Ele é... ele apenas fingiu ser meu ex-namorado. Mas na verdade não é...

— Outra mentira — comentou Max em tom amargo, enquanto tentava livrar Anthony das garras de Ivana. — Você gostaria de aproveitar a oportunidade para confessar mais alguma coisa? Seu nome verdadeiro é Jessica Wild, ou isso é outra mentira?

— Não. Quer dizer, sim. Bem... — Eu estava desesperada. Mas antes de decidir qual seria a melhor maneira de explicar, o barulho de passos me deixou paralisada. Quando levantei os olhos, senti um frio na espinha.

— Desculpe interromper — disse o Dr. Taylor com ar preocupado. — Gostaria de ter chegado antes, mas acabei indo parar na Escócia. Queria saber se seria possível atrasar a cerimônia alguns minutos. Eu preciso falar com a Srta. Jessica Wild, com urgência.

Roger olhou para ele, em seguida para Max e, enfim, para mim.

— Outro assunto? Ou é sobre Grace, também?

— Sobre Grace? — perguntou o Dr. Taylor, intrigado. — Bem, acredito que sim.

— Suponho que o senhor também queira impedir a Jess de se casar com esse jovem? — perguntou Roger, hesitante, apontando para Anthony.

O Dr. Taylor ficou confuso.

— Casar com esse jovem? Mas esse rapaz é gay. Não, quero impedi-la de casar com aquele homem — disse ele, apontando para Max —, Anthony Milton.

— Eu sou Anthony Milton — retrucou Anthony, irritado. — E não sou gay.

— Não? — O Dr. Taylor arregalou os olhos. — Tem certeza? Sabe de uma coisa? Agora olhando de perto, acho que consigo ver a semelhança. É que foi há tanto tempo...

Anthony ameaçou avançar sobre o Dr. Taylor, porém Max logo o conteve.

— Desculpe interromper — disse Roger. — Mas devo supor que o casamento está cancelado? Porque, nesse caso, acho melhor avisar aos convidados.

— Está. Está, sim — afirmei.

— Só um segundo — pediu Helen, ao se aproximar e segurar minha mão. — Jess, faça o que bem entender. Mas se lembre de que, se não casar com ele, não vai receber a herança. Quer dizer, se você casar, pelo menos fica com cinquenta por cento. Já é alguma coisa, não é?

— Não — respondi, trêmula. — Se eu não casar com ele, perderei o dinheiro e a casa. Eu sei disso. Mas, se casar, vou perder muito mais. — Olhei para Max, que durante um segundo me fitou com atenção, mas logo virou o rosto.

— Para mim chega — disse ele, irritado. — Vou embora.

— Não! Não vá! Max, me deixe explicar — implorei. — Max, só fiz isso para proteger a casa de Grace. Eu pensei que...

Mas minhas palavras foram à toa; ele não me deu ouvidos. Apenas continuou andando igreja afora.

Pude sentir lágrimas brotarem em meus olhos e esfreguei o rosto, perturbada. Estava tudo acabado. Enfim, me dei conta de que estava tudo acabado. Então me dirigi ao Dr. Taylor.

— Acho que não posso receber a herança de Grace. Ela deixou seus bens para alguém que julgava ser de confiança, que cuidaria da propriedade, e provei que não sou essa pessoa. Portanto — acrescentei, com um nó na garganta —, acho que não vou conseguir preencher devidamente os documentos. Como o senhor pode ver, eu não sou a Sra. Milton. Nunca fui. Nunca serei. Decepcionei Grace. E sinto muito por isso.

O Dr. Taylor balançou a cabeça, em sinal de desaprovação

— Ah, meu Deus! Eu sabia que isso não daria certo. Eu sabia...

— Claro que sabia — assenti, com a voz embargada. — O senhor sempre desconfiou, não é? Nossa, como fui idiota. Fui uma perfeita idiota... — acrescentei, deixando a cabeça tombar entre as mãos, enquanto lágrimas começavam a rolar por meu rosto. — Isso tudo é culpa minha. Tudo culpa minha. E sinto muito. Sinto muito mesmo.

— Para falar a verdade — disse o Dr. Taylor, hesitante —, eu não acho que seja culpa sua, Srta. Wild. Falei a Grace que era uma má ideia, mas ela não me deu ouvidos. Ela adorava elaborar seus próprios planos, entende? Adorava interferir...

Capítulo 32

PRECISEI DE ALGUNS SEGUNDOS PARA registrar o que o Dr. Taylor havia dito. Então, aos poucos, levantei a cabeça e limpei as lágrimas com as mãos.

— Grace? O que o senhor quer dizer? — perguntei.

— Quero dizer que tive a sensação de que isso não acabaria bem. Tentei avisar a Lady Hampton, mas ela não ligou.

— Avisá-la do quê? — indagou Helen, franzindo o cenho. — O que ela não ligou?

— Ela não ligou para o bom senso — respondeu ele, olhando ao redor, devagar.

— O senhor gostaria de se sentar? — Ofereci-lhe minha cadeira.

Ele aceitou agradecido.

— Obrigado. Eu... se você não se importa. Sim, acho que seria uma boa ideia. Eu creio...

Ele sentou-se, inclinou-se para a frente e me olhou com uma expressão séria.

— Quando você falou sobre Anthony Milton pela primeira vez, ela não conseguiu se controlar — explicou. — Não tinha notícias dele havia muitos anos, e de repente viu uma oportunidade de saber tudo sobre a vida dele.

Eu o encarei sem entender o que ele dizia.

— O senhor está dizendo que ele é de fato filho dela?

O Dr. Taylor fez que sim com a cabeça, um olhar triste no rosto.

— Portanto, o senhor está afirmando que... a amizade entre mim e a Grace e tudo mais não passou... de um ardil para que ela pudesse ficar a par de tudo sobre Anthony? — perguntei, atônita.

— Não. Pode ter sido assim no início, mas não depois. Ela gostava de você. Adorava você, disso eu não tenho dúvida. Mas, no início, ela também estava muito curiosa. E, então, começou a ter ideias. Fazer planos. Planos dos quais, eu acho, você acabou se deixando envolver.

— Planos? Não estou entendendo.

— Nem eu — disse Anthony, irritado. — Do que é que você está falando?

O Dr. Taylor levantou uma sobrancelha.

— Pois é — comentou, olhando Anthony de cima a baixo. — Agora posso ver o que Grace queria dizer quando falava de você. — Então se virou para mim, de novo. — Ela achava que se vocês dois ficassem juntos, você, Jess, seria uma influência positiva na vida dele, capaz de acabar com o seu mau comportamento. E ficou obcecada por essa ideia.

— Anthony e eu?

O Dr. Taylor fez que sim com a cabeça mais uma vez, e tentei compreender o que escutava.

— E quando ela achou que tínhamos casado...?

O Dr. Taylor sorriu.

— Acho que ela sabia que vocês não tinham casado. Afinal, o Anthony que você descreveu era muito diferente do Anthony que ela conhecia. Ela me pediu para... verificar. E eu fiz isso.

Engoli em seco.

— E descobriu...

— Que você não havia casado? Sim, descobri. Mas Grace não se incomodou. Ela encarou a situação como um grande desafio romântico, no qual ela poderia desempenhar o papel de cupido.

— Quer dizer que ela sabia? — indaguei com a voz quase inaudível. — Ela sabia que era tudo mentira?

— Não exatamente mentira. Sonhos, como ela preferia chamar — corrigiu ele, com suavidade. — Sonhos que ela esperava que se tornassem realidade, com uma... ajudinha. Era o sonho dela também, entende? Que você e... que vocês dois pudessem ser felizes juntos.

— Quer dizer que ela deixou a herança para Jess para me obrigar a casar? — perguntou Anthony, perplexo, esboçando um sorriso. — O tempo todo ela quis que eu ficasse com a herança?

— Não. Ela deixou claro que a Srta. Wild deveria herdar os bens — esclareceu o Dr. Taylor, lançando um olhar de repreensão a Anthony. — Mas supôs que ela estivesse apaixonada por você. E queria que vocês fossem felizes. E tinha a esperança de que, sob a influência da Srta. Wild, você... você pudesse mudar.

— É mesmo? Pois não é assim que vejo as coisas. Ou como um tribunal verá — disse Anthony com desdém. — A herança foi deixada para a Sra. Milton. Por isso, qualquer mulher que casar comigo herdará os bens, certo? Eu vou desafiar o testamento e vou ganhar.

— Você pode ficar com o dinheiro — anunciei, sentindo os ombros pesados. — Não o quero. Não o mereço.

— Ah, mas claro que merece. A Sra. Hampton queria que você fosse sua herdeira — disse o Dr. Taylor de forma gentil.

— Mas... mas eu não sou Jessica Milton — retruquei, hesitante. — E não estou apaixonada pelo filho da Grace.

— Não, tudo bem. E por isso há uma cláusula no testamento que afirma que, se Jessica Milton for, na realidade, ainda Jessica Wild, então o dinheiro, assim como a propriedade, devem ser passados para ela, de qualquer maneira.

— Mas isso é um absurdo! Isso é vingança — vociferou Anthony dirigindo-se ao Dr. Taylor. — Você pode me culpar por tentar receber o que era meu antecipadamente? Eu sabia que ela ia armar para cima de mim. Aquela vaca.

O Dr. Taylor olhou para ele com frieza.

— Há também um fundo de 2 milhões de libras que deverá ser passado para o filho, desde que ele não tente impugnar o testamento — acrescentou, calmo.

— Dois milhões de libras? — perguntou Anthony, o rosto de repente mudando de expressão. Seus olhos azuis voltaram a brilhar, e todos os indícios de raiva haviam desaparecido.

— Dois milhões de libras.

— Bem, por que você não me disse antes? — perguntou, sorrindo. — Poderíamos ter evitado tudo isso.

— Sim, poderíamos — afirmou o Dr. Taylor, com paciência. — Mas esse não era o desejo de Grace. Ela gostaria que você casasse com a Srta. Wild. E que só tomasse conhecimento dos 2 milhões depois da cerimônia.

— Certo. Entendi — concordou Anthony, sério. — Bem, isso é... isso é muito interessante. Afinal, quando posso pegar o dinheiro? Preciso assinar algum documento?

O Dr. Taylor colocou a mão no bolso, de onde retirou um cheque.

— Você tem que assinar esse formulário — disse ele, entregando um papel a Anthony, que o agarrou ganânciosamente, assinou tudo e o devolveu. Então, o Dr. Taylor dobrou o papel, guardou-o no bolso e entregou o cheque a Anthony.

Ele pegou o cheque, na mesmo hora, enquanto eu ainda fitava o Dr. Taylor, sem conseguir acreditar no que acontecia.

— Mas por que o senhor não me contou? O senhor afirmou que ela não tinha deixado nada para a família. Disse que...

— Eu disse o que Grace pediu que eu dissesse — interpôs o Dr. Taylor, desculpando-se. — Eu a aconselhei a não fazer isso. Implorei, mas ela estava convencida de que seu plano era vantajoso. Sob a perspectiva dela, ou você descobriria o amor, ou alguma outra coisa tão importante quanto.

— Ela disse isso?

O Dr. Taylor fez que sim com a cabeça.

— E isso aconteceu? — perguntou ele, hesitante. — Você descobriu algo?

— Não sei. Não sei mesmo.

— Descobriu, sim — interrompeu-nos Helen, de repente. — Afinal, não se casou com Anthony. Descobriu que não podia levar essa farsa adiante. Chegou à conclusão de que acredita de verdade no casamento como instituição, em se casar pelas razões certas e tudo o mais...

— Eu... Acho — comecei, indecisa — que ainda não sei se mereço a herança.

— Acho que você não merecia é passar por todo esse drama que minha cliente tinha engendrado. Quanto à herança, creio que ela sabia o que estava fazendo.

— Bom, isso é tudo muito interessante, mas devo mesmo ir embora — disse Anthony, de repente. — Tenho 2 milhões de libras para gastar e uma lua de mel para aproveitar. Marcia, gostaria de fazer uma viagem para o sul da França?

Marcia lhe lançou um olhar de repugnância.

— Agora espera que eu vá com você?

— Está tudo pago. E não estava falando sério antes. Só estava brincando. Eu te adoro. Você sabe disso, não é? — Ele estendeu a mão, com os olhos brilhando, de maneira sedutora; Marcia o observou por alguns segundos, então jogou o cabelo para trás.

— Tudo bem — cedeu, tomando a mão dele. — Mas quero quartos separados. Camas separadas, pelo menos...

— Tudo o que você quiser. Jess, vejo você no escritório, quando voltar?

Marcia sorriu.

— Ah, e você poderia assumir o Projeto Bolsa no meu lugar? Prometi a Chester que teria alguns *mock-ups* prontos na próxima semana, mas acho que não vou ter tempo para isso.

Fitei-a perplexa, em seguida olhei para Anthony.

— Você acha que vou continuar trabalhando para você? Acha que quero ter qualquer coisa a ver com a Milton Advertising?

— Francamente, para mim não faz a menor diferença — respondeu ele. — Nem eu sei se quero, agora que sou rico. Max não vai se incomodar. Dê lembranças a ele, está bem?

— Mas e quanto aos documentos? — perguntou o Dr. Taylor, confuso. — Você vai assinar o restante da papelada?

— Claro — respondeu Anthony enquanto se afastava, seguido de Marcia. — Envie para mim, na França.

Roger coçou a cabeça.

— Bem, creio que é melhor eu explicar tudo aos convidados — disse ele, nervoso, indo em direção ao altar. — Me desejem sorte.

— Sim — disse o Dr. Taylor, distraído. — Eu também vou embora. O Sr. Milton precisa assinar... Eu... entrarei em contato, Srta. Wild. Entrarei em contato em breve.

— Obrigada — falei, lentamente. — Muito obrigada.

No instante em que ele saiu, Helen me abraçou.

— Você conseguiu, Jess — disse ela, sorrindo. — Você conseguiu!

— É, acho que sim.

— E deveria estar mais alegre — acrescentou, intrigada. — Afinal, você ficou com o dinheiro e a casa, e não teve nem que se casar com Anthony.

— É.

— Então vamos comemorar!

Os olhos de Helen brilhavam, e esbocei um sorriso desanimado.

— Vá você. Nos vemos depois, está bem?

— Por quê? — perguntou ela, preocupada. — Você está bem, Jess?

— Estou. Só preciso ficar um tempo sozinha.

— Sozinha — repetiu ela, como se eu estivesse louca, então desistiu. — Bem, se é o que você quer. Acho que vou contar a Fenella o que aconteceu — disse ela com um olhar malicioso. E pegou Ivana pelo braço. — Acho melhor vocês virem comigo, posso precisar de ajuda quando Fenella descobrir que o casamento foi cancelado.

— Se forrr preciso, eu posso contê-la — disse Ivana, com a voz grave. Então se virou para mim. — Afinal, você vai ficarrr com o dinheiro? Sem casarrr?

— Acho que sim.

— Muito inteligente — disse ela, com uma expressão de deferência. — Dinheiro sem sexo. Gostei da ideia.

— Entretanto, dinheiro com sexo é ainda melhor — observou Sean, dando uma piscadela. — Desde que seja com a pessoa certa.

Ivana deu de ombros.

— Talvez. — Em seguida, agarrou o marido e o beijou. — Por você, eu toparia transarrr e nenhum dinheiro. Mas só por você.

— Obrigada — dirigi-me aos dois. — Obrigada por tudo...

— Nenhum problema — disse Sean. — Foi tudo... surreal.

Eu os segui até a porta da igreja, mas, em vez de voltar ao hotel, permaneci um tempinho do lado de fora. Havia uma pequena área gramada à direita da entrada, onde resolvi ficar alguns minutos. Então, decidida, peguei a bolsa creme que Helen tinha me dado como presente de última hora naquela manhã, tirei o celular e disquei um número.

— Alô?

— Sou eu, Jess.

— Jess?

— Isso mesmo. — Respirei fundo e acrescentei: — Eu... bem, tenho uma coisa a dizer e quero que você preste atenção, está bem?

— Você está me dando ordens?

Eu me armei de coragem e continuei:

— Olha, eu me comportei de maneira terrível, imperdoável. Tão mal, que acho que você deve mesmo me odiar. Mas tenho uma coisa a confessar, e sim, estou dando ordens, se você não se importa.

— É mesmo, você se comportou muito mal. E eu me importo. Muito. Mas vou ouvir o que você tem a dizer. Pode falar.

Respirei fundo mais uma vez. Minhas mãos estavam tão suadas que tive medo de deixar o telefone cair.

— Obrigada — eu disse, indecisa. — Bem, é o seguinte. — Hesitei e fechei os olhos. Não podia acreditar que estava fazendo mesmo aquilo. Mas não tinha nada mais a perder. — Eu gosto de você, Max. Gosto muito de você. Sempre gostei. Desde que nos conhecemos. Sei que romance e amor são coisas ilusórias e perigosas, e que só fazem você sofrer. Quer dizer, eu. Sou eu que... Ah, deixa para lá. O que importa é... Bem, eu só queria declarar isso. Porque achava que não assumir, até mesmo não sentir algo assim, era uma prova de determinação. Mas agora, acho que, provavelmente, determinação é fazer o completo oposto. É se arriscar. Mesmo que possa dar tudo errado. Como agora. Eu estou correndo o risco de dar tudo errado.

— Errado? Você se refere ao casamento? Ou ao "não casamento", melhor dizendo.

Engoli em seco, envergonhada.

— Isso, sim, acho que eu consideraria algo totalmente errado — concordei.

— Você disse a Grace que tinha casado com Anthony.

A voz dele era enigmática, impassível.

— Foi uma idiotice, admito. Mas nunca pensei... Quer dizer, eu não sabia que ela me deixaria seus bens. Eu só queria que ela ficasse feliz...

— Mas não é com isso que estou preocupado.

— Não? — perguntei, curiosa. — Bem, eu sinto muito sobre todo o resto...

— Eu só tenho uma pergunta.

— Qual?

— Você ia mesmo casar? Estava mesmo decidida a levar isso adiante? — disse ele, com a voz um pouco mais suave. Apertei o telefone contra o ouvido.

— Não, bem, sim, mas... Eu achava que tinha que fazer isso. Por Grace. E depois pensei que ele quisesse mesmo...

— Mas você não conseguiu ir até o fim?

— Não. Não consegui. Eu não acreditava no casamento como uma instituição, mas não penso mais assim. Eu considero algo importante, quando é verdadeiro. Quando significa alguma coisa.

— Entendo.

— E tudo não passou de uma armação. — Suspirei. — Grace tinha tudo planejado...

— Eu sei.

— Sabe? Como?

— Eu escutei tudo, na igreja.

— Você estava lá?

— Ainda estou. — Nesse momento, senti alguém ao meu lado; então, me virei devagar e dei de cara com Max. — Foram duas ciladas, na realidade, se você pensar bem — acrescentou ele. — Primeiro a de Grace e depois a de Anthony. Ambos armaram para cima de você.

Eu concordei, desolada.

— Duas ciladas. — Senti o rosto ruborizar e minhas mãos úmidas fizeram o telefone escorregar.

— Sabe de uma coisa? Cair numa dessas uma vez, bem, é quase compreensível. Mas duas vezes?

Ele estava tão perto de mim, que eu podia sentir sua respiração. Mas será que ele me odiava? Será que me achava idiota? Eu não fazia a menor ideia.

— Afinal, qual é a pergunta que você ia fazer? — indaguei, com a voz embargada.

— Ah, a pergunta. Sim, tenho mesmo uma pergunta.

— O que é?

Ele se afastou um pouco.

— Por que Anthony? Por que você disse a Grace que estava apaixonada por Anthony?

Engoli em seco.

— Porque não era verdade. Porque, na minha mente, isso tornava a história ainda mais ridícula, mais fácil de ser contada, pois era óbvio que era fictícia.

— Quer dizer que você não estava apaixonada por ele? Nem um pouquinho?

— Nem um pouquinho — respondi, minha voz tremendo um pouco.

— Ah, sim — disse ele, pensativo. — Nem quando pensou que ele estava apaixonado por você?

— Não. Eu sabia que ele nunca tinha sido apaixonado por mim. Eu achava que ele estivesse apaixonado pela Jessica Wiiild, a garota de cabelo brilhante, que usava salto alto e tinha um ex-namorado chamado Sean. Nossa! Mal posso acreditar que tenha sido tão boba.

— Não acho que você tenha sido boba. Ele poderia perfeitamente ter se apaixonado por você.

— Por mim? Não — comentei, sem jeito. — Eu não sou o tipo dele. E nem ele é o meu.

— E eu sou?

— Não — respondi, e logo tentei esclarecer. — Eu não tenho um tipo definido. Eu apenas gosto de você.

— Eu não sou falso.

Nossos olhos se encontraram e eu senti que meu corpo estava fervendo.

— Com certeza, não.

— E você gosta mesmo de mim?

Confirmei com um gesto de cabeça.

— Mas tudo bem, se você não... Quer dizer, ontem à noite você disse que não poderia... Tudo bem...

— Ontem à noite você não me deixou terminar de falar. Você estava ocupada demais me dizendo que iria casar no dia seguinte.

— Eu... eu não deixei você terminar de falar? — perguntei, prendendo a respiração.

— Não. Eu ia dizer que não podia acreditar que você ia se casar com aquele idiota. Eu ia dizer que não podia aguentar ver você entrar na igreja no dia seguinte.

— Era isso? — Meus olhos se arregalaram. — Jura?

Ele abraçou minha cintura.

— Juro.

— Então você gosta de mim?

Ele fez que sim com a cabeça.

— Mas você soube fingir muito bem estar apaixonada por Anthony — disse ele de forma maldosa.

— Eu já expliquei, foi só... um projeto — tentei justificar, constrangida.

— Não estou me referindo ao projeto. Antes disso. Pensei que você estivesse apaixonada por ele desde que começou a trabalhar na agência.

— É mesmo?

— Todo mundo achava isso. Você atravessou uma porta de vidro logo depois da entrevista.

— A parede... — Perdi o fôlego. — Foi por sua causa, não por causa de Anthony.

— Minha?

— Você sorriu para mim.

— Eu?

Confirmei com a cabeça, tímida.

— Assim? — Ele sorriu, com os olhos brilhando, e me puxou para perto de si.

— Assim mesmo. — Naquele momento, me senti sem ar, como se o mundo girasse em *slow motion*.

— Bem, vamos ver se entendi direito: você gosta de mim, é solteira e rica.

Até eu me espantei ao perceber tudo aquilo.

— É, acho que sim.

Max ficou com um ar pensativo.

— Nesse caso, talvez você possa aceitar jantar comigo. Você paga a conta.

— Jantar?

— Talvez queira trocar de roupa primeiro, é claro. Mas sim, jantar. Se você estiver livre.

Meus olhos se iluminaram. Aliás, meu corpo inteiro parecia estar radiante.

— Eu... acho que preciso verificar minha agenda — respondi, sem pressa.

— Eu já consultei sua agenda — falou ele, com a voz rouca. — Tinha algo programado para hoje, tipo um casamento, mas acho que não era nada importante, certo?

Seus braços me envolviam e concordei com a cabeça, feliz.

— Casamento? — Consegui dizer, antes de seus lábios se aproximarem dos meus. — Claro que não. Sabe, Max, há coisas mais importantes do que se casar. Como eu estava tentando dizer, pensando bem, casar não é mesmo o mais importante.

Este livro foi composto na tipologia Palatino LT Std,
em corpo 11/16,1, e impresso em papel off-white
no Sistema Cameron da Divisão Gráfica
da Distribuidora Record.